FAUX PAS

MAURICE BLANCHOT

FAUX PAS

GALLIMARD

Il a été tiré de cet ouvrage treize exemplaires
sur vélin pur fil Navarre, dont dix exemplaires
numérotés de I à X et trois exemplaires hors
commerce marqués de a à c.

DE L'ANGOISSE AU LANGAGE

Un écrivain qui écrit : « Je suis seul » ou comme Rimbaud : « Je suis réellement d'outre-tombe » peut se juger assez comique. Il est comique de prendre conscience de sa solitude en s'adressant à un lecteur et par des moyens qui empêchent l'homme d'être seul. Le mot seul est aussi général que le mot pain. Dès qu'on le prononce, on se rend présent tout ce qu'il exclut. Ces apories du langage sont rarement prises au sérieux. Il suffit que les mots fassent leur service et que la littérature ne cesse de paraître possible. Le « Je suis seul » de l'écrivain a un sens simple (personne auprès de moi) que l'emploi du langage ne contredit qu'en apparence.

Si l'on s'arrête à ces difficultés, on risque de trouver ceci : la première remarque, c'est que l'écrivain est soupçonné de demi-mensonge. Paul Valéry à Pascal qui se plaint d'être abandonné dans le monde dit : « Une détresse qui écrit bien n'est pas si achevée qu'elle n'ait conservé du naufrage... »; mais une détresse qui écrit médiocrement mérite le même reproche. Comment seul, lui qui nous confie qu'il l'est ? Il nous convoque pour nous écarter; il songe à nous afin de nous persuader qu'il ne songe pas à nous; il parle le langage des hommes au moment où il n'y a plus pour lui de langage ni d'homme. On croit volontiers que celui-ci qui devrait être séparé de lui-même par le désespoir non seulement garde la pensée de quelque autre mais se sert de cette solitude pour un effet qui efface sa solitude.

L'écrivain n'est-il qu'à demi sincère ? Cela au fond est de peu d'importance et l'on voit plutôt le caractère superficiel de ce reproche. Pascal n'est peut-être si désolé que parce qu'il écrit brillamment. Dans l'horreur de sa condi-

*tion intervient comme la cause la plus blessante la capa-
cité qu'il garde de se rendre admirable par l'expression de
sa misère. Quelques-uns souffrent parce qu'ils n'expriment
pas complètement ce qu'ils éprouvent. Ils peinent sur
l'obscurité de leurs sentiments. Ils pensent qu'ils seraient
soulagés s'ils tournaient en mots exacts la confusion où ils
se perdent. Mais un autre souffre d'être l'interprète heureux de son malheur. Il suffoque de cette liberté d'esprit
qu'il conserve et qui lui permet de voir où il est. Il est
déchiré par l'harmonie de ses images, par l'air de bonheur
que respire ce qu'il écrit. Il ressent cette contradiction
comme ce qu'il y a de nécessairement accablant dans
l'exaltation qu'il y trouve et qui achève son dégoût.*

*L'écrivain pourrait bien ne pas écrire. C'est vrai. Pour-
quoi l'homme, à l'extrême de la solitude, écrirait-il : « Je
suis seul », ou comme Kierkegaard : « Je suis ici tout
seul » ? Qui l'oblige à cette activité dans la situation où,
ne connaissant de soi et du reste qu'une absence écrasante,
il devient tout à fait passif ? L'homme, tombé dans la terreur et le désespoir, tourne peut-être comme une bête
traquée dans une chambre. On peut imaginer qu'il vit privé
de la pensée qui lui ferait réfléchir son malheur, du regard
qui lui laisserait apercevoir le visage du malheur, de la
voix qui lui permettrait de s'en plaindre. Fou, insensé, il
lui manquerait les organes pour vivre avec les autres et
avec lui-même. Ces images, si naturelles qu'elles soient,
ne sont pas convaincantes. La bête muette, c'est au témoin
intelligent qu'elle apparaît en proie à la solitude. Ce n'est pas
celui qui est seul qui éprouve l'impression d'être seul; il
faut à ce monstre de désolation la présence d'un autre
pour que sa désolation ait un sens, d'un autre qui, grâce
à sa raison intacte et à ses sens conservés, rende momentanément possible la détresse jusqu'alors sans pouvoir.*

*L'écrivain n'est pas libre d'être seul sans exprimer qu'il
l'est. Même atteint le sort qui frappe de vanité tout ce qui
touche l'acte d'écrire, il reste lié à des arrangements de
mots; et c'est même dans l'usage de l'expression qu'il
coïncide le mieux avec le néant sans expression qu'il est
devenu. Ce qui fait que le langage est détruit en lui fait
aussi qu'il doit se servir du langage. Il est comme un hémi-
plégique qui trouverait dans le même mal l'obligation et
l'interdiction de marcher. Il lui est imposé de courir sans*

cesse pour vérifier à chaque mouvement qu'il est privé
de mouvement. Il est d'autant plus paralysé que ses mem-
bres lui obéissent. Il souffre de cette horreur qui de ses
jambes saines, de ses muscles vigoureux et de l'exercice
satisfaisant qu'il en tire fait la preuve et la cause de l'impossibilité de sa démarche. De même que la détresse de
n'importe quel homme suppose à un certain moment qu'il
soit fou d'être raisonnable (il voudrait perdre la raison,
mais justement il trouve sa raison dans cette perte où elle
s'abîme), de même celui qui écrit est voué à écrire par le
silence et la privation de langage qui l'atteignent. Tant
qu'il n'est pas seul, il écrit ou n'écrit pas; il ne sent que
comme une nécessité de métier, d'agrément ou d'inspiration les heures qu'il passe à rechercher et peser les mots;
il se dupe lorsqu'il parle d'une exigence irrésistible. Mais
s'il tombe au point extrême de la solitude, là où disparaissent les considérations extérieures de public, d'art, de connaissance, il n'a plus la liberté d'être autre chose que ce
que sa situation et l'infini dégoût qu'il éprouve voudraient
absolument l'empêcher d'être.

L'écrivain se trouve dans cette condition de plus en plus
comique de n'avoir rien à écrire, de n'avoir aucun moyen
de l'écrire et d'être contraint par une nécessité extrême de
toujours l'écrire. N'avoir rien à exprimer doit être pris
dans le sens le plus simple. Quoi qu'il veuille dire, ce n'est
rien. Le monde, les choses, le savoir ne lui sont que des
points de repère à travers le vide. Et lui-même est déjà
réduit à rien. Le rien est sa matière. Il rejette les formes
par lesquelles elle s'offre à lui comme étant quelque chose.
Il veut la saisir non dans une allusion mais dans sa vérité
propre. Il la recherche comme le non qui n'est pas non à
ceci, à cela, à tout, mais le non pur et simple. Du reste, il
ne la recherche pas; elle est à l'écart de toute investigation;
elle ne peut être prise pour une fin; on ne peut proposer
comme but à la volonté ce qui prend possession de la
volonté en l'anéantissant : elle n'est pas, voilà tout; le « Je
n'ai rien à dire » de l'écrivain, comme celui de l'accusé,
enferme tout le secret de sa condition solitaire.

Ce qui rend ces réflexions difficiles à poursuivre, c'est
que ce nom d'écrivain semble désigner une occupation plutôt qu'un état de l'homme. Un savetier dans l'angoisse
pourrait rire de soi qui permet aux autres de marcher,

alors que lui-même est pris à un piège paralysant. Toutefois, il ne vient pas à l'esprit de décrire son angoisse comme si elle était le fait d'un homme qui raccommode les chaussures. Le sentiment angoissant n'est lié qu'accidentellement à un objet, et il fait précisément apparaître que cet objet à cause duquel on se perd dans une mort sans terme est insignifiant pour le sentiment qu'il provoque et pour l'homme qu'il met à la torture. On meurt d'imaginer perdu n'importe quel objet de son attachement et, dans cet effroi mortel qu'on ressent, on ressent aussi que cet objet n'est rien, n'est qu'un signe interchangeable, une occasion vide. Il n'est pas de chose qui ne puisse nourrir l'angoisse, et l'angoisse est avant tout cette indifférence à ce qui la crée, quoiqu'elle semble en même temps river l'homme à la cause qu'elle a choisie.

L'écrivain apparaît parfois étrangement comme si l'angoisse était propre à sa fonction, plus encore comme si le fait d'écrire approfondissait l'angoisse au point de la rattacher à lui-même plutôt qu'à toute autre espèce d'homme. Il arrive un moment où le littérateur qui écrit par fidélité aux mots écrit par fidélité à l'angoisse; il est écrivain parce que cette anxiété fondamentale s'est révélée à lui, et en même temps elle se révèle à lui en tant qu'il est écrivain ; plus que cela elle semble n'exister dans le monde que parce qu'il y a, dans le monde, des hommes qui ont poussé l'art des signes jusqu'au langage et le soin du langage jusqu'à l'écriture qui exige une volonté particulière, une conscience réfléchie, l'usage sauvegardé des puissances discursives. C'est en cela que le cas de l'écrivain a quelque chose d'exorbitant et d'inadmissible. Il apparaît comique et misérable que l'angoisse, qui ouvre et ferme le ciel, ait besoin pour se manifester de l'activité d'un homme assis à sa table et traçant des lettres sur un papier. En réalité, cela est peut-être choquant, mais comme est choquant le fait qui à la solitude du fou donne comme condition nécessaire la présence d'un témoin lucide. L'existence de l'écrivain apporte la preuve que, dans le même individu, à côté de l'homme angoissé subsiste un homme de sang-froid, à côté du fou un être raisonnable et, uni étroitement à un muet qui a perdu tous les mots, un rhéteur maître du discours. Le cas de l'écrivain est privilégié pour cette raison qu'il représente d'une manière pri-

vilégiée le paradoxe de l'angoisse. L'angoisse met en cause toutes les réalités de la raison, ses méthodes, ses possibilités, sa possibilité, ses fins, et cependant elle lui impose d'être là; elle lui intime d'être raison aussi parfaitement qu'elle le peut; elle-même n'est possible que parce que demeure dans toute sa puissance la faculté qu'elle rend impossible et anéantit.

Le signe de son importance, c'est que l'écrivain n'ait rien à dire. Cela aussi est risible. Mais cette plaisanterie a d'obscures exigences. D'abord, il n'est pas si courant qu'un homme n'ait rien à dire. Il arrive que tel homme fasse taire momentanément toutes les paroles qui l'expriment en donnant congé à la connaissance discursive, en saisissant un courant de silence qui sort de sa profonde vie intérieure. Alors, il ne dit rien, parce que la faculté de dire s'est interrompue; il est dans un ordre où les mots ne sont plus à leur place, n'ont jamais existé, ne se proposent même pas comme une légère rayure du silence; il est tout entier absent de ce qui se dit. Mais pour l'écrivain la situation est autre. Il reste attaché au discours; il ne sort de la raison que pour lui être fidèle; il a autorité sur le langage qu'il ne peut jamais complètement renvoyer. N'avoir rien à dire est pour lui le fait de quelqu'un qui a toujours quelque chose à dire. Il trouve au centre du bavardage la zone de laconisme où il lui faut maintenant demeurer.

Cette situation est pleine de tourments et elle est ambiguë. Elle ne peut être confondue avec la stérilité qui accable parfois un artiste. Elle en est même si distincte que c'est par toutes les nobles et rares pensées qu'il a, par l'abondance et le bonheur des images, par le flux des beautés littéraires, que l'écrivain se voit en passe d'atteindre le vide qui sera dans son art la réponse à l'angoisse qui occupe sa vie. Non seulement il n'a pas rompu avec les paroles, mais il les reçoit plus grandes, plus brillantes, plus heureuses qu'il ne les a jamais eues; il est capable des œuvres les plus variées; il y a une naturelle liaison entre ce qu'il pense de plus juste et ce qu'il écrit de plus séduisant; il lui est merveilleusement facile d'unir le nombre et la logique; tout son esprit est langage. Voilà le premier signe que s'il n'a rien à dire, ce n'est pas faute de moyens, mais parce que tout ce qu'il peut dire est à la disposition de ce rien que l'angoisse lui fait apparaître comme son objet propre parmi les objets momentanés qu'elle se donne. C'est vers ce rien que remontent, comme vers la source qui doit les tarir, toutes les puissances littéraires, et il les absorbe moins pour chercher à être exprimé d'elles que par une consommation sans but et sans résultat. Ce phénomène est singulier. L'écrivain est appelé par son angoisse à un réel sacrifice de lui-même. Il faut qu'il dépense, qu'il consume les forces qui le font écrivain. Il faut aussi que cette dépense soit véritable. D'un côté, se contenter de ne plus écrire, de l'autre, écrire une œuvre où se retrouvent, sous forme d'effets, toutes les valeurs que l'esprit contenait en puissance, c'est empêcher que le sacrifice ne se fasse ou le remplacer par un échange. Ce qui est exigé de l'écrivain est infiniment plus lourd. Il est nécessaire qu'il soit détruit dans un acte qui le mette réellement en jeu. L'exercice de son pouvoir le force à immoler ce pouvoir. L'œuvre qu'il fait signifie qu'il n'y a pas d'œuvre faite. L'art dont il use est un art où doivent apparaître à la fois la parfaite réussite et le complet échec, la plénitude des moyens et l'irrémédiable déchéance, la réalité et le néant des résultats.

Lorsque quelqu'un compose un ouvrage, cet ouvrage peut être destiné à servir telle fin, morale, religieuse, politique, qui lui est extérieure; on dit alors que l'art est au service de valeurs étrangères; il s'échange d'une manière utilisable contre des réalités dont il augmente le prix. Mais si le livre ne sert à rien, il apparaît comme un phénomène de rupture dans l'ensemble des relations humaines qui sont fondées sur l'équivalence des valeurs échangées, sur ce principe qu'à toute production d'énergie doit correspondre une énergie en puissance dans un objet produit et capable d'être relancée sous une forme ou sous une autre dans le circuit ininterrompu des forces; le livre que l'art a produit et qui ne peut produire aucune autre sorte de valeurs que celles qu'il représente semble une exception à cette loi que suppose le maintien de toute existence; il exprime un effort désintéressé; il bénéficie, à titre privilégié ou scandaleux, d'une situation inestimable; il se réduit à lui-même; c'est l'art pour l'art. Cependant — et les discussions sans fin sur l'art pour l'art le montrent — l'œuvre artistique ne s'excepte qu'en apparence et pour les yeux gros-

siers de la loi générale des échanges. Elle ne sert à rien ?
disent les critiques; mais elle sert à quelque chose juste-
ment parce qu'elle ne sert à rien; son utilité est d'expri-
mer cette part inutile sans laquelle la civilisation n'est pas
possible; ou encore elle sert l'art qui est une fin de l'homme
ou qui est une fin en soi ou qui est l'image de l'absolu,
etc... On peut raffiner de mille façons sur ce sujet. Tout
cela est bien vain, car il est clair que l'œuvre d'art ne re-
présente pas un véritable phénomène de dépense. Elle signi-
fie au contraire une opération avantageuse de transforma-
tion d'énergie. L'auteur a produit plus que lui-même; il a
porté ce qu'il a reçu à un point supérieur d'efficacité; il a
été créateur; et ce qu'il a créé est désormais une source de
valeurs dont la fécondité dépasse de beaucoup les forces
dépensées pour la faire naître.

L'écrivain jeté dans l'angoisse ressent particulièrement
que l'art n'est pas une opération ruineuse; lui qui cherche
à se perdre (et à se perdre comme écrivain), il voit qu'en
écrivant il augmente le crédit de l'humanité, donc le sien
propre puisqu'il est toujours homme; il donne à l'art des
espérances et des richesses nouvelles qui retombent lour-
dement sur lui; il transforme en forces de consolation les
ordres désespérés qu'il reçoit; il sauve avec le néant. Cette
contradiction est telle qu'il ne lui semble pas qu'aucun
stratagème puisse y mettre fin. Les malheurs traditionnels
de l'artiste — vivre pauvre et misérable, mourir en accom-
plissant son œuvre — ne rentrent naturellement pas en
ligne de compte dans la structure de son avenir. L'espoir
du nihiliste — écrire une œuvre, mais une œuvre destruc-
trice, représentant, par ce qu'elle est, une possibilité indéfi-
nie de choses qui ne seront plus — lui est également étran-
ger. Il aperçoit l'intention du premier qui croit sacrifier
son existence alors qu'il la met tout entière dans l'ouvrage
qui doit l'éterniser, et le naïf calcul du second qui apporte
aux hommes, sous la forme de bouleversements limités,
une perspective illimitée de renouvellement. Son chemin à
lui est différent. Il obéit à l'angoisse, et l'angoisse lui com-
mande de se perdre, sans que cette perte soit compensée
par aucune valeur positive.

« Je ne veux pas parvenir à quelque chose, se dit l'écri-
vain. Je veux au contraire que ce quelque chose que je suis
quand j'écris n'aboutisse, par le fait que j'écris, à rien,

sous aucune forme. Il m'est indispensable d'être un écri-vain qui soit infiniment moins grand dans son œuvre qu'en lui-même, et cela par l'emploi complet et loyal de tous ses moyens. Je désire que cette possibilité de créer, en devenant création, non seulement exprime sa propre destruction ainsi que la destruction de tout ce qu'elle met en cause c'est-à-dire de tout, mais ne l'exprime pas. Il s'agit pour moi de faire une œuvre qui n'ait même pas cette réalité d'exprimer l'absence de réalité. Ce qui garde un pouvoir d'expression garde la plus grande valeur réelle, même si ce qui est exprimé n'en a aucune; mais être inex-pressif ne met pas fin à l'équivoque qui en tire encore ceci, c'est qu'alors est exprimée la nécessité de ne rien exprimer. »

Ce monologue est fictif, car l'écrivain ne peut se donner comme projet, sous la forme d'un plan réfléchi et cohérent, ce qui est exigé de lui comme le contraire d'un projet et dans la plus obscure et la plus vide des contraintes. Ou, plus exactement, son angoisse s'accroît de cette exigence qui le force à poursuivre en une tâche méthodique le souci dont il ne peut se rendre compte que par une désorganisa-tion immédiate de lui-même. Sa volonté, comme pouvoir pratique d'ordonner ce qui est possible, devient elle-même angoissée. Sa raison claire, toujours capable de se répon-dre dans un discours, est en tant que claire et discursive l'égale de l'impénétrable folie qui le réduit au silence. La logique s'identifie au malheur et à l'effroi de la conscience. Cette substitution ne peut toutefois être que momentanée. Si la règle est d'obéir à l'angoisse et si l'angoisse n'accepte que ce qui l'augmente, il est momentanément supportable de chercher à la faire passer sur le plan d'un projet à échéance parce que cet effort la porte à un plus haut point de malaise, mais cela ne peut durer; rapidement la raison agissante impose la solidité qui est sa loi; angoissée tout à l'heure, elle fait maintenant de l'angoisse une raison; elle change la recherche anxieuse en une occasion d'oubli et de repos. A partir de cette usurpation, et même avant qu'elle se produise, simplement dans la menace qu'en laisse en-trevoir l'usage le plus méfiant de l'esprit réalisateur, tout travail devient impossible. L'angoisse exige l'abandon de ce qui risque de la faire plus faible; elle l'exige, et cet abandon, en signifiant l'échec de l'accord qui avait été dé-

siré pour sa difficulté même, l'accroît d'une manière
extrême; l'angoisse devient même si grande que, délivrée
de ses moyens et perdant contact avec les contradictions
où elle se noie, elle tend à une étrange satisfaction; en se
séduisant, elle ne voit plus qu'elle, elle est regard qui se
voile et sentiment qui se décompose; une sorte de suffisance se constitue avec son insuffisance; le mouvement déchirant qu'elle est l'entraîne vers une rupture définitive;
elle va se perdre dans le courant qui la conduit à tout perdre. Mais, à cette nouvelle extrémité, l'espèce d'angoisse
fondue en ivresse qu'elle se sent devenir la rejette vers le
dehors. Avec une lourdeur accrue, elle revient vers la traduction logique qui lui fait éprouver — d'une manière raisonnable, c'est-à-dire privée de délices — les contrariétés
qui la remettent sans cesse au présent. La réalisation s'essaie à nouveau, d'autant plus sombre qu'elle est plus violemment tentée et d'autant plus recherchée que le souvenir
de l'échec la montre sous la menace d'un nouvel échec. Le
travail est provisoirement possible dans l'impossibilité qui
l'alourdit. Et cela jusqu'à ce que cette possibilité se donne
comme réelle en détruisant la part d'impossible qui était sa
condition.

L'écrivain ne peut se dispenser de son projet puisque la
profondeur de son angoisse est liée au fait qu'elle ne peut
se dispenser d'une réalisation méthodique. Mais il subit
la tentation de projets singuliers. Par exemple, il veut
écrire un livre où la mise en jeu de toutes ses forces significatives se résorbe dans l'insignifiant. (L'insignifiant, est-
ce ce qui échappe à l'intelligibilité objective? Ces pages
composées d'une suite discontinue de mots, ces mots qui
ne supposent aucune langue peuvent toujours, à défaut
d'un sens assignable, produire, par l'accord ou le désaccord
des sons, un effet qui en représente la raison.) Ou bien il
se propose un ouvrage d'où soit exclue l'hypothèse d'un
lecteur. (Lautréamont semble avoir fait ce rêve. Comment
ne pas être lu? On voudrait agencer le livre sur le modèle
d'une maison ouverte aisément aux visiteurs, mais y a-t-on
pénétré, il faudrait non seulement qu'on s'y perde, on y
serait pris à un piège perfide, on y cesserait d'être ce qu'on
était, on meurt. Que l'écrivain ne détruit-il son œuvre, dès
qu'il l'a écrite? Cela arrive; c'est un subterfuge enfantin;
rien n'est fait tant que la structure de l'œuvre ne rend pas

impossible le lecteur, et d'abord ce lecteur qu'est l'écrivain lui-même. On en vient à imaginer un livre auquel, homme d'un côté, insecte de l'autre, l'auteur n'aurait accès qu'en l'écrivant; qui le ferait succomber comme pouvoir de lire sans le faire disparaître comme raison écrivante; qui lui ôterait la vision, la mémoire, l'intelligence de ce qu'il aurait composé avec toutes ses forces et tout son esprit.) Ou encore il médite une œuvre si étrangère à son angoisse qu'elle en serait l'écho par le silence qu'elle garderait. (Mais l'incognito n'est jamais véritable; n'importe quelle phrase banale est l'aveu du désespoir qu'il y a au fond du langage.)

Tous ces artifices doivent à leur caractère puéril le sérieux avec lequel ils sont pesés et mis en forme. L'enfantillage devance son échec en s'attribuant un mode d'être trop léger pour que la réussite ou la non-réussite le sanctionne. Ces tentatives ont ceci de commun qu'elles cherchent une solution complète à une situation qu'une solution complète ruinerait et transformerait en son contraire. Il ne faut pas qu'elles échouent, mais elles ne doivent pas réussir. Il ne faut pas non plus qu'elles équilibrent en un ordre délibéré le succès et l'échec, de manière à laisser à l'ambiguïté la responsabilité d'une décision. Tous les projets que nous avons évoqués peuvent en effet se reprendre dans l'équivoque et ne sont même concevables qu'à l'abri d'une intention à multiples figures. Cette perte de la signification que l'écrivain demande à un texte privé de toute intelligibilité, il la reçoit du texte le plus raisonnable si celui-ci semble afficher son caractère d'évidence comme un défi à la compréhension immédiate. Il y ajoute cette obscurité supplémentaire, c'est qu'il y a doute sur le non-sens de ce sens, c'est que la raison en se jouant d'elle-même dans les prestiges qui lui sont coutumiers ne meurt dans ce jeu que parce qu'elle refuse obstinément de jouer. L'ambiguïté est telle qu'on ne peut la prendre au mot ni comme raison ni comme déraison. Peut-être la page absurde à force d'être sensée est-elle vraiment sensée; peut-être n'a-t-elle pas le moindre sens; comment en décider ? Son caractère est lié à un changement de perspective, et il n'y a rien en elle qui permette de la fixer sous un jour définitif. (On peut toujours dire que son sens, c'est d'admettre les deux interprétations, c'est de se colorer tantôt en bon sens, tantôt en non-sens, et ainsi qu'elle peut être déterminée comme indé-

*termination entre ces deux possibles; mais cela même trahit
sa structure, car il n'est pas dit que sa vérité, ce soit d'être
tantôt ceci tantôt cela; au contraire, il est possible qu'elle
soit uniquement ceci, uniquement cela ; elle exige impérieuse-
ment ce choix; elle ajoute à l'indétermination où on veut
la saisir la prétention d'être aussi absolument déterminée
par l'un des deux termes entre lesquels elle oscille.)*

*L'ambiguïté n'est cependant pas une solution pour l'écri-
vain angoissé. Elle ne peut pas être pensée comme une solution. Dès qu'elle fait partie d'un projet et qu'elle apparaît
comme l'expression d'un calcul, elle laisse perdre la multiplicité qui est sa nature et se fige sous l'aspect d'un artifice
dont la complexité extérieure est sans cesse réduite par
l'intention qui l'a fait naître. Je peux lire un poème à double, triple et peut-être de nul sens, mais je n'hésite pas sur
le sens de ces sens variés et j'y vois la résolution de m'atteindre par l'énigme. Là où l'énigme se montre comme
telle, elle s'évanouit. Elle n'est énigme que lorsqu'elle
n'existe pas en elle-même, lorsqu'elle se cache si profondément qu'elle se dérobe dans ce qui fait que sa nature est
de se dérober. L'écrivain dans l'angoisse rencontre son angoisse comme une énigme, mais il ne peut pas recourir à
l'énigme pour obéir à l'angoisse. Il ne peut pas croire qu'en
écrivant sous le masque, en empruntant des pseudonymes,
en se faisant inconnu, il se mette en règle avec la solitude
qu'il a pour destin d'appréhender dans l'acte même
d'écrire. Il n'a pas les moyens, énigme lui-même, énigme
comme écrivain qui doit écrire et ne pas écrire, d'être fidèle
par l'énigme à sa nature énigmatique. Il se connaît comme
tourment, mais ce tourment n'est pas enfermé dans un
sentiment particulier, n'est pas plus tristesse que joie, n'est
pas non plus la connaissance ressentie dans l'inconnaissable
qui la fonde, tourment qui se justifie avec tout et se débar-
rasse de tout, qui épouse n'importe quel objet et échappe,
à travers tout objet, à l'absence d'objet, qu'on croit saisir
dans le frisson par lequel la mort est liée au sentiment
d'être mais qui rend la mort dérisoire au regard du vide
qu'il creuse, qui cependant ne permet pas qu'on le renvoie,
qui au contraire exige qu'on le subisse et qu'on le veuille,
et fait de sa délivrance un tourment pire, alourdi de ce qui
l'allège. Dire de ce tourment : je lui obéis en abandonnant
ma pensée écrite à l'oscillation, en l'exprimant sous un*

chiffre, c'est le représenter comme n'ayant d'intérêt pour
moi que dans le mystère où il se montre; pourtant je ne le
connais pas plus comme mystérieux que comme familier,
ni comme clé d'un monde sans clé, ni comme réponse à
l'absence de question; s'il me livre à l'énigme, c'est en
refusant de me lier à l'énigme; s'il me déchire par l'évidence, c'est justement en me déchirant; il est là, de cela
je suis certain, mais il est là dans l'obscurité, et je ne
puis maintenir cette certitude que dans l'écroulement de
toutes les conditions de la certitude, et d'abord de ce que
je suis quand je suis certain qu'il est là.

Si l'ambiguïté était pour l'homme angoissé le mode essentiel de sa révélation, il faudrait croire que l'angoisse a
quelque chose à lui révéler que pourtant il ne peut saisir,
qu'elle le met en présence d'un objet dont il ne sent que
l'absence vertigineuse, qu'elle lui énonce par l'échec et aussi
par le fait que l'échec ne met fin à rien une possibilité
suprême à laquelle en tant qu'homme il doit renoncer, mais
dont il peut au moins comprendre le sens et la vérité dans
l'existence de l'angoisse. L'ambiguïté suppose un secret qui
sans doute s'exprime en s'évanouissant, mais qui dans cet
évanouissement se laisse entrevoir comme vérité possible.
Il y a un au-delà où peut-être, si je l'atteignais, je n'attein-
drais que moi-même, mais qui a aussi un sens en dehors
de moi et n'a même pour moi que ce sens d'être absolument en dehors de moi. L'ambiguïté est le langage tenu
par un messager qui voudrait m'apprendre ce que je ne
puis apprendre et qui, complétant son enseignement, m'a-
vertit que je n'apprends rien de ce qu'il m'apprend. Une
telle croyance équivoque n'est pas absente de certains moments de l'angoisse. Mais l'angoisse elle-même ne peut que
la déchirer dans tout ce qu'elle a encore de positif. Elle la
transforme en un poids qui écrase et qui pourtant se
réduit à rien. Elle fait de cette bouche qui parle, qui parle
habilement par la confusion des langues, par le silence,
par la vérité, par le mensonge, l'organe condamné à parler
passionnément pour ne rien dire. Elle garde l'ambiguïté,
mais elle lui retire sa tâche. De cette lecture à contresens
qui tient l'esprit en haleine par l'espoir d'une vérité inconnaissable elle ne laisse subsister que le labyrinthe des sens
multiples où l'esprit poursuit sa recherche sans l'espérance
d'une vérité possible.

L'angoisse n'a rien à révéler et elle-même est indifférente à sa propre révélation. Qu'on la révèle ou non, elle n'en a pas souci; elle entraîne celui qui s'est lié à elle vers un mode d'être où l'exigence de se dire est déjà dépassée. Kierkegaard a fait du démoniaque l'une des formes les plus profondes de l'angoisse et le démoniaque refuse de communiquer avec le dehors, il ne veut pas se rendre manifeste; le voudrait-il, il ne le pourrait pas; il est confiné dans ce qui le fait inexprimable; il est angoissé par la solitude et par la crainte que la solitude puisse être rompue. Mais c'est que, pour Kierkegaard, l'esprit doit se révéler, l'angoisse vient de ceci que, toute communication directe étant impossible, s'enfermer dans l'intériorité la plus isolée apparaît comme la seule voie authentique pour aller vers l'autre, voie qui elle-même n'a d'issue que si elle s'impose comme sans issue. Pourtant, l'angoisse a beau peser comme une pierre sur l'individu dont elle écrase et met en lambeau ce qu'il a de commun avec les hommes, elle ne s'arrête pas à cette tragédie de la mutilation, et contre l'individualité elle-même, contre l'aspiration forcenée, déchirée et déchirante, de n'être que soi, elle se retourne pour la faire sortir du refuge où vivre est vivre sous séquestre. L'angoisse ne permet pas au solitaire d'être seul. Elle le prive des moyens d'être en relation avec un autre, le rendant plus étranger à sa réalité d'homme que s'il était soudain changé en vermine; mais, ainsi dépouillé, et prêt à s'enfoncer dans sa particularité monstrueuse, elle le rejette hors de soi et, dans un nouveau tourment qu'il éprouve comme une irradiation suffocante, elle le confond avec ce qu'il n'est pas, faisant de sa solitude une expression de sa communication et de cette communication le sens pris par sa solitude et tirant de cette synonymie une raison nouvelle d'être angoisse ajoutée à l'angoisse.

L'écrivain n'écrit pas pour exprimer le souci qui est sa loi. Il écrit sans but, dans un acte qui a pourtant tous les caractères d'une composition réfléchie et dont le souci sollicite, à tous les instants, la réalisation. Il ne cherche pas à exprimer son moi angoissé, pas plus que ce moi perdu pour soi; il n'a que faire de cette anxiété qui veut se manifester, comme si en se manifestant elle rêvait qu'elle se délivre; il n'est pas son porte-parole ou le porte-parole d'une vérité inaccessible qui serait en elle; il obéit à une

demandé, et la réponse qu'il rend publique n'a rien à voir
avec cette demande. Y a-t-il dans l'angoisse un vertige qui
l'empêche d'être communiquée? En un sens, oui, puisqu'elle
apparaît insondable; l'homme ne peut dire son tourment,
son tourment lui échappe; il croit qu'il ne pourra exprimer
ce qu'il en est; il se dit à lui-même : jamais je ne traduirai
fidèlement cette souffrance. Mais c'est qu'il imagine qu'il
y a quelque chose à traduire; il se représente sa situation
sur le modèle de toutes les autres situations humaines; il
veut en formuler le contenu; il en poursuit la signification.
En réalité, l'angoisse n'a pas de dessous mystérieux; elle
est toute dans l'évidence qui fait sentir qu'elle est là; elle
est tout entière révélée lorsqu'on a dit : je suis angoissé;
on pourra écrire des volumes pour exprimer ce qu'elle n'est
pas, on pourra la décrire sous ses formes psychologiques
les plus remarquables, on la mettra en rapport avec des
notions métaphysiques fondamentales; il n'y aura rien de
plus dans tout ce fatras que dans les mots : je suis angoissé,
et ces mots mêmes signifient qu'il n'y a rien d'autre que
l'angoisse.

Pourquoi l'angoisse répugnerait-elle à être appelée au
dehors? Elle est aussi bien le dehors que le dedans. L'homme à qui elle s'est découverte (ce qui ne veut pas dire
qu'elle lui a montré le fond de sa nature puisqu'il n'y a pas
de fond), l'homme qu'elle a saisi profondément se laisse
voir dans les diverses expressions sous lesquelles elle l'attire; il ne se montre pas avec complaisance et il ne se cache
pas avec scrupule; il n'est pas jaloux de son intimité, il ne
fuit ni ne recherche ce qui la brise; à sa solitude et à son
union il ne peut attacher d'importance définitive; angoissé
quand il se refuse, plus angoissé quand il se donne, il sent
qu'il est lié à une exigence que ne peut altérer le oui ou le
non de la réalité. De l'écrivain qui aperçoit tout le paradoxe
de sa tâche dans la passion toujours recouverte qu'il veut
toujours dévoiler, il faut dire qu'il réalise sa torture, qu'il
en fait une chose, qu'il se la donne comme un objet à représenter, inaccessible sans doute, mais pourtant analogue
à tous les objets que l'art a pour rôle d'exprimer. Pourquoi
le malheur de sa condition serait-il qu'il lui faut représenter cette condition, avec cette conséquence que s'il réussit
à la représenter, son malheur sera changé en joie, son
destin accompli? Il n'est pas écrivain de son malheur, et

son malheur ne vient pas de ce qu'il est écrivain, mais, placé devant la nécessité d'écrire, il ne peut plus y échapper, du moment qu'il la subit comme une tâche irréalisable, irréalisable quelle qu'en soit la forme, et cependant possible dans cette impossibilité.

Je n'ai rien à dire de mon angoisse, et ce n'est pas pour être exprimée qu'elle me guette dès que je me laisse aller au silence. Mais mon angoisse fait aussi que je n'ai rien à dire de rien, et elle ne me guette pas moins quand je veux donner à ma tâche une fin qui la justifie. Pourtant, il ne m'est pas permis d'écrire n'importe quoi. Le sentiment de l'inutilité de ce que je fais est lié à cet autre sentiment que rien n'est plus grave. Ce n'est pas comme résultat d'un ordre me déclarant : tout est permis, fais ce que tu veux, que je me trouve devant l'échéance du n'importe quoi, c'est comme limite à une situation qui de tout ce qui m'importe fait l'équivalent d'un n'importe quoi et me refuse ce n'importe quoi justement quand il ne m'importe plus. Je puis jouer mon destin aux dés, chaque fois qu'en le jouant comme hasard extérieur à moi je le prends comme destin absolument lié à moi, mais si les dés sont là pour changer en caprice la fatalité trop lourde que je ne peux plus vouloir, je deviens un joueur qui a intérêt à jouer et qui par cet intérêt au jeu rend le jeu impossible (ce n'est plus un jeu). De même, l'écrivain, s'il veut tirer au sort ce qu'il écrit, ne peut le faire que si cette opération représente la même exigence de réflexion, la même recherche de langage, le même effort lourd et inutile que l'acte d'écrire. C'est-à-dire que, pour lui, tirer au sort c'est écrire, écrire en faisant de son esprit et de l'usage exercé de ses dons l'équivalent d'un pur hasard.

Il sera toujours plus lourd pour l'homme de se servir rigoureusement de sa raison en adhérant à elle comme à une coïncidence d'événements fortuits que de la plier à une imitation d'effets hasardeux. Il est relativement facile d'élaborer un texte avec n'importe quelles lettres prises au hasard. Il est plus difficile de composer ce texte en en ressentant la nécessité. Mais il est extrêmement malaisé de produire l'œuvre la plus consciente et la plus équilibrée en assimilant à chaque instant les forces raisonnables qui la produisent à un véritable jeu de caprice. C'est en ce sens que les règles qui définissent l'art d'écrire, les contraintes qu'on y introduit, les formes fixes qui le transforment en un système nécessaire, obstacles insurmontables au coup de dés, sont pour l'écrivain d'autant plus importantes qu'elles rendent plus exténuant l'acte de conscience par lequel doit s'identifier à une absence de règles la raison qui observe ces règles. L'écrivain qui s'affranchit des préceptes pour s'en remettre au hasard manque à l'exigence qui lui commande de n'éprouver le hasard que sous la forme d'un esprit soumis aux préceptes. Il essaie d'échapper à son intelligence créatrice ressentie comme fortune en se livrant directement à la fortune. Il fait appel aux dés de l'inconscient parce qu'il ne peut jouer aux dés avec l'extrême conscience. Il limite le hasard au hasard. De là sa recherche de textes ravagés par l'aventure et sa tentative de composer avec la négligence. Il lui semble être ainsi plus près de sa passion nocturne. Mais c'est que pour lui à côté de la nuit il y a encore le jour, et il a besoin par fidélité aux normes de la clarté de se trahir pour ce qui est sans figure et sans loi.

L'acceptation des règles a cette limite, que, lorsqu'elles se sont effacées et sont devenues habitudes, elles ne conservent presque plus rien de leur forme contraignante et ont la spontanéité de ce qui est fortuit. La plupart du temps, se donner au langage, c'est s'abandonner. On se laisse porter par un mécanisme qui prend sur lui toute la responsabilité de l'acte d'écrire. La véritable écriture automatique est la forme habituelle de l'écriture, celle qui a constitué en automatismes les efforts délibérés et les ratures de l'esprit. A l'opposé de l'écriture automatique, il y a la volonté angoissée de transformer en initiatives réfléchies les dons du hasard et plus nettement le souci de se charger de la conscience qui adhère aux règles ou les invente comme d'un pouvoir en tout pareil au hasard. L'instinct qui nous porte, sous l'angoisse, à fuir les règles vient donc, s'il n'est pas lui-même fuite de l'angoisse, du besoin de les rechercher comme règles véritables, comme cohérence exigeante et non plus comme coutumes et moyens d'une traditionnelle commodité. J'essaie de me donner une loi nouvelle, et je ne la recherche pas parce qu'elle est nouvelle ou parce qu'elle sera à moi — cette pensée de nouveauté ou d'originalité, dans ma situation, serait dérisoire —, mais parce que sa nouveauté est la garantie qu'elle est vraiment loi pour moi, qu'elle s'impose avec une rigueur dont j'ai conscience et qui me rend plus lourd le sentiment qu'elle n'a pas plus de sens qu'un coup de dés.

Les mots donnent à celui qui les écrit l'impression de lui être dictés par l'usage, et il les reçoit avec le malaise d'y trouver un immense réservoir de facilités et d'effets tout montés — montés sans que sa puissance y ait eu de part. Ce malaise peut le conduire à rejeter entièrement les mots de la vie pratique, à interrompre la voix familière qu'il écoute nonchalamment, moins absorbé par ce qu'il écrit sous son influence que par les gestes et les indications du croupier à la table de jeux. Il lui semble alors nécessaire de reprendre les mots à son compte et, en les immolant dans leurs capacités serviles, exactement dans leur aptitude à être à son service, de retrouver, avec leur révolte, le pouvoir qu'il a d'en être le maître. L'idéal des « mots en liberté » n'a pas pour objet de dégager les mots de toute règle, mais de les libérer d'une règle qu'on ne subit plus pour les soumettre à une loi qu'on sent vraiment. Il y a effort pour faire de l'acte d'écrire la cause d'un orage d'ordre et d'un paroxysme de conscience d'autant plus angoissants que cette conscience d'une ordonnance sans défaut est aussi conscience d'un défaut absolu d'ordre. A cette lumière, il devient vite sensible qu'inventer des règles nouvelles n'est pas plus légitime que de réinventer les règles anciennes; il est au contraire plus dur de rendre à l'usage sa valeur de contrainte, de réveiller dans le langage ordinaire l'ordre qui s'y est effacé, d'adhérer à l'habitude comme à l'appel même de la réflexion. Donner un sens plus pur aux mots de la tribu, cela peut être donner aux mots un sens nouveau, mais c'est aussi donner aux mots leur sens ancien, leur faire don du sens qu'ils ont, en les ressuscitant tels qu'ils n'ont cessé d'être.

Si je lis, le langage, qu'il soit logique ou tout musical (non discursif), me fait adhérer à un sens commun qui, n'étant pas lié directement à ce que je suis, s'interpose entre mon angoisse et moi. Mais si j'écris, c'est moi qui fais adhérer le sens commun au langage et, pour cet acte de signification, je porte autant que je peux mes forces à leur point d'extrême efficacité qui est de donner un sens. Tout, dans mon esprit, cherche donc à être connexion nécessaire et valeur mise à l'épreuve; tout, dans la mémoire, souvenir d'un langage qui n'a pas encore été inventé et invention d'un langage dont on se souvient; à chaque opération correspond un sens et à l'ensemble des opérations cet autre sens qu'il n'y a pas de sens distinct pour chacune d'elles; les mots ont leur sens comme substitut d'une idée, mais aussi comme composition de sons et réalité physique; les images se signifient comme images et les pensées affirment la double nécessité qui les associe à certaines expressions et les fait pensées d'autres pensées. C'est alors qu'on peut dire que tout ce qui est écrit a pour celui qui l'écrit le plus grand sens possible, mais aussi ce sens que c'est un sens lié au hasard, que c'est le non-sens. Naturellement, comme la conscience esthétique n'a conscience que d'une partie de ce qu'elle fait, l'effort pour atteindre à l'absolue nécessité et, par là, à l'absolue vanité est lui-même toujours vain. Il ne peut aboutir, et c'est cette impossibilité d'aboutir, d'arriver au terme où il serait comme n'ayant jamais abouti, qui le rend constamment possible. Il garde un peu de sens du fait qu'il ne reçoit jamais tout son sens, et il est angoissé parce qu'il ne peut être pure angoisse. Le chef-d'œuvre inconnu laisse toujours voir dans un coin le bout d'un pied charmant, et ce pied délicieux empêche l'œuvre d'être achevée, mais empêche aussi le peintre de dire, avec le plus grand sentiment de repos, devant le néant de sa toile : « Rien, rien ! Enfin, il n'y a rien. »

I

LE « JOURNAL » DE KIERKEGAARD

Le *Journal* de Kierkegaard, comme toute son œuvre, est dominé par les deux figures que la méditation de cet extraordinaire esprit n'a jamais abandonnées, celle de son père, vieillard d'une profonde religion que poursuivait le souvenir d'une double faute, et celle de sa fiancée, Régine Olsen, avec laquelle il rompit mystérieusement après un an de promesse. Autour de ces deux images, sa pensée ne cesse de se chercher, et elle en tire un monde, réplique tragique du véritable univers inintelligible.

Le *Journal* où se retrouvent, dans un mouvement d'une extrême souplesse, non seulement ses réflexions théoriques ou des thèmes d'articles et d'ouvrages, mais les pensées les plus proches de lui-même, les paroles qu'il était seul à entendre, cet étrange regard par lequel il se voyait dans sa complète énigme, mélange de la plus grande richesse (l'édition complète des *Papiers*, publiée à Copenhague, comprendra une vingtaine de volumes), combinaison profondément liée et apparemment fortuite de philosophie, de théologie, de poésie, de confidences, de rêveries, d'inventions dialectiques, où ce qu'il pense de plus abstrait apparaît comme fondu avec sa personne, où l'idée, loin de subir les accidents de la vie, y trouve son essence et ses conditions et où les événements de l'existence la moins riche en bouleversements extérieurs se prolongent en développements intérieurs d'une extraordinaire fécondité, le *Journal*, par cette variété essentielle, est le miroir de toute l'œuvre de Kierkegaard et même son symbole, s'il est vrai que ce

qui e'st au fond de la méditation qu'il a poursuivie, c'est
la recherche d'une idée qui fût en même temps existence,
d'une idée qui, vérité pour lui, donnât un sens à tout ce
qu'il était e't faisait. Le *Journal* qui n'est pas un journal
intime, comme celui d'Amiel, puisque les réflexions sur sa
vie n'y tiennent pas la plus grande place et qu'elles se
décomposent rarement en notations psychologiques, est
ce'pendant le témoignage le plus proche qui puisse se concevoir du centre d'un esprit. On a l'illusion d'y découvrir
l'itinéraire idéal qui permettrait d'observer une pensée en
la précédant.

Ayant des contacts ave'c toute l'œuvre de Kierkegaard,
le *Journal* pose d'innombrables problèmes et l'on ne saurait songer à s'en approcher. Mais il en est un qu'il met en
valeur et dont on discerne quelques éléments; c'est le problème de la communication. Ce problème prend chez lui
une signification particulière. On y trouve une première
expression de' ce paradoxe qui fait que ses œuvres, sa pensée, sont toutes formées de péripéties autobiographiques
et semblent destinées à révéler sa vie' et qu'en même temps
cette vie, ainsi livrée continuellement d'une manière' indirecte dans des écrits qui la manifestent sous la forme des
plus hauts problèmes, apparaît essentiellement comme ne
pouvant être' révélée dans sa vérité et son drame profond.
Ne cessant dans une certaine mesure de parler de soi et
de' réfléchir sur les événements de' son existence, Kierkegaard se donne comme règle de n'en rien dire d'important
et fonde sa grandeur sur la sauve'garde du secret. Il s'explique et il se voile. Il se montre et il se défend. Il se
découvre, mais c'e'st, attirant les esprits par une véritable
séduction, pour les mettre en contact avec la substance de
ses ténèbres et leur refuser ce' qui leur expliquerait tout.

On sait que le thème du secret est essentie'l dans la vie
et dans l'œuvre de Kierkegaard. Les rapports qui l'unis-
saie'nt à son père, les rapports qui l'unissaient à sa fiancée
jusque dans la rupture qui le sépara d'elle, restent enve-
loppés de mystère. Mais, au delà, un mystère encore' plus
sérieux se laisse entrevoir, non pas inconnaissable à cause
de sa profondeur ou obscur par l'ignorance' absolue sous
laquelle il l'aurait enfoui, mais caché dans une ambiguïté
évidente qui permet d'en beaucoup parler et de' n'en rien
savoir. Il a voulu lui-même cette énigme : « Après moi,

écrit-il dans le *Journal,* on ne trouvera pas dans mes *Papiers* (c'est là ma consolation) un seul éclaircissement sur ce qui au fond a rempli ma vie; on ne trouvera pas en mon tréfonds ce texte qui explique tout et qui souvent, de ce que le monde traiterait de bagatelles, fait pour moi des événements d'extrême importance... » Il écrit encore : « Sur ce qui constitue d'une façon totale et essentielle, de la façon la plus intime, mon existence, je ne puis pas parler. » Et à peu près à la même date, il affirme, comme si le secret, ce n'était pas ce que l'on garde, mais le fait de le garder, comme si conserver quelque chose pour soi, c'était se conserver tout entier : « Tous ceux qui savent se taire deviennent des fils des dieux; car c'est en se taisant que naît la conscience de notre origine divine. Les bavards ne seront jamais que des hommes. Mais combien savent se taire ! — combien discernent seulement ce que c'est de se taire. »

On peut essayer d'interpréter plusieurs de ses actes et de ses manières d'être en y voyant l'un des aspects du problème de la communication, de cette nécessité où il était de rompre le silence et cependant de réserver le fond de lui-même, de garder à tout prix ses secrets et d'être sincère jusqu'au bout. L'histoire de ses fiançailles est dans une certaine mesure l'histoire de ses efforts pour remplacer des relations inauthentiques, fondées sur une exigence morale, par des relations plus profondes, fondées sur le secret. Pourquoi rompt-il ses fiançailles ? Pourquoi la communication habituelle, par le mariage, n'a-t-elle pas été possible ? A cause du secret, parce que cette communication menaçait le trésor de la solitude. « S'il avait fallu m'expliquer, écrit-il dans le *Journal,* j'aurais dû l'initier à d'épouvantables choses. » Au contraire, par la rupture, en mettant entre sa fiancée et lui une distance infranchissable, image de la transcendance, il tend à établir des rapports essentiels. Non seulement, il continue à s'adresser à elle dans ses livres qui lui sont indirectement dédiés; mais il lui propose, par ces livres mêmes qui sont une tentative à la fois pour s'expliquer devant elle et pour brouiller l'explication, la voie au terme de laquelle il lui aura tout dit sans lui rien révéler. Si ses écrits faussent parfois l'homme qu'il est vraiment, le transformant en un séducteur infidèle, mais s'ils laissent aussi apparaître les raisons profondément religieuses qui l'ont incliné à la rupture, c'est pour que sa fiancée puisse triompher de l'ambiguïté et, dans le secret même non dévoilé, communique avec lui. Il n'y a communication que si ce qui est dit apparaît comme le signe de ce qui doit être caché. La révélation est tout entière dans l'impossibilité d'une révélation.

La théorie de l'incognito, le souci qui l'a conduit à ne publier ses premiers livres que sous des pseudonymes, le besoin de faire parler, sous un autre nom que le sien, tous les personnages qui étaient en lui ou derrière lesquels il se cachait, ce sont autant de faits qui touchent au problème de la communication. Il lui a toujours été nécessaire d'affirmer que ses écrits ne l'exprimaient pas tout entier. « L'incognito est mon élément, déclare-t-il, et c'est là aussi qu'est la stimulante incommensurabilité dans laquelle je puis me mouvoir. » Même son *Journal*, il prend soin de le ruiner comme témoignage véridique. « Il s'est certainement souvent introduit de l'imaginaire dans les notes me concernant personnellement de mes *Journaux* de 1848 et 1849. Ce n'est guère facile à éviter pour un homme qui est aussi productif poétiquement que je le suis. Cela surgit de soi-même, dès que je prends la plume. » De même, l'âme de sa dialectique, de sa méthode d'expression indirecte, est à rechercher dans cette croyance qu'il n'y a pas de communication directe possible. « L'imperfection de tout ce qui est humain, dit-il, c'est que le désir n'atteint jamais son objet qu'à travers son contraire. » Mais on peut dire aussi qu'on n'exprime authentiquement quelque chose qu'en le révélant dans une oscillation équivoque qui laisse voir, non pas le positif mais le négatif, et qui efface sans cesse la communication, en même temps qu'elle l'enrichit, par la diversité des formes sous lesquelles elle se fait. Tout est dialectique chez Kierkegaard, parce que le seul moyen de dire la vérité sans la dévoiler, c'est de la poursuivre comme si elle ne pouvait être atteinte, dans un effort qui n'admet ni achèvement ni repos.

Comme poète du religieux (« Je suis le réflecteur poétique de l'élément chrétien »), qui ne pouvait pas devenir le témoin de la vérité, Kierkegaard s'est heurté au même problème de la communication. Ne trouvant pas en lui les forces nécessaires pour être chrétien et apôtre, il a pensé que sa vocation, si elle ne faisait pas de lui « l'extra-

ordinaire », le conduisait à imaginer l'extraordinaire. C'est
le rôle du poète de s'occuper en imagination de l'idéal religieux, au lieu de s'efforcer de le réaliser dans son existence. Il y a donc, pour les secrets les plus hauts, une
forme de communication qui est celle du poète, forme qui
est sans doute authentique mais qui est pourtant marquée
d'une déchéance, puisqu'elle est communication de ce
qu'on n'est pas soi-même. « Que je sois poète, dit-il, c'est
l'expression du fait que je ne m'identifie pas avec l'idéal. »
Et c'est la même situation qu'il met en lumière lorsqu'il
écrit dans son *Journal :* « Ma destinée semble être d'exposer la vérité, à mesure que je la découvre, tout en rui-
nant en même temps toute mon autorité possible. » Exposer la vérité, c'est-à-dire la faire connaître jusque dans
son fond, mais à condition d'écarter les moyens qui la
feraient prendre immédiatement au sérieux, révéler ce qui
est vrai et fonder cette révélation uniquement sur soi, dans
un rapport plein de danger, où les autres, devant ce témoin
discrédité, risquent de se perdre et ne peuvent se sauver
que s'ils descendent également en eux-mêmes, pour s'assi-
miler le message, dans leur solitude la plus profonde, telle
est la vocation que se reconnaît Kierkegaard, et elle exprime le tourment de l'homme qui, enfermé en lui-même,
veut annoncer aux autres son secret et ne le peut qu'en
l'abolissant.

On sait qu'à un certain moment de sa vie Kierkegaard
s'est demandé si son témoignage ne pouvait pas s'approfondir et éveiller, par des voies plus directes, l'attention
des hommes. C'est l'époque où il songe à un petit ouvrage
ayant ce titre : *Un homme a-t-il le droit de se laisser tuer
pour la vérité ?*, où ses attaques contre le journal *Le
Corsaire* font éclater son opposition avec le monde, où il
pense soulever un immense scandale en se séparant de
l'évêque Mynster. Le martyre lui apparaît donc comme un
moyen suprême de communication. « Si la société frappe
un homme à mort, écrit-il, elle devient attentive et réfléchie. » Les hommes font parler l'être qu'ils persécutent
dans la mort qu'ils lui donnent. Ce n'est pas exactement
parce qu'il est capable de souffrir la mort pour son idée ou
parce qu'il montre que l'idée survit à sa mort que le persécuté est vraiment un témoin, c'est parce que les persé-
cuteurs, en le frappant, établissent en lui une relation

complète d'intériorité entre l'idée et l'existence; on peut
dire qu'ils contribuent à fonder cette idée, qu'ils l'établissent, par cette mort, dans le monde : grâce à eux, elle est.
En ce sens, le martyre est un mode de communication par
lequel ce n'est pas le persécuté, mais le persécuteur qui
veut rompre le secret, qui va chercher le témoignage, qui
surprend la vérité. Le persécuté est un homme silencieux,
un homme muré, et son silence d'homme vivant est tel que
ceux du dehors croient que son silence d'homme mort sera
infiniment moins grand, sera, par comparaison, une révélation. Le martyr est un homme qui a poussé son silence
assez loin pour rester silencieux, même dans la communication. « Pour ce martyr plein d'humilité, dit Kierkegaard en parlant de saint Paul, les hommes simplement
n'existent pas. »

Pourtant, Kierkegaard finit par répondre non à cette
pensée. « Si j'ai vraiment eu l'idée de faire ce pas : être
mis à mort, je dois m'en repentir. » Toute sa vie, il a été
partagé entre les exigences du secret et le besoin de rompre cette claustration. En 1848, il écrit : « Je ne suis plus
renfermé en moi, le sceau est brisé, il faut que je parle »,
mais quelques jours plus tard il dit à nouveau : « Non,
non, mon silence, mon secret, ne se laissent pas rompre. »
Sur son lit de mort, on lui demande s'il a un message à
laisser à ses amis : « Non », dit-il, et il ajoute : « J'étais
l'exception. » Nous ne pouvons entreprendre de préciser
le sens qu'a eu pour sa pensée et pour sa vie cette répu-
gnance profonde à communiquer : il a vivement affirmé
contre Hegel qu'il y avait dans toute âme quelque chose
qui ne pouvait devenir public, un mystère qui la consti-
tuait dans sa réalité tragique et qui ne pouvait être percé.
Il a eu le sentiment très fort que le chevalier de la foi
était l'isolement absolu, qu'il ne pouvait pas parler aux
autres, qu'il ne pouvait pas se parler à soi et que sa vie
était comme un livre sous le séquestre divin. Il a eu enfin
pour lui-même, lui qui d'une certaine manière n'avait pas
la foi, la conviction que son royaume, ce n'était ni le
silence ni la parole, et il a profondément éprouvé que tout
esprit a besoin d'un masque, qu'aucune communication
directe n'est jamais valable, parce que la vérité de l'être
correspond elle-même à une ambiguïté fondamentale. Sur
ce silence qui enveloppe toute son œuvre, par lequel elle

se propose en énigme et exige des autres qu'ils deviennent énigmes à leur tour, on ne peut que rappeler les paroles de Chestov que cite M. Jean Wahl dans ses remarquables *Etudes kierkegaardiennes :* « Peut-être est-ce parce que Kierkegaard (comme dans le conte d'Andersen) avait caché son petit pois sous quatre-vingts matelas que celui-ci poussa et atteignit des proportions grandioses, non seulement aux yeux de Kierkegaard, mais encore aux yeux de ses lointains descendants. S'il l'avait ouvertement montré à tout le monde, personne ne l'aurait même regardé. »

II

MAÎTRE ECKHART

Le fait qu'ont paru à quelques semaines d'intervalle
deux importantes traductions des œuvres de Maître
Eckhart ne répond probablement pas à un hasard. Il faut
chercher les raisons de cet intérêt dans la curiosité, parfois assez grossière, qu'éprouve notre temps pour tout
mouvement mystique et, plus encore, dans la parenté qui rapproche les grands thèmes de la mystique eckhartienne de
certaines tendances de la pensée actuelle. Cette ressemblance
n'est pas elle-même l'effet d'un jeu historique superficiel.
Il semble qu'il y ait dans l'expérience du maître thurin-
gien, telle qu'elle nous apparaît à travers ses œuvres, une
profondeur qui pose d'une manière concrète justement les
problèmes dont nous faisons consciemment notre objet.
S'il faut se méfier des analogies qu'on trouve sans trop
de précautions entre tel mystique et tel poète, ou même
entre un mouvement mystique et des recherches philosophiques, poursuivies six siècles plus tard, il n'y a pas de
motif de négliger des rapports qui ne tiennent pas à des
considérations extérieures et qui sont éprouvées comme
le signe d'une authentique communauté d'esprit.

Qui est Maître Eckhart ? Si les grandes lignes de
sa carrière nous sont à peu près connues, nous ignorons
l'essentiel de sa vraie vie, puisque nous ne savons
rien de l'expérience profonde dont ses doctrines ne sont
que les fruits spéculatifs. Que l'exigence mystique
domine toute sa pensée, que cette pensée témoigne d'une
expérience spirituelle d'une plénitude et d'une richesse

extrêmes, c'est ce qui apparaît certain à la lecture de ses principaux écrits. Mais cette évidence n'est attestée par aucune confidence directe; les textes expriment une vérité qui n'a pu être saisie que dans l'intimité d'une connaissance expérimentale, mais ils écartent toute allusion à cette aventure concrète. Il y a peu d'ouvrages religieux qui dans la vie de la foi fassent autant de place à l'expérience mystique, expérience qui intéresse le Moi dans ce qu'il a de plus intérieur, et qui en même temps soient moins attachés à la description psychologique et historique de ce Moi dans son ascension vers l'Unité parfaite. L'épreuve la plus personnelle donne lieu à des formulations d'où sont absentes l'action et l'autorité subjective de la personne.

Ce caractère touche à un autre qui détermine l'un des aspects de la mystique eckhartienne. Tout en mettant audessus de toute autre exigence l'exigence mystique, Maître Eckhart n'accepte pas de rompre avec les méthodes spéculatives. Il prétend au contraire se servir des possibilités intellectuelles pour traduire et dans une certaine mesure fonder l'union complète de l'âme avec Dieu. Alors qu'il conçoit avec une rigueur que rien n'infléchit toutes les conditions de cette déification, alors qu'il écarte comme autant d'obstacles non seulement l'usage de nos facultés finies, mais l'attachement à un contenu même suprarationnel de la croyance, il maintient jusqu'au bout l'exercice de la raison dans l'étude d'une réalité qui se confond avec le néant. D'une part, il n'a de cesse que tout ce qui subsiste n'ait disparu, que l'écroulement de la logique, de la morale, de Dieu — en tant que lié aux créatures — n'ait préparé le retour à l'abîme, la fusion dans le sein de la divinité, et d'autre part il ne fait à aucun moment aveu d'impuissance intellectuelle, il se sert hardiment de la connaissance spéculative, il refuse de substituer les évocations et les effusions sentimentales au maniement d'un instrument rationnel précis. Or ce n'est pas là une inconséquence. Il est au contraire significatif qu'Eckhart, parallèlement à une intuition qui le conduit au cœur du non-savoir, qui lui fait ressentir comme seul digne d'être vécu un état qui exige la mort de l'homme, la mort de l'esprit et même la mort de Dieu, se tienne à un emploi rigoureux de la pensée et fasse porter par la raison son propre anéantissement. Cette ambition qui prétend unir le mouvement ininterrompu de la pensée finie à la saisie d'un infini auquel ne correspond aucune catégorie de la pensée, c'est la marque de la dialectique.

M. Maurice de Gandillac note que Maître Eckhart est très peu dialecticien, et cela est vrai au sens où l'on entend par dialectique un progrès ordonné qui se ferme dans un système. Mais, à un autre point de vue, on comprend que M. Bernard Groethuysen ait pu écrire qu'en enlevant à sa pensée son caractère dialectique, les adversaires d'Eckhart l'ont immobilisée. Car la ligne générale de cette pensée tend, autour de l'expérience d'union qui ne peut marquer que son échec, par un mouvement d'approfondissement qui ne s'arrête pas, à toujours remettre en question ce qu'elle avance, justement ce qui lui permet d'avancer. C'est en ce sens que la doctrine du dépouillement est une véritable contestation concrète par laquelle à chaque étape de l'ascèse correspond une autre étape qui la nie et la rend dérisoire. L'âme doit mourir à elle-même en tant qu'elle est essence créée pour se trouver comme essence incréée dans l'archétype éternel. Elle doit mourir comme essence incréée pour sortir de la multiplicité où elle est comme le Fils à égalité avec le Père et entrer dans la nature divine primitive. Elle doit mourir à toutes les activités divines que l'on attribue à cette nature primitive pour arriver à l'Existence absolue et, dépouillée non seulement de soi, mais du Fils, mais du Père, c'est-à-dire de tout ce qui est théologiquement formulable, découvrir le Fond, le Lit, le Ruisseau, la Source où « Dieu » même a disparu.

Ce mouvement qui transforme chaque affirmation en une négation qui s'en enrichit, qui va au négatif par le positif et ne s'arrête que dans l'affirmation d'une négation absolue, n'est possible que par le paradoxe. La pensée de Maître Eckhart a besoin pour subsister des assurances passionnées du paradoxe. Elle est dialecticienne et paradoxale, dialecticienne, elle qui ne peut jamais s'arrêter sur une affirmation, paradoxale dans la mesure où elle s'appuie sur une affirmation qui se contredit. Même les dehors du paradoxe, c'est-à-dire d'une proposition enveloppant l'incompréhensible, lui sont nécessaires. Lorsqu'il déclare : « Si je dis, Dieu est bon, ce n'est pas vrai, je suis bon, Dieu n'est pas bon, je vais encore plus loin : je suis meil-

leur que Dieu », ou bien : « Tu dois aimer Dieu d'une
façon non spirituelle », ou encore : « Le Dieu dont on peut
dire qu'il est bonté, sagesse, vérité, ne suffit pas plus à la
raison qu'une pierre ou qu'un arbre », ou : « Si je n'étais
pas, Dieu ne serait pas non plus », « Il est plus nécessaire
à l'âme de perdre Dieu que la créature », « Par Dieu, un
homme humble serait-il en enfer, Dieu serait obligé d'aller
l'y retrouver, et l'enfer serait pour lui comme un royaume
des cieux », il ne recourt pas seulement à une forme violente parce que sa pensée exige cette violence, ce oui et
ce non intimement unis, mais il choisit consciemment la
forme la plus lourde de scandale pour que la pensée ne
puisse la recevoir que dans une tension qui lui enlève son
repos et la déchire et la prépare au silence. Maître Eckhart
sent pleinement que s'il a le droit de se servir de l'entendement pour transcrire une expérience devant laquelle la
pensée se disloque, c'est en lui faisant tenir l'un de ses
rôles qui est de se contredire sans cependant être englouti
dans la contradiction. Volontiers, il dirait comme Kierkegaard que le seul usage de la raison, c'est d'exprimer les
valeurs de la croyance dans le langage de l'impossibilité,
de raisonner âprement, rigoureusement, sur l'impossible.
Une formule comme celle qu'il a rendue classique : « On
ne peut voir que par la cécité, connaître que par la non-
connaissance, comprendre que par la déraison », a d'abord
un sens méthodologique. Il s'agit toujours de traduire
l'expérience la plus immédiate par le mouvement de la
dialectique.

Quant à ce que signifie cette expérience, on ne peut que
s'égarer en l'interprétant. La recherche de l'inconditionné
l'a conduit vers le dedans le plus caché, le plus intérieur,
de l'âme humaine. Il affirme qu'il y a dans cette âme une
puissance, une étincelle et quelque chose de plus, un fond
secret où Dieu est éternellement présent, non pas comme
Personne ou comme Essence, mais comme Unité absolue.
Là, dans cet abîme ou ce désert auquel il fait allusion par
des images angoissantes (« Il y a quelque chose dans l'âme
qui dépasse l'essence créée. C'est un pays étranger, un
désert trop innommable pour qu'on le nomme, trop inconnu pour qu'on le connaisse. »), le dedans de l'âme
coïncide absolument avec le dedans de la divinité; l'intériorité la plus secrète ouvre sur l'Autre; le Je, en s'appro-

fondissant au delà de toute détermination, se confond avec
le Tu divin, dans une union qui brise les structures propres du sujet et de l'objet. Cette expérience est proprement celle du fait d'être. Dieu, tel qu'il est saisi comme
identique à l'âme où il se révèle, est au delà de la substance et ne se donne en aucune manière comme un objet
qu'il faudrait recevoir comme tel. Lui aussi est pure
intériorité, existence absolument concrète, il est l'âme humaine lorsqu'elle s'est ouverte à son existence incondition-
née. Il faut ajouter que cette expérience qui semble supprimer la transcendance divine puisqu'elle affirme la
complète unité de l'âme dans son fond et de Dieu dans son
fond, est, en réalité, l'expérience de la transcendance. C'est
dans l'âme elle-même que s'accomplit le saut, dans l'âme
que se creuse l'abîme que nulle pensée, nul acte, ne peuvent franchir. L'au-delà est en nous d'une manière qui
nous sépare à jamais de nous, et notre noblesse est dans
ce secret qui fait que nous devons nous rejeter absolument
pour nous trouver absolument. Qu'y a-t-il dans l'homme ?
Cela, l'homme ne peut le savoir (« Ce que l'âme est dans
son tréfonds, personne ne le sait », dit Maître Eckhart).
Il ne peut que se heurter au mystère incréé du dedans
de soi-même. Comme l'Un pur et simple, il est incapable
de se révéler, et cette impuissance qui n'est pas seulement
liée à sa condition finie, qui est l'unité elle-même, est justement sa plus grande puissance, celle par laquelle il lui
est donné d'atteindre l'extrême de sa vérité.

M. Maurice de Gandillac remarque que plusieurs des
affirmations de Maître Eckhart rappellent les thèmes les
plus constants de la philosophie contemporaine. Ces quelques commentaires font en effet apparaître qu'une pensée
qui fait servir le discours à la révélation de ce qui est à
l'écart de tout discours, qui demande au paradoxe les
moyens de son progrès et qui aboutit à une réalité où dans
l'intensité de l'immanence est saisie l'absolue transcendance, ne peut qu'être toute proche de la pensée de Kierkegaard et de Jaspers. Il faut seulement noter que cette
expérience, destinée à briser l'homme pour le changer en
Dieu, tendue sans compromis vers l'impossible et par conséquent sans cesse menacée de l'échec, n'est pas colorée
extérieurement par l'angoisse qui marque la pensée d'un
Kierkegaard ou que s'incorpore la philosophie d'un Jas-

pers. Une sorte de triomphe se dégage au contraire de cette ascension à travers le néant et le désespoir. Une assurance noble et magnanime persiste dans les tourments de la nuit. Et l'insatisfaction d'une pensée, privée de tout, ployée à rien, s'épanouit dans le détachement parfait. Qu'est-ce que le détachement? demande Maître Eckhart, et il répond : « Le détachement parfait ne connaît aucun regard sur la créature, ni fléchissement de genou, ni fierté dans le maintien, il ne veut être ni au-dessous ni au-dessus des autres, il ne veut que reposer sur lui-même, sans souci de l'amour et de la souffrance de personne. » C'est dans les perspectives de ce détachement que l'échec devient victoire et la chute mouvement vers le haut, parce que les notions de salut, d'espérance et de béatitude ne comptent plus au regard de l'expérience suprême de la foi qui est au-dessus de toute mesure et de toute fin.

III

LE MARIAGE DU CIEL ET DE L'ENFER

Les quelques pages de William Blake, *Le Mariage du ciel et de l'enfer*, sont les plus propres à nous tourner vers le grand écrivain mystique anglais. Sans être obscurcies par les ténèbres allégoriques qui assombrissent souvent ses autres œuvres, elles portent au plus loin la vision dans les régions spirituelles où il exerçait son pouvoir. L'imagination morale et l'imagination poétique s'y équilibrent dans la tension fiévreuse de leurs doubles exigences. Les proverbes y sont des figures, et les visions, déchirées par l'éclair, s'ouvrent sur des pensées lisibles. Il n'y a ni surcharge morale ni aveuglement prophétique. Tout ce qui s'y voit s'entend et touche au plus profond.

On sait que William Blake, ignoré de son époque, mal connu de celles qui l'ont suivie, s'est dans une certaine mesure révélé à la nôtre. Comme artiste et comme écrivain, plus encore comme visionnaire à demi engagé dans un étrange effort mystique, il s'est subitement trouvé en harmonie avec certains esprits du xxe siècle. En France, rendu accessible par les travaux de M. Pierre Berger, il a attiré sur son visage des regards fidèles, et ses œuvres ont offert à beaucoup qui s'y sont reconnus le miroir de l'impossible. Peu avant la guerre, la revue *Messages*, dans un numéro spécial, avait mis en valeur « la troublante actualité de Blake » et précisé ses relations avec quelques écrivains d'aujourd'hui. En vérité, cette actualité n'est pas ce qui importe chez un esprit qui n'a été à soi que dans la solitude et la négation. Que l'histoire ou non l'accompagne, il appartient au site que son imagination et sa foi lui avaient découvert loin de toute gloire et de toute espérance communes.

Le Mariage du ciel et de l'enfer donne une image des singularités du génie poétique de Blake et de celles de sa pensée. L'un et l'autre sont fondés sur un violent souci des contraires. Son imagination est un mélange rare de puissance de vision et de force constructive. Il voit, et avec ce qu'il a vu il construit un ensemble qu'il faut bien appeler un système. Il va au delà des apparences, et les formes qu'il découvre s'organisent autour de tendances morales dont il est maître. Il est voyant, mais sa vision prend place dans une forêt de transpositions où il ouvre des voies et trace des figures en accord avec un plan qu'il a établi. C'est cette double démarche de son imagination, à la fois instinctive et théorique, puissance de voir et puissance de faire, suprême passivité et sommation magique, qui donne à ses œuvres leur balancement équivoque et leur ôte leur équilibre. Car il arrive que cet esprit qui voit et qui conçoit s'abandonne avec excès à l'une ou l'autre de ses tendances. Tantôt les tableaux qu'il nous offre sont des descriptions, libérées de toute signification directe, images fascinantes qui ont brisé le palais de miroirs où il voulait les enfermer comme fragments d'un majestueux ensemble. Tantôt les pensées et les aphorismes se laissent voir dans leur mouvement systématique et repoussent les visions sous lesquelles il prétendait les cacher. Ou bien les symboles, destinés à une composition coordonnée, rompent le plan dont ils devaient animer l'unité grandiose et, poussés par leur puissance propre, ivres d'une vie irrésistible, ils se développent dans la fièvre de leurs métamorphoses, sans souci de leur sens, imposant un monde qui est un magnifique chaos d'allégories.

Ces deux formes de son génie poétique expliquent qu'on ait vu en Blake le poète le plus étranger à toute expression volontaire, et aussi l'écrivain le plus convaincu du pouvoir créateur de l'imagination. « A Blake attendant des Eternels les mots ailés qu'ils lui dictaient, il semble, dit M. Jean Lescure, qu'on pourrait opposer Novalis pour qui chaque mot est une parole d'incantation. » « La théorie de l'imagination chez Blake, avec un autre accent, c'est, dit M. Jean Wahl, la théorie même de Novalis. » En réalité, cette opposition est dans l'esprit de Blake, conscient de ses dons ambigus. (*Il y a en moi une double vision,* écrit-il.) Dans la mesure où le poète croit être l'oracle de paroles supérieures qu'il récite, il est le héraut de forces prodigieuses, capables de transfigurer le monde. Sa passivité est le présage de la plus haute action. Il reçoit les moyens de détruire et de construire. Il résonne à un appel créateur. Il participe à cette création. Il est lui-même écho et voix, vision et système. Il porte en lui tout ce qu'il faut pour être la bouche consciente où se forme le langage de l'absolu. « Tel est le souffle du tout-puissant, dit Blake dans sa *Jérusalem,* telles sont les paroles de l'homme à l'homme, dans les grandes guerres de l'éternité, dans la fureur de l'inspiration poétique, pour construire l'univers stupéfiant par la création de formes mentales. L'imagination humaine est la vision et la jouissance divine. » Et, dans *Le Mariage du ciel et de l'enfer,* il fait dire à Ézéchiel : « Nous d'Israël, enseignâmes que le génie poétique... était le principe initial, et que tous les autres en dérivaient. »

La dualité qui est dans l'imagination de Blake et qui dans sa pensée devient manichéisme s'est exprimée par les formules que *Le Mariage* nous livre dans leur plus grand dépouillement. « Le bien (du moins ce que les religions appellent le bien) est le passif qui se soumet à la raison. Le mal est l'actif qui prend source dans l'énergie... L'énergie est la seule vie; elle procède du corps et la raison est la borne de l'encerclement de l'énergie. Energie est éternel délice. » Ce qui frappe d'abord dans de telles pensées, c'est que Blake y prend le parti du diable, trouvant dans l'enfer la flamme du désir, la chance de l'exagération, toutes les puissances de vie qui conduisent l'homme à être plus qu'il ne peut. Grossièrement, on peut voir dans cette préférence la protestation contre le rationalisme du XVIIIe siècle, un appel révolutionnaire pour renverser les lois d'une religion puritaine et rendre à l'homme, appauvri par le sensualisme, ses ombres et ses abîmes. Mais la pensée de Blake n'est pas dans cette seule apologie du désir dont il illumine ses proverbes infernaux. Elle est dans l'union violente, étrangère à tout compromis, dans le rapprochement

qui ressemble plus à un combat qu'à une réconciliation,
dans le mariage du ciel et de l'enfer. William Blake a
conçu une forme de synthèse qui fait de lui l'adversaire
anticipé de Hegel et le modèle de Kierkegaard et de
Nietzsche. Il veut réunir en soi la contradiction, non pour
la résoudre ou la surmonter, mais pour la maintenir dans
sa tension constante. Il accepte l'enfer et le ciel, parce qu'ils
représentent l'un et l'autre des valeurs nécessaires, mais
aussi parce qu'ils se combattent. Il les associe comme éléments d'une lutte éternelle, ferments d'une relation que
rien ne peut stabiliser, ressorts d'un contraste irréductible,
et ce mariage n'a de sens que dans la mesure où il est
union impensable et impossible divorce. « Sans contraires,
dit-il, il n'est pas de progrès. Attraction et répulsion, raison et énergie, amour et haine sont nécessaires à l'existence de l'homme. » « Une portion de l'être est le prolifique, l'autre portion le dévorant : il semble au dévorant
qu'il tient le producteur dans ses chaînes; mais cela n'est
point; il ne tient que des portions d'existence et s'imagine
qu'il tient le tout. Mais le prolifique cesserait d'être prolifique si le dévorant comme une mer n'absorbait l'excès de
ses délices... Il y a et il y aura toujours sur la terre ces
deux classes d'homme, et elles seront toujours ennemies;
essayer de les réconcilier, c'est s'efforcer de détruire l'existence. » Ainsi, pour Nietzsche, il n'y a de noblesse que
dans le refus passionné de choisir, dans le souci tragique
de maintenir les contradictions. Et, dira Kierkegaard, il
faut penser à une chose, et dans le même moment avoir en
soi ce qui est le plus opposé à cette chose, penser en même
temps les points extrêmes de l'opposition et les unir dans
l'existence.

William Blake ne représente pas seulement une pensée
qui dès la fin du XVIIIe siècle propose un renversement des
valeurs, un appel aux forces démoniaques, une conjonc-
tion orgueilleuse de pouvoirs opposés. Cette révolte ne rend
pas entièrement compte de l'homme qui, en dehors de
toute communauté, ne trouvant pas dans les formes religieuses de son époque le sens de son destin, s'est jeté dans
une tragique aventure spirituelle dont nous ne pouvons
mesurer les périls et qui nous est restée inconnue. William
Blake a-t-il tenté une expérience mystique dont ses
visions seraient le lointain reflet ? A-t-il atteint l'unité

profonde des choses, sous la forme d'une lumière déchirante, capable de le transformer et d'expliquer sa révolte ? Ou n'a-t-il eu que des ambitions spirituelles, rassemblant par la force de la poésie les images qu'appelaient, comme le sceau de la vérité, sa passion et son désir ? Si, à quatre ans, il a vu Dieu à sa fenêtre, est-ce comme un génie poétique, précocement appelé à briser les apparences banales ou sa vision exprimait-elle un sursaut plus profond, une divination d'une autre essence ? Lui-même n'apporte que des réponses évasives. Où voyez-vous vos visions ? lui demande-t-on. Ici, dit-il, et il se frappe le front. Ainsi, dans *Le Mariage du ciel et de l'enfer,* Isaïe déclare : « Certes, je ne vis ni n'entendis aucun Dieu par quelque perception limitée de mes organes, mais mes sens découvrirent l'infini dans chaque chose. » Et pourtant autour de sa personne, comme autour de son œuvre, il y a un rayonnement énigmatique qui est comme un pouvoir échappé à la nuit et qui exprime un peu plus qu'un rêve privé d'existence. On y perçoit l'effort d'un être qui, avant de franchir les bornes nécessaires, a ouvert les yeux sur le monde où il n'a pu que se blesser, se déchirer au cœur de la contemplation.

Ce qui donne au *Mariage du ciel et de l'enfer* un caractère d'authenticité inoubliable, c'est que cette présence mystérieuse s'y exprime par des images dont aucune n'est gratuite et par des pensées qui brisent leurs contours abstraits. La « vision mémorable » au cours de laquelle Blake, conduit par un ange, voit le lot qui lui est réservé parmi les flammes éternelles et convainc son guide d'imposture, transporte l'esprit dans un site où il se découvre lui-même sous la forme d'un paysage. De même, les célèbres proverbes de l'enfer, ceux qui réclament pour l'homme la dignité nouvelle d'un sort plein de risques, voué au désir et à la folie, ces maximes que rien ne voile (*Le chemin de l'excès mène au palais de la Sagesse. — Exubérance, c'est Beauté. — Tu ne peux connaître ce qui est assez que si tu as connu d'abord ce qui est plus qu'assez. — Si le fou persévérait dans sa folie, il rencontrerait la Sagesse. — Si d'autres n'avaient pas été fous nous devrions l'être. — Plutôt étouffer un enfant au berceau que de bercer d'insatisfaits désirs*), toutes ces pensées qui pourraient n'être que les traits d'une morale retournée, se séparent de leur stricte signification et sont les figures d'un monde que le regard se représente en vain. Telle est dans un art symbolique la plus complète métamorphose. L'idée devient univers et l'image, pensée de l'abîme. La flèche qui ouvre la nuit, c'est finalement une abstraction.

IV

AUTOUR DE LA PENSÉE HINDOUE

En lisant certaines études consacrées à l'hindouisme (et même le numéro spécial des *Cahiers du Sud, Message actuel de l'Inde*), on est frappé par la facilité avec laquelle elles établissent un pont entre les formes les plus élevées de la spiritualité hindoue et des lecteurs que rien n'a préparés à cette connaissance. Il semble, à suivre ces explications si claires, que le langage porte aisément des secrets malaisés, ceux qui justement ne peuvent être connus que lorsque le langage éclate; on a le sentiment que non seulement il n'y a pas de grandes difficultés de traduction entre le sanscrit et les langues occidentales, que non seulement des concepts qui perdent déjà une partie de leur sens lorsqu'ils sont exprimés dans le vocabulaire original, peuvent être transférés sans nouveaux dommages dans des langues vraiment étrangères, mais que les plus hautes expériences mystiques se communiquent toujours et avec la plus surprenante facilité à n'importe quel lecteur réfléchi. Il y a là un manque de prudence dont des écrivains certainement fort éloignés de toute légèreté n'ont pas vu tous les inconvénients. Leur désir de tourner les esprits vers la pensée hindoue les a rendus inattentifs aux difficultés que ces esprits devraient à juste titre rencontrer pour y accéder. Ils ont montré des images claires de ce qui en soi est obscur ou plus exactement de ce qui n'a de sens ni dans la clarté ni dans les ténèbres.

M. Benjamin Fondane affirme qu'on ne peut se trouver désorienté et perdu au cœur de la philosophie indienne que si l'on ignore également l'âme de la philosophie occidentale, ses courants mystiques et ses exigences déchirantes. Cela déplace à peine le problème. Car devant Maître Eckhart, saint Jean de la Croix ou même devant Kierkegaard, il est naturel et nécessaire que le lecteur ait le sentiment, non pas d'être à son aise, mais de perdre pied, non pas d'éprouver un vif intérêt dans son intelligence et son cœur, mais de ressentir un souci, celui de sa pensée paradoxalement atteinte et de son être tiré hors de ses voies. Ce n'est pas seulement parce que la spiritualité hindoue a ses difficultés propres qu'il est dangereux de la décrire en termes qui semblent la rendre aisément saisissable. Le danger commence dès qu'on a laissé croire qu'une discipline spirituelle authentique pouvait être d'une prise facile. L'intelligence innocente est alors dépossédée d'elle-même par l'acte de compréhension naïve qui croit la combler.

On ne saurait assez regretter l'absence d'avertissements, destinés à reprendre au lecteur les vérités que des exposés bien conduits lui apportent trop généreusement. Toute communication directe d'une pensée qui ne doit pas se laisser comprendre directement a un caractère comique. Elle ressemble à la prédication de ce religieux dont parle Kierkegaard et qui disait : on ne doit pas avoir de disciples; c'était sa doctrine, il la prêchait partout, et comme il était éloquent, il était suivi de beaucoup de disciples qui répétaient à leur tour : on ne doit pas avoir de disciples. Il en est de même chaque fois que la raison discursive entre tranquillement dans un ordre où sa seule manière d'accéder devrait être la lutte avec la contradiction, la contestation infinie d'elle-même, la passion du paradoxe. Elle saisit, dans la paix, comme une sereine évidence, le fait qu'elle est congédiée; elle donne à ce congédiement une interprétation qui la satisfait entièrement; elle reçoit le non-savoir comme un savoir qu'elle se formule en mots limpides et qui accorde sur le bord de l'abîme un repos plein de charme. Cette tromperie laisse peser sur les livres complaisants une ombre invisible. Ne la voient que ceux qui, là où tout est clair, savent qu'ils ne voient rien.

Un tel inconvénient prend tout son sens dans les pages où les collaborateurs des *Cahiers du Sud* donnent la parole à des penseurs hindous contemporains, avec l'espoir qu'une synthèse Orient-Occident va paraître possible. On

sait que plusieurs sages de l'Inde, et avant tous Shrî Râ-
makrishna et Vivekânanda, ont vu dans cette synthèse le
projet de l'avenir. Ils ont montré que la recherche de la
vérité se poursuivait, à travers des civilisations différentes,
sous des formes authentiques et que l'accès à l'absolu était
universel. Mais de cette aspiration il est d'abord résulté un
effort pour mettre à la portée des Occidentaux une sagesse
difficile; le vocabulaire philosophique international a fourni
les concepts d'échange dont il est prodigue; l'extraordinaire vigueur synthétique qui est propre au génie hindou
a apporté la ressource des symboles qui lui ont toujours
permis d'accueillir les pensées les plus diverses sans renoncer à ses sources et elle a formé une image de l'hindouisme où l'Occident a pu essayer de se reconnaître. Le
malheur, c'est que cette sorte de conciliation, cette tentative
pour supprimer les barrages entre la pensée issue des Upa-
nishads et l'Europe, n'a pas le sens qu'un Européen serait
tenté de lui accorder. Si l'Hindou adapte avec bonne volonté son vocabulaire à certaines formes occidentales de
raisonnement, ce n'est pas nécessairement, comme on lui
en a fait le reproche, parce qu'il subit l'attrait des disciplines de l'Occident, c'est bien plutôt parce que cette complaisance fait partie de sa vision profonde, parce que cette
ambiguïté nouvelle répond à l'approximation dont aucun
langage ne peut être dépouillé, parce qu'il y a en cela une
part de vérité, comme il y en a une et dans le oui et dans
le non. Là où le lecteur occidental croit voir la démarche
d'une pensée qui s'approche de lui pour lui devenir plus
accessible, il se trouve en présence d'un mouvement qui
loin de favoriser la compréhension, n'est lui-même pas
compris et devient un nouveau motif de malentendu. Il est
tenu à l'écart par la tolérance de l'hindouisme, et tout à la
satisfaction des pas illusoires que celui-ci a faits vers lui,
il en est plus éloigné que jamais, croyant interpeller un
voisin qui demeure au delà du monde.

De semblables perspectives ne permettent guère d'exprimer un jugement sur la véritable spiritualité hindoue,
même si ce jugement, formé du dehors, était présenté
comme n'en pouvant saisir que les caractères superficiels,
par conséquent comme l'expression d'une trahison et d'un
leurre. Mais les généralités auxquelles les commentateurs
recourent habituellement sont capables d'inspirer deux

sentiments contraires et ces réactions montrent les limites
et les dangers de toute apologétique de vulgarisation.
D'abord, on ne saurait nier que des études sur les expériences mystiques de l'Inde ne fassent naître dans beaucoup
d'esprits un sentiment de sympathie et d'admiration. Si
l'on ne se donne pour objet que de provoquer un intérêt
vague à l'égard des choses spirituelles, il est évident qu'un
tel résultat peut être atteint avec des moyens approximatifs
et qu'il sera toujours facile d'exciter une curiosité amicale
en parlant d'un pays aussi admirablement doué que l'Inde
et où la spiritualité a pénétré à tel point la vie sociale.
Mais, ce sentiment d'intérêt éveillé, les mêmes commentateurs risquent d'éloigner les esprits qui, portant une angoisse
plus lourde, se verront menacés d'être comblés trop facilement. Car, qu'ont-ils montré? Que la spiritualité hindoue
a merveilleusement réussi, qu'elle réussit à la fois par son
extraordinaire épanouissement dans tout le peuple et plus
encore dans le cœur de chaque être par la béatitude qu'elle
lui apporte nécessairement au terme de longues épreuves.
Après les explications des commentateurs, on est vraiment
forcé de penser que la spiritualité hindoue est une spiritualité qui réussit trop bien, qui est trop satisfaite d'elle-
même, qui promet et donne, à coup sûr, par la patience, le
savoir et la technique, la sécurité définitive. Et il résulte de
cela ce paradoxe que la doctrine dont l'âme s'est cherchée
par une exigence pessimiste totale semble aboutir à une
conception étrangement optimiste de la vie spirituelle, que
la pensée qui a accepté de se placer constamment, dans des
conditions héroïques, devant l'absolu, n'a plus pour idéal
qu'un aménagement confortable de la spiritualité et aussi,
car ces caractères apparaissent dans l'hindouisme moderne,
que le souci religieux le plus dépouillé, le plus pur, est finalement destiné à servir des revendications nationales et
sociales, celles qui peuvent le mieux faire obstacle à l'unité
de la vie, fondée sur une commune conscience de l'existence profonde. Nous répétons que ce sont là les effets d'une
exégèse malheureuse et qu'il serait absurde d'en faire retomber la responsabilité sur le Vedanta ou les Upani-
shads. Mais ces jugements montrent au moins que les problèmes spirituels ne peuvent être abordés qu'avec la plus
grande rigueur et les plus sévères précautions. Les Occidentaux, qui, comme les autres peuples, connaissent surtout

le bavardage et la *parlerie,* ont ce trait particulier de parler à tort et à travers et cependant de croire au langage. Ce que les mots leur apportent a un sens défini qu'ils reconnaissent et qu'ils essaient ensuite d'organiser logiquement. On ne saurait donc trop, en face de tout enseignement mystique, les priver de langage et les forcer au silence qui seul peut les déchirer. C'est ce qu'ils pourraient retenir de la célèbre légende racontée par Shankara. Un jour, interrogé par Vashkalin, Bâhva lui fit cette réponse : « Ami, apprends à connaître le Brâhman », et il resta silencieux. Vashkalin répéta sa demande, une seconde, puis une troisième fois. Mais Bâhva continua à se taire. A la fin, il lui dit : « En vérité, je te l'ai annoncé. Mais tu ne veux pas comprendre. Cet âtman, c'est : on n'en dit rien, on s'abîme dans le silence. »

V

L'EXPÉRIENCE INTÉRIEURE

Les paroles de Nietzsche : « Voici l'heure du Grand Midi, de la clarté la plus redoutable », il nous arrive de les entendre en nous-mêmes, lorsqu'après avoir ruiné la vérité qui nous abritait nous nous voyons exposés à un soleil qui nous brûle, soleil qui n'est pourtant que le reflet de notre dénuement et de notre froid. Peut-être aura-t-on envie de répéter ces paroles (pour en éprouver le sens) lorsqu'on aura lu le livre de Georges Bataille, *L'Expérience intérieure*. L'heure du Grand Midi est celle qui nous apporte la plus forte lumière; l'air entier est échauffé; le jour est devenu feu; pour l'homme avide de voir, c'est le moment où, regardant, il risque de devenir plus aveugle qu'un aveugle, une sorte de voyant qui se souvient du soleil comme d'une tache grise, importune. De ce livre il faut dire à quelques-uns que s'ils s'en approchent avec une intelligence frivole, avec une intelligence lourde, il les laissera plus frivoles, plus lourds, plus trompés dans leur intelligence que le sort ne l'avait prévu. Cet avis vaut aussi pour d'autres. Il faut un hasard pour comprendre à fond ce qui importe, un autre hasard — de la chance — pour se donner à ce qu'on a compris. Cette chance, quel « critique » ne tremblerait de la compromettre, lui qui n'est là que pour la préparer?

L'expérience intérieure est la réponse qui attend l'homme, lorsqu'il a décidé de n'être que question. Cette décision exprime l'impossibilité d'être satisfait. Dans le monde, les croyances religieuses lui ont appris à mettre en cause les intérêts immédiats, les consolations de l'instant aussi bien

que les certitudes d'un savoir inachevé. S'il sait quelque
chose, il sait que l'apaisement n'apaise pas et qu'il y a en
lui une exigence à la mesure de laquelle rien ne s'offre en
cette vie. Aller au delà, au delà de ce qu'il désire, de ce qu'il
connaît, de ce qu'il est, c'est ce qu'il trouve au fond de tout
désir, de toute connaissance et de son être. S'il s'arrête,
c'est dans le malaise du mensonge et pour avoir fait de sa
fatigue une vérité. Il a choisi de dormir, mais il appelle
son sommeil science ou bonheur — parfois guerre. Il peut
aussi l'appeler l'au-delà. L'histoire montre en effet que le
mouvement sans frein de l'homme est devenu souvent l'espoir d'un éternel repos; le besoin d'aller toujours au delà
dans la fièvre de la relativité a donné naissance à un au-
delà absolu; on a accepté, au nom d'un principe d'inquiétude, de mettre en question ce monde et on en a tiré un
autre monde qu'il a été défendu d'inquiéter; le principe
s'est substantialisé dans son contraire.

Mais si la contestation s'empare de cette perspective rassurante, récuse l'autorité vague et supérieure (Dieu) qui lui
a donné sa forme, supprime tout espoir dans la vie et hors
de la vie, c'est le fait même de l'existence qui est maintenant en cause, et l'homme rencontre le non-savoir comme
l'expression de cette suprême mise en jeu, venue elle-même
de l'insuffisance et de l'inachèvement humains. Le non-
savoir rejette dans la nuit ce qu'un homme sait de lui-
même. Cela veut dire deux choses : d'abord, que le savoir
fondamental, qui est lié au fait d'être, est laissé de côté;
ensuite, que le fait d'être lui-même est contesté, n'est plus
considéré ni vécu comme possible. Le non-savoir commence
donc par être absence de savoir; il est le savoir devant
lequel la raison a placé la négation, qu'elle a mis entre parenthèses par un effort qui est encore un effort torturé de
connaissance (la raison peut en effet se dire que le non-
savoir fait partie du savoir et elle aboutit à des formules
de ce genre : l'homme est un existant qui comprend le fait
qu'il est jusque dans l'expérience qui met en cause cette
compréhension; le non-savoir est un mode de la compréhension de l'homme). Puis, le non-savoir porte sur le fait
d'être lui-même, l'exclut de ce qui est possible intellectuel-
lement et tolérable humainement; il introduit celui qui
l'éprouve dans une situation à partir de laquelle il n'y a
plus d'existence possible; il n'est plus un mode de compré-

hension, mais le mode d'exister de l'homme en tant qu'exister est impossible.

Cette contestation est conduite par la raison. Elle seule peut défaire la stabilité qui est son œuvre. Seule, elle est capable d'assez de continuité, d'ordre, et même de passion pour ne laisser subsister aucun refuge. Mais à chacune de ses démarches l'angoisse l'accompagne; l'angoisse naît des objets qu'on lui dérobe; elle est la projection d'un vide plus grand à l'occasion du vide limité dont elle donne la peur; elle tire de l'effroi qu'elle provoque le pressentiment d'un effroi illimité et la vue claire de ce qui le rend inévitable; elle ajoute non seulement l'horreur à l'horreur, mais le souci des causes qui autorisent l'horrible et lui donnent un plus grand empire. Elle non plus ne s'arrête pas; elle est toujours plus forte que ce qu'elle se laisse saisir; elle est un sentiment qu'on ressent tragiquement en ne le ressentant pas complètement, en ne l'épuisant jamais, en étant en dessous de ce qu'on devra ressentir, en retard, perpétuellement en retard — et ainsi souffrant deux fois — sur sa souffrance. La dialectique de l'angoisse porte à son comble la mise en cause de l'être. Elle lui retire toute possibilité de sauver la moindre parcelle de lui-même. Elle le précipite dans une chute sans fin où il se perd par la crainte sans cesse plus vertigineuse de se perdre.

Cette situation est sans issue. Toute issue est mensonge; tout arrêt est l'aveu d'une déchéance dont l'angoisse et l'esprit de contestation s'emparent pour y substituer un nouveau mouvement. L'homme obéit à une passion, la passion du positif qui se fait, à l'infini, obstacle à elle-même, au besoin infini de dire oui, alors qu'il faut, sans exception, dire non à tout (car s'il dit oui, son besoin d'affirmer se confond avec cette affirmation nécessairement particulière, doit la répudier ou, s'en contentant, disparaît, perd toute valeur). Ce mouvement au cours duquel la raison se dessaisit, puis est rejetée par sa propre mise en congé, passe du plan discursif à un plan où l'action, le discours, les formes intelligibles et exprimables de la vie n'ont plus leur place. Nous entrons par un saut dans une situation qui n'est plus définie par des opérations utiles ni par le savoir, même entendu comme la privation du savoir, mais qui s'ouvre à une perte de connaissance, à la possibilité de se perdre sans contact possible avec la connaissance. Cet état, état

de violence, d'arrachement, de rapt, de ravissement, serait
en tout semblable à l'extase mystique si celle-ci était déga-
gée de toutes les présuppositions religieuses qui souvent l'al-
tèrent et, en lui donnant un sens, la déterminent. La
« perte de connaissance » extatique est proprement l'expérience intérieure. L'expérience, cela doit tout de suite
être dit, ne se distingue pas de la contestation dont elle
est l'expression fulgurante dans la nuit. Elle n'en est pas
le terme, elle ne l'interrompt pas, et si elle est une réponse,
la réponse au destin de l'homme qui se met en question,
c'est une réponse qui ne suspend pas la question et qui,
loin de la faire disparaître, transforme l'homme tout entier
en cette interrogation suppliciante avec laquelle elle le
déchire et le divise de toutes manières. En elle-même, l'expérience est telle que plus rien n'a de valeur, de sens, pas
même elle, et ce déchirement total qui est comme l'extrême
de la négation, est éprouvé dans un état qui a un caractère positif, qui est l'autorité, que l'être affirme en se séparant de soi; elle est donc essentiellement paradoxe, elle
est contradiction d'elle-même, elle est la contestation s'exprimant dans une situation originale, dans une expérience
qu'on peut vivre; elle est ce double renversement qui fait
que l'inachèvement irrémédiable du tout, sans cesser d'être
saisi comme tel, donne un sentiment suffocant de plénitude, de totalité et qui par cette plénitude dans le vide
arrache l'homme à sa suffisance et le communique à rien.

La communication dont nous venons de saisir la présence est liée à tous les moments de l'expérience intérieure.
Contestation, expérience, communication sont des termes
qui s'appellent étroitement — pour ne pas dire plus. La
contestation est la mise en cause d'un être particulier et
limité, elle est aussi, par conséquent, un effort pour rompre cette particularité et ces limites; l'isolement est une
position de l'être qui ne lui permet pas de glisser hors de
l'être; elle est appropriation, conscience de la particularité;
elle est volonté et gloire d'être tout dans cette particularité.
A l'individu ainsi fermé sur soi, l'expérience propose un
objet avec lequel il puisse communiquer; cet objet ne peut
être fini ni saisissable par l'action, car avec lui il n'y aurait
pas communication mais simplement prise de possession
servile, jouissance, c'est-à-dire renforcement du moi égoïste;
si cet objet est un être extérieur infini, la communication

avec cet être, dans la difficulté d'une transcendance qui exige un intervalle infranchissable, suppose bien l'éclatement des limites, la perte de soi au sein de ce qui est incommensurable à soi; cependant, dans la mesure où l'objet extérieur infini est lui-même être incontestable, l'être fini qui communique avec lui ne se perd qu'en tant que fini mais se trouve comme être, s'assure et se sauve définitivement dans son existence; la communication alors n'est pas perte entière, mais réserve, comme un trésor jaloux, la possibilité d'être, d'être l'être même. La communication ne commence donc à être authentique que lorsque l'expérience a dénudé l'existence, lui a retiré ce qui la liait au discours et à l'action, l'a ouverte à une intériorité non discursive où elle se perd, se communique en dehors de tout objet qui puisse lui donner une fin ou qu'elle puisse s'asservir. Elle n'est pas plus participation d'un sujet à un objet qu'union par le langage. Elle est le mouvement où, lorsque le sujet et l'objet ont été dessaisis, l'abandon pur et simple devient perte nue dans la nuit.

Le passage du plan discursif au plan non-discursif ne se produit pas suivant un enchaînement qui le rende nécessaire. Sans la volonté angoissée qui lutte contre le discours par le discours, sans le recours à des techniques qui dégagent la sensibilité de l'action où elle est prise, l'homme arrive difficilement à une mise en cause véritable et il s'éparpille dans une recherche oisive où il ne traque que son ombre. Mais l'appel fait au discours, aux imaginations dramatiques, au silence, tous ces exercices de contemplation et de supplication intérieurs peuvent eux-mêmes rester sans effet; il n'y a pas entre eux et l'extase de liens décisifs ni de continuité réelle; il y a au contraire un intervalle infini qui se franchit par un saut, qu'on peut ne jamais franchir et que peut-être on ne franchit que par hasard. Ce qu'on appelle la grâce garde sa valeur comme le principe d'une décision injustifiable et gratuite. C'est le coup de dés « heureux » qui me permet, non pas de gagner, mais de jouer jusqu'au bout, de mettre ce que je suis en jeu dans un sentiment extrême par lequel j'épuise tout le risque. De même qu'on ne peut se donner volontairement à l'angoisse, on n'est pas maître, à l'extrême de l'angoisse, de la perdre en se perdant tout à fait soi-même. On ne se met en jeu, c'est-à-dire à mort, que par la chance du jeu.

Ce schéma que nous venons de tracer n'a pas plus de rapport avec l'expérience intérieure qu'une équation n'en a avec la vie tragique du cœur dont elle analyse les battements, et cette comparaison elle-même est inexacte, car pour qu'elle commençât d'être vraie, il faudrait imaginer une équation qui, tandis qu'on la formulerait, modifierait le flux et le reflux, la fonction dans le temps et la nature de l'organe qu'elle voudrait déterminer. En un sens, cependant, il n'est pas interdit au discours d'essayer de prendre à son compte ce qui échappe au discours; cela est même nécessaire parce qu'on peut voir ainsi que la traduction, tout en n'étant jamais satisfaisante, garde une part essentielle d'authenticité dans la mesure où elle imite le mouvement de récusation qu'elle emprunte et, en se dénonçant comme dépositaire infidèle, double son texte d'un autre qui l'entretient et l'efface par une sorte de demi-réfutation permanente. Traduction authentique, le livre de Georges Bataille pour cette raison ne se laisse pas décrire. Il est la tragédie qu'il exprime. Celui qui en effleure le sens, peut bien le réduire à la lourdeur scolastique. Sa vérité est dans la brûlure d'esprit, dans le jeu de foudre, dans le silence plein de vertiges et d'échanges qu'il nous communique. Il ne nous convient pas d'en parler comme d'un ouvrage qu'on pèse et qu'on apprécie, mais pour citer encore Nietzsche qu'il évoque souvent, nous en dirons ce que celui-ci disait de *Zarathoustra :* « Cette œuvre est complètement à part. »

VI

L'EXPÉRIENCE DE PROUST

Sur l'expérience de Proust on a pu lire les publications les plus différentes et, d'ailleurs, les plus précises. Les uns en ont souligné l'authenticité psychologique; les autres y ont vu au contraire une rencontre mystique. Cependant, malgré toutes les études, il reste un doute sur le caractère de cette expérience, et les explications de Proust, si longues, si complètes et si claires, n'ont pas suffi à en fixer la valeur. Une telle ambiguïté vient sans doute de la nature de l'expérience; elle vient aussi du besoin qu'a eu Marcel Proust, non seulement de l'interpréter, mais de la réduire à une interprétation qui fût utilisable pour la connaissance littéraire. Après avoir rencontré à plusieurs reprises cette sorte de présence qu'il subit au plus profond de lui sans parvenir à en trouver la signification, du jour où il réussit à s'en former pour lui-même une traduction vraisemblable, il lui donne un sens définitif et il construit pour l'exprimer une œuvre qui en éternise la vérité. Ce n'est donc pas seulement l'art qu'il veut faire « entrer dans le royaume de la pensée », comme le dit M. Fernandez dans son livre *A la gloire de Proust,* mais il reconnaît encore qu'il n'y a pas d'art possible sans une révélation non rationnelle, et que le sens de l'art est de restituer à cette révélation une expression dont l'intelligence tire parti.

Que la nature de Proust le préparât à une véritable expérience mystique, c'est ce qu'on aperçoit à presque toutes les pages de son œuvre. Il y a peu de livres qui fassent une plus grande part à l'angoisse. Angoisse de l'enfant perdu dans la foule; angoisse quand le défaut de sommeil émeut l'esprit; angoisse, le soir, lorsqu'il attend sa mère qui a refusé de l'embrasser. L'angoisse est l'âme de l'amour proustien. Elle est le tourment d'un désir qui ne se connaît que dans l'absence et à qui la présence ne peut rien apporter. Elle apparaît comme un besoin négatif effréné que le non exaspère jusqu'au délire et que le oui fait disparaître sans compensation positive. Tout cela est bien connu. On sait aussi que le narrateur du *Temps perdu* est rongé par une absence de satisfaction qui peu à peu exige de lui le sacrifice de tous les faux semblants. Toutes les valeurs qu'il a pu, à un certain moment, considérer comme définitives cèdent à une récusation qui les lui fait éprouver comme vaines : l'amour, l'amitié, le goût du monde sont les feintes d'une conscience qui éprouve son vide et qui détruit ce qu'elle crée. D'autre part, les croyances dogmatiques lui restent étrangères; elles ne lui sont de nul usage, et la froide nonchalance avec laquelle il les examine les éloigne plus de lui qu'une contestation passionnée.

Cette angoisse, qui entoure l'œuvre d'un horizon toujours plus étouffant de tristesse, trouve son expression la plus complète dans un sentiment de la mort que nulle illusion ne dérobe. La mort est d'abord présente dans la tâche de l'écrivain qui, à mesure qu'il écrit, voit ses forces décliner, se met lui-même au tombeau. Les deux volumes du *Temps retrouvé* où les personnages reparaissent, travestis par le temps, images d'un néant intérieur qui ne rend visible que leur disparition, portent la marque de cette échéance que seule la hâte du travail pourra devancer. La mort est présente dans les grandes scènes de la mort de la grand'mère, de la mort d'Albertine, de celle de Bergotte qui, comme le remarque M. Fernandez, préfigure la mort de Proust, en est dans ses préparatifs comme la répétition générale. Mais l'angoisse mortelle ne s'exprime pas seulement dans le fait de la mort, elle est aussi profondément liée aux conditions de la vie, elle s'éprouve dans ces intermittences et ces sommeils que l'oubli introduit dans la conscience qui se perd et ne se restaure que par hasard. Le temps perdu n'est pas du tout du temps qu'on perd à cause de la mort qui en étant le terme détruit inévitablement ce qu'il avait pu faire apparaître; mais le temps est perdu, parce que l'homme meurt continuellement et, sauf exception fortuite, est sa propre ruine, la ruine définitive de l'être qui a vécu tel moment du temps. Le sentiment du temps perdu est l'expérience d'une perte, analogue à celle de la mort, perte qui n'a probablement aucun sens, aucune loi, et qui nous fait vivre chaque instant dans la perspective d'un double abîme sans fond.

L'autre condition pour une instance de caractère mystique est, à côté d'une conscience angoissée, la présence d'un esprit qui tient par-dessus tout à sa lucidité, observe ce qui le trompe, connaît ce qui l'obscurcit et, dans les moments de plus grande souffrance, collabore avec cette souffrance sans lui substituer un état d'illusoire apaisement. L'angoisse ne noie pas l'intelligence dans une confusion où l'anxiété périrait, et l'intelligence ne s'empare pas de l'angoisse pour la rendre plus supportable. La sensibilité la plus tragique et la raison la plus claire sont unies pour dénoncer les conventions et creusent ensemble un vide qui désespère tout désir de suffisance. A cette loi de malheur et d'angoisse ne font exception que les états de brusque sentiment qui constituent justement l'expérience proprement dite de Proust. Ces états sont devenus célèbres dans l'histoire littéraire et psychologique. Chacun se rappelle la petite madeleine trempée dans du thé, les trois arbres aperçus dans la campagne, les clochers de Martinville, les pavés de la cour de Guermantes. De ces états, Proust a pris soin de mettre en valeur tout ce qui, en les détachant de la vie commune, leur donne un caractère privilégié. Il s'agit d'impressions involontaires, liées au hasard, d'une puissance d'effet si immédiate, d'une force de ravissement si décisive qu'elles dissipent sur-le-champ toute inquiétude sur l'avenir, tout doute intellectuel, et rendent la mort indifférente. Proust parle aussi d'extase, d'étourdissement, de perte de connaissance. Il n'y a donc pas d'équivoque sur la portée qu'il veut donner à ces états qu'il a vécus. Ils apparaissent dans une existence vouée à l'angoisse comme la résolution de cette angoisse, comme le passage brusque à une forme de vie non discursive, déchirure de la conscience pratique, volontaire et rationnelle qui, sans l'aide d'imaginations religieuses, se perd au delà de toute connaissance.

Réduite à ce schéma, l'expérience de Proust a une simplicité sur laquelle glissent les commentaires. En revanche,

si l'on essaie de lui rapporter les explications et les interprétations que Proust y a rattachées, elle devient intellec-
tuellement très riche, mais elle semble perdre une partie
de son authenticité. Il se passe en effet ceci. Proust découvre (nous nous contentons de rappeler en quelques mots
des analyses qui sont bien connues) que ces « impressions »
dépendent de sa mémoire, qu'elles relèvent d'un acte imprévisible de reconnaissance, qu'alors que la perception
première lui est restée indifférente, que l'évocation par la
mémoire volontaire n'a en rien intéressé la sensibilité,
qu'enfin l'enchaînement rationnel de ses souvenirs n'a
aucune valeur de privilège, au contraire la réminiscence
de la sensation première peut le jeter dans un état de félicité auquel rien n'est comparable. Cette explication de
Proust n'est pas encore une interprétation. L'écrivain
constate que les révélations intérieures sont liées à un phénomène de mémoire; il remarque que c'est à l'occasion
d'une réminiscence, d'un pressentiment du passé, que cet
extraordinaire bouleversement se produit; il voit aussi que
le réveil d'une sensation jadis indifférente lui donne un
sentiment de bonheur où toute sa vie lui paraît engagée et
sauvée. Il y a là un fait qui doit être tenu pour la caractéristique d'une certaine nature psychologique, nature
singulière qui ne tire rien de la sensation en elle-même,
mais qui reçoit de son image ou de son renouveau dans une
image inconsciente un sentiment unique et miraculeux.

Ensuite, Proust, mis en présence de cet état qui est
apparu au delà de la raison et comme un arrêt de la vie
active, fait un effort pour lui donner un sens, pour l'interpréter. Sans se demander si la connaissance discursive a le
droit de prendre à son compte cette révélation qui est
destinée à lui échapper, il met au point, à partir de cette
présence nue, une conception grandiose, un mouvement intellectuel dont toute son œuvre est la réalisation. Il lui semble que, si ce brusque rapprochement d'un instant présent
et d'un instant passé est capable de lui inspirer une certitude qui défie la mort, c'est qu'il apporte la preuve que
la mort par la dissolution dans le temps n'est pas complète, c'est qu'un lien subsiste à travers les intermittences
et les oublis du cœur, lien qui n'est pas accessible à la
mémoire réfléchie ni à l'intelligence parce qu'il est caché
par les formes opaques de la vie logique, mais qui, une fois

découvert et ressaisi, réduit définitivement l'angoisse au silence. Il semble aussi à Proust que ces impressions essentielles mettent à sa disposition la suite pure et originale du temps, cette existence distendue, énorme, monstrueuse, que le temps fait à chacun, au sommet duquel chacun se trouve et qu'en se mouvant on déplace avec soi. Ce sont, on le voit, deux conséquences complémentaires — et non pas contradictoires, comme on l'a cru — que Proust tire de son expérience. Il y trouve cette assurance que l'être qui dure survit à la mort apparente que chaque moment du temps lui donne, puisque la rencontre fortuite du présent avec un passé analogue établit la nécessité d'un lien (c'est ce que Proust entend lorsqu'il parle d'être « en dehors du temps », « affranchi de l'ordre du temps », c'est-à-dire affranchi de la mort du temps). Et, de plus, puisque la durée de l'être dans le temps n'est pas perte définitive, pure et simple, mais existence, il forme le projet de retrouver cette existence telle que lui permettent de l'imaginer les impressions irréductibles dont il a eu le privilège (alors, il parle « d'isoler, d'immobiliser — la durée d'un éclair — ce que *l'être* n'appréhende jamais : un peu de temps à l'état pur »).

Cette interprétation qui a été la raison d'être de l'œuvre de Proust et à laquelle celle-ci a apporté une justification glorieuse, dépasse, cela n'est pas douteux, ce que son expérience proprement dite lui offrait dans sa pureté immédiate. D'un côté, il admet sans examen que ces états intérieurs par lesquels l'être se dérobe aux valeurs pratiques et discursives, peuvent être utilisés par la connaissance unie à l'art et ont un sens au delà des conditions dans lesquelles ils se produisent. Il prétend par eux saisir quelque chose qui a une valeur définitive, qui rend inutile et impossible l'angoisse dont ils ne sont pourtant que le renversement et qui échappe à la contestation, jusque-là tenue pour irrécusable. D'un autre côté, il fait des circonstances psychologiques, liées à ces états, leur substance même. De ce fait qu'il parvient au privilège de l'éblouissement à l'occasion d'un phénomène de mémoire, il conclut que l'éblouissement est une révélation du temps, du temps dans lequel l'être ne meurt pas mais existe selon des perspectives généralement inconnues mais non inconnaissables, et il pense qu'en étudiant ces impressions simples, en les recréant par

la mémoire et en les éclairant par l'intelligence, il fera
revivre la réalité de l'être qui dure, il retrouvera sous la
forme du temps cette réalité que l'angoisse voyait perdue
avec le temps. En somme, l'abus — infiniment fructueux
si l'on considère son œuvre mais tout à fait déformant si
l'on regarde le caractère de ces états — que fait Proust de
son expérience, se produit selon trois directions. D'abord,
il livre à la connaissance, comme propre à lui fournir un
sens objectif, ce qui n'est éprouvé que comme une déchirure de cette connaissance. Il s'empare du sentiment étour-
dissant de félicité qu'il y trouve et qui n'est que la résolution fortuite de l'angoisse pour l'éterniser et s'affranchir
de toute anxiété. Enfin, il identifie les conditions et les
moyens de l'expérience (phénomènes de mémoire qui lui
permettent de s'arracher à la vie banale) avec la vérité et
le sens qu'il croit pouvoir attribuer à l'expérience.

L'œuvre de Proust est sortie d'états mystérieux qui semblent ne lui avoir été proposés que pour que cette œuvre
fût écrite. Ils ont servi de stimulant à une extraordinaire
avidité de connaître et, eux qui étaient d'abord une rupture de connaissance, ont fourni un aliment inépuisable à
la connaissance littéraire. Cependant, ce n'est pas l'aspect
le moins surprenant du *Temps perdu* que, dans le flot
d'images, d'événements, de théories, de figures dont ils ont
été, par abus, la source, ces états aient gardé la valeur d'un
secret, en continuant, selon le pouvoir qui leur était propre, à paraître toujours plus mystérieux que l'œuvre elle-
même, pourtant toute chargée de mystères. C'est en cela
que Proust n'a pas trahi la révélation qu'il a rencontrée
et dont il a offert l'image la plus étendue et la plus admirable comme pour montrer qu'elle ne l'épuisait pas.

VII

RILKE

Il n'est que trop tentant de maintenir le souvenir de
Rilke dans un cercle où les échanges se font non seulement
dans le secret mais dans l'indistinct. Le fait que mystique
est l'un des noms de sa poésie explique pourquoi tant d'amitiés cherchent avec elle un accord sans rechercher ce que
peut être cet accord. Et même le mot mystique est encore
trop déterminé. M. Edmond Jaloux dans le volume *Rilke
et la France* remarque que les poètes qui se sont exprimés
autour des années 1890 et 1895 avaient en commun une
sorte de mysticité. (C'est le lien qui réunit Stefan George,
Gabriel d'Annunzio, Maurice Maeterlinck, William-Butler
Yeats et même Proust.) Rien de plus imprécis que cette
mysticité diffuse. Elle exprime aussi bien l'alliance de la
poésie et de la vie spirituelle qu'un effort pour ouvrir la
sensibilité à ce qui n'est pas en apparence de son domaine,
pour lier la mort à la nature, ce qui n'est pas à ce qui est
— et cela, en dehors de toute forme dogmatique et même
de toute affirmation religieuse d'une existence absolue.
Dans la mesure où Rilke apparaît comme un témoin de
cette tendance, il semble aussi pouvoir s'accorder avec ce
qu'elle a de plus vague, et ceux pour qui il a représenté
une révélation ne désirent volontiers l'approcher que par
les seuls pressentiments de leur sensibilité inquiète.

Que la vie de Rilke signifie, pourtant, tout autre chose,
que son expérience profonde n'ait rien à voir avec les facilités de l'instinct et les mouvements de l'inconscience,

qu'elle soit au contraire exigence d'une conscience qui s'élargit, recherche d'une vérité difficile, c'est ce que rend sensible la moindre réflexion sur ce qu'il a été et sur ce qu'il a fait. La solitude de Muzot, asile transparent et pur, est chargée de l'angoisse que la solitude n'a cessé de lui causer et de l'effort qu'il a dû poursuivre pour atteindre, à travers les résistances de sa nature, le silence qui la contrariait tout en l'accomplissant. Lorsqu'il affirme que la vie et la mort sont une seule et même expression, que la mort est le côté de la vie qui n'est pas tourné vers nous et que nous n'éclairons pas, ce n'est pas dans la dissolution de l'esprit, dans les égarements de la sensibilité qu'il trouve le chemin de ces deux royaumes, mais il le dit clairement : « Il nous faut essayer de réaliser *la plus grande conscience* de notre existence, qui est chez elle dans les deux domaines illimités et se nourrit inépuisablement des deux... » De son œuvre il fait le fruit de ce qui est difficile; il la relie non au hasard mais à une nécessité qui exige que la vie du créateur devienne problème; il la sépare du repos et de la négligence. « Nous savons peu de chose, écrit-il à Franz-Xaver Kappus, mais qu'il faille nous tenir au difficile, c'est là une certitude qui ne doit pas nous quitter. Il est bon d'être seul, parce que la solitude est difficile. Il est bon aussi d'aimer, car l'amour est difficile. »

On peut penser que le succès des *Cahiers de Malte Laurids Brigge* a contribué à attacher à son nom les valeurs d'une solitude passive, d'un effroi qui en appelle à n'importe quelle issue, d'une inquiétude qui se déchire sans se surmonter. Mais précisément, les *Cahiers*, bien que les œuvres de la dernière période les prolongent par des expériences nouvelles, ont une signification beaucoup plus lourde que celle dans laquelle on les enferme communément. Même si l'on a une grande intimité avec la pensée de Rilke, on va volontiers à une interprétation un peu simple qui fait de Malte le héros vaincu par l'angoisse, sans s'arrêter au sens que peut avoir cette défaite. Les uns, comme Emil Gasser, trouvent l'idée centrale des *Cahiers* dans l'impitoyable effritement de l'existence. Les autres, par exemple Mme Kippenberg, disent que Malte Laurids est la victime expiatoire de la vie, que si Rilke lui-même est sauvé, le jeune Danois sous le visage duquel il s'est vu succombe à l'épreuve et pour avoir été à la rencontre de la

misère et de la solitude s'y défait et y périt. C'est là une
vue qui n'a peut-être qu'un sens illusoire. Car, dans la
situation où se trouve Malte, où se trouve Rilke, que signifie le fait d'être sauvé, de ne pas être sauvé ? Aller jusqu'au bout de l'épreuve, voilà ce qui est demandé à celui
qui s'y soumet; il ne s'agit pas d'éviter les transformations
souvent terribles qu'elle exige, les métamorphoses qui, par
rapport à la vie banale, paraissent dégradantes; ce qui est
en question, ce n'est même pas la possibilité de se maintenir
intact à travers la destruction et de passer par la flamme
sans être consumé; qui, du dehors, saurait reconnaître là
où il y a eu perte, là où il y a eu enrichissement, puisque
se perdre et se perdre sans condition, voilà à quoi conduit
l'expérience ? Le seul commandement de l'épreuve, c'est
de lui être fidèle jusqu'à son terme, mais ce terme est en
lui-même inaccessible. Il faut aller jusqu'au bout d'une
situation pour laquelle le mot jusqu'au bout n'a qu'un sens
qui se dérobe toujours.

Ce qu'on appelle la défaite de Malte, ce que Rilke lui-
même appelle son écrasement, c'est la condition de ce qui
apparaît aussi comme le salut du poète. Il est peut-être
nécessaire de rappeler que l'effroi avec lequel le héros des
Cahiers est aux prises n'est pas seulement la peur vague,
indéterminée, dont ses souvenirs d'enfance lui apportent
des images, que ce sentiment, tout en prenant les masques
les plus différents, celui de l'inquiétude de la fièvre comme
celui de l'angoisse froide et réfléchie, ne se confond pas
nécessairement avec le frisson vite calmé de la jeunesse,
mais a précisément cette profondeur d'être aussi insondable dans la crainte de l'enfant que dans l'anxiété fondamentale de l'homme. Dès que l'angoisse apparaît dans son
exigence vide, comme une souveraine qui attire par la
répulsion et qui commande par la désobéissance, elle est
tout entière ce qu'elle prétend à être et il est bien vain de
dire que, sous cette forme, elle est superficielle et, sous
cette autre, plus authentique. En réalité, elle est partout la
même; l'objet auquel elle semble attachée n'est que provisoirement celui qui la provoque; on est angoissé devant
quelque chose, mais tout nourrit cette angoisse et l'un des
effets de l'angoisse est de dissoudre, de réduire à rien, de
faire apparaître comme n'étant rien ce quelque chose à
propos de quoi on supporte une souffrance mortelle.

Si l'on regarde les grands thèmes de l'angoisse de Malte
Laurids, on voit qu'ils prennent souvent deux formes. C'est
d'abord devant le réel, par l'effort qu'il fait pour voir et
pour éprouver les choses, que le jeune homme perd pied.
« J'apprends à voir, dit-il. Je ne sais pas pourquoi tout
pénètre en moi plus profondément et ne demeure pas où,
jusqu'ici, cela prenait toujours fin. » Il est significatif qu'il
rattache le poème de Baudelaire, *La Charogne*, à la tendance qui a conduit Cézanne à l'expression objective. C'est
que, pour Rilke, l'horreur des choses, les déterminations
horribles, angoissantes, des choses font d'elles des objets.
L'angoisse découvre à l'homme qu'il existe dans chaque
parcelle de l'air un je ne sais quoi de terrible, et cette
existence du terrible est l'épreuve même de l'existence. Qui
n'a pas éprouvé que la réalité est effrayante n'a pas conscience de ce que cela veut dire, être réel. C'est en somme
par l'expérience de l'angoisse que les choses se révèlent
non seulement dans un ensemble chaotique et informe,
mais dans la netteté de leurs figures, sous l'apparence déterminée de leurs contours, c'est-à-dire comme ce qui est
nécessairement au dehors.

L'autre pôle qu'indique l'angoisse est la mort. Mais l'angoisse devant la mort n'est pas seulement l'effroi devant le
fait de mourir (comme l'expriment les premières paroles
de Malte : « C'est donc ici que les gens viennent pour
vivre ? Je serais plutôt tenté de croire que l'on meurt ici.
Je suis sorti. J'ai vu des hôpitaux. J'ai vu un homme qui
chancelait et s'affaissa », etc.), c'est aussi ce sentiment qu'à
certains hommes n'est donnée qu'une mort de confection,
une mort impersonnelle, une mort qui ne s'est pas nourrie
de leur vie, qui n'a pas grandi avec elle. Malte a le pressentiment de ce qu'est une mort authentique, et c'est pourquoi Rilke inscrit au compte de son héros le récit de la
mort du chambellan (« Peut-être, dit-il dans une lettre,
a-t-il, malgré tout, triomphé de l'épreuve : n'a-t-il pas écrit
la mort du chambellan ? ») « mort terrible et impériale
que le chambellan avait portée en lui toute sa vie durant »,
mort qui n'est certes pas rassurante, qui est la plus solitaire, la plus dure des morts, dont la voix résonne pendant
des nuits et glace d'effroi ceux qui l'entendent, mais qui est
en accord avec la vie, est son double nocturne, l'envers de
sa signification. Au contraire, les hommes qui s'enlisent

dans la vie même, ces « déchets, ces pelures d'homme que
le destin a crachées », qui « coulent lentement au fil de la
rue en laissant une trace sombre et sale », ces épaves
parmi lesquelles le jeune Danois sent qu'il va se perdre
lui aussi, s'écoulent de l'existence dans la mort, plus flas-
ques que des scarabées sur lesquels on a marché. L'angoisse suprême est celle où l'on surprend de tels hommes
dans le moment où l'agonie leur révèle qu'ils passent du
non-sens au non-sens, du non-sens de la vie à celui de la
mort. « Oui, dit Malte d'un moribond, il savait qu'en ce
moment il s'éloignait de tout; pas seulement des hommes.
Un instant, et tout aura perdu son sens, et cette table,
et cette tasse et cette chaise à laquelle il se cramponne,
tout le quotidien et le proche sera devenu inintelligible,
étranger et lourd. »

La réalité et la mort, le réel éprouvé par l'expérience de
l'horrible dans sa signification objective, la mort ressentie
comme la perte de tout sens, c'est à ces formes extrêmes
que l'angoisse, dans la fièvre, le tremblement, parmi les
dangers les plus graves, conduit le jeune héros des *Cahiers*.
Il n'y a là nul effritement dans le vague, nulle défaite dans
l'incertitude maladive du rêve, mais les premiers moments
d'une expérience dont Rilke a jusqu'à la fin tenté l'affirmation. Lorsqu'il dit dans *Vergers* : « C'est qu'il nous faut
consentir à toutes les forces extrêmes » ; plus tard, dans
les *Elégies*, lorsqu'il donne une forme au besoin d'ouvrir
les choses à la mort et d'établir la mort dans le visible;
lorsqu'il déclare dans sa lettre à Witold von Hulewicz :
« L'affirmation de la vie et celle de la mort se révèlent
comme n'en formant qu'une. Admettre l'une sans l'autre,
c'est, ainsi que nous en célébrons ici la découverte, une
limitation qui finalement exclut tout l'infini », il éclaire
d'une lumière directe la double révélation de l'angoisse
telle que les *Cahiers* l'avaient obscurément présentée à
Malte et il montre l'unité de sens que cette double révélation peut prendre pour « une conscience purement terrestre, profondément terrestre, bienheureusement terrestre ». Il fait se rejoindre le réel et la mort, « non pas dans
un au-delà dont l'ombre obscurcit la terre, mais dans un
tout, dans le tout ». D'ailleurs, ce sens commun du visible
et de l'invisible, cette nécessité pour l'homme de découvrir
parmi les choses les équivalents des visions intérieures,

c'est ce que les *Cahiers* retracent déjà comme une aspiration désespérée, comme l'acte de violence suprême auquel
le poète qui le tente ne peut que succomber: « Et alors,
dit-il, il arriva que tu fus à bout de ressources. Les deux
extrémités que tu avais pliées jusqu'à les joindre, rebon-
dirent et se séparèrent. Ta force démente s'échappa du
jonc flexible, et ce fut comme si ton œuvre n'avait jamais
été. »

Si les *Cahiers* paraissent à Rilke le témoignage d'un
échec, ce n'est pas parce que l'obéissance à l'angoisse lui
semble la voie de l'égarement, ni parce que la révélation
de l'angoisse ne serait que l'expression malheureuse de
vérités dont il faudrait se détourner, c'est dans la mesure
où Malte, au point extrême de sa terreur, ne réussit pas
à sortir de soi et à aimer ce qui le terrifie. L'angoisse lui
révèle bien la réalité dans sa valeur objective, mais cette
réalité qu'il apprend à voir par le frisson et l'effroi, il ne
peut s'attacher à elle dans l'amour patient qui seul lui en
ferait découvrir le sens. Et, de même, ces épaves sous le
destin desquelles il voit la mort réduite à rien, ces petites
vieilles qui croisent sans cesse sa route, qui lui offrent il
ne sait quoi dans une affreuse tentation qu'il repousse, il
les voit, il peut dire d'elles ce qu'il dit de l'aveugle : « J'ai
vu un vieil homme qui était aveugle et qui criait. Voilà
ce que j'ai vu. Vu. » Mais il dit aussi : « Je n'ai pas le
cœur de vivre leur vie. » Aimer, rayonner d'une lumière
inépuisable, c'est ce que Malte tente en vain dans l'anxiété
de sa solitude où il se débat terriblement pour ne pas se
perdre tout à fait. Et c'est là sans doute qu'est la limite
de son expérience ou du moins ce qui en marque le caractère provisoire. L'angoisse est assez grande pour l'attirer
vers les images de sa propre perte, vers la réalité, vers la
mort, mais elle n'est pas assez grande pour le faire se perdre lui-même, pour le jeter dans la communication que représente pour lui « le don sans limites ». Lorsqu'il revient
bouleversé, ayant vu son voisin de restaurant brusquement
saisi par la mort, assis là, attendant que tout fût consommé
et ne se défendant plus, que dit-il de lui-même ? « Et moi
je me défends encore. » C'est là le sort de Malte Laurids
Brigge : au moment de s'enfoncer dans l'aventure irréparable, il doit se défendre et survivre; il repousse le temps
de l'explication qui rend toutes choses vaines, il écarte les

mots qui se dénouent et les significations qui se défont et il dit, souhaits pleins de tendresse humaine, mais qui éternisent sa vie et l'empêchent d'aimer sa mort : « J'aimerais tant demeurer parmi les significations qui me' sont devenues chères ! »

VIII

LE MYTHE DE SISYPHE

Un écrivain pour qui écrire est autant un instrument de méditation qu'un moyen d'expression est conduit vers les plus anciens mythes. Il faut toujours rêver sur Prométhée, sur Orphée; et on peut aussi s'intéresser à Sisyphe. Il est même remarquable que ce héros du tourment insensé n'ait qu'une place relativement médiocre dans la littérature. Son histoire paraît un peu courte. Fut-il condamné parce qu'il avait trahi les dieux, enchaîné la mort, aimé la vie au point de lui sacrifier la survie ? La légende laisse tout cela incertain et ne se préoccupe que de son châtiment. Nous le voyons aux enfers, condamné à l'horreur d'un travail sans espoir, toujours le même et toujours rendu vain au moment où il s'achève. On le regarde lorsqu'il pousse de tout l'effort de son corps épuisé l'énorme pierre qui l'écrase; puis on le suit quand, derrière le rocher qui retombe, il descend vers le monde inférieur d'où il lui faudra remonter sans fin. Cet étrange héros est lié à une réalité déraisonnable. Il porte sur lui la singularité d'un sort qui l'engage à se dépenser pour rien. Ce n'est pas seulement parce qu'il est rivé à un destin d'où il ne peut plus sortir qu'il paraît maudit, il est de plus livré à un paradoxe qui le contraint à être fort, à consommer sa force et à ne rien faire. Chaque fois qu'il se retrouve au bas de la montagne, il est un homme intact, avec toute sa puissance, et lorsque, près du sommet, la pierre lui échappe, il est à peine un homme, ayant usé tout ce qu'il était dans une tâche qui est néant. Sisyphe anime par là un mythe assez lourd.

Dans un monde où toute énergie dépensée doit aboutir à une action réelle qui la conserve, il est l'image de ce qui se perd, d'un échange éternellement déficitaire, d'une balance en perpétuel déséquilibre. Il représente une action qui est le contraire de l'action; il figure, par son travail, ce qui est l'opposé du travail. Il est l'utile-inutile, c'est-à-dire, au regard d'un monde profane, l'insensé et le sacré.

Dans son essai sur *Le Mythe de Sisyphe*, M. Albert Camus, sous le masque de ce héros, a cherché à décrire et à prendre à son niveau le plus authentique le sentiment de l'absurde qui lui paraît inséparable de la sensibilité et de la pensée contemporaines. Les intentions de cet ouvrage vont loin. Car elles ne dégagent pas seulement un problème où l'homme d'aujourd'hui se reconnaît avec une sorte de complaisance et un orgueil inconscient; elles essaient surtout de le lier à ce problème par des chaînes qu'il ne puisse briser. Ceux qui le liront comme une tentative d'explication de notre temps, comme un effort pour réunir sous une même perspective des modes de penser et de sentir épars, y trouveront des analyses qui les éclaireront; mais c'est à quelque chose de plus sérieux et de plus exigeant que M. Albert Camus s'est engagé. On ne se sert pas de l'absurde comme d'un moyen pour voir clair. On se met en face de lui et on le soutient dans une expérience qui ne peut être que dérisoire si elle n'est pas conduite jusqu'au bout. C'est par l'intimité des expériences où il semble s'être formé que le livre de M. Camus mérite d'être apprécié un peu mieux que comme un livre littérairement remarquable.

Le sentiment de l'absurdité est insaisissable. Il s'éprouve avec évidence dans les situations les plus ordinaires, mais l'analyse qui cherche à l'exprimer ne retrouve que des vestiges insignifiants. L'homme qui pense soudain qu'il vieillit, que le mot « demain », « plus tard » n'aura pour lui plus de sens, se sent effleuré par l'absurde; de même, s'il regarde un visage, une pierre, un coin de ciel, en s'échappant des images de l'habitude, il peut être frappé par un sentiment d'étrangeté irréductible; et il y a l'impression de non-sens qui nous vient non pas des états exceptionnels de notre pensée, mais de la cohérence et de la logique de notre mécanisme mental : le rationnel, d'un certain point de vue, est aussi l'absurde. On peut rechercher des exemples de cette situation *sui generis* aussi bien dans l'art de vivre que dans l'art tout court, dans les « instants » qui illuminent la vie quotidienne comme dans le courant monotone d'une existence que rien ne trouble. Mais l'esprit surtout a le privilège d'éclairer l'absurde. Il le fait d'une manière simpliste, accablante, inexorable, d'une manière qu'aucune subtilité d'argument ne peut recouvrir. D'un côté, il se tourne vers le monde, et il le voit tel que la raison ne peut en rendre compte, puis il se tourne vers l'homme et il le découvre infiniment avide de cette explication qu'il ne peut atteindre. Ici, une réalité qui peut être décrite, exprimée par des lois, utilisée en moyens de puissance, mais jamais rendue claire ni conçue dans sa totalité; là, un être qui aspire sans repos à la clarté, qui en appelle sans fin, devant la diversité qu'il rencontre, à une unité qui se dérobe. Voilà l'absurde. Il dépend de l'homme et du monde. Il est dans ce rapport qui lie un être dont la vocation est la recherche du vrai à un univers au regard duquel cette recherche n'a pas de sens. Il vient de la confrontation incessante de l'absolu, objet du désir de l'homme, et du relatif, réponse du monde à ce désir.

Ces constatations sont de tous les temps. Elles sont simples au point de paraître sans force. Mais voici où apparaît l'originalité de l'absurde. Alors que les religions, pour justifier l'appel à l'unité que l'existence bafoue, ont proposé la foi en une autre existence qui donne satisfaction à cet appel, alors que les philosophies ont construit, au-dessus du monde qui s'écroule et qui fuit, un monde essentiel qui subsiste, l'esprit absurde accepte telle quelle la contradiction qui lui est donnée, il s'y enferme, il en prend conscience, il l'aiguise, et, loin de chercher à en sortir par des élusions et des échappatoires, il prétend en vivre comme de l'unique passion qui puisse le satisfaire. Selon une image dont philosophes et écrivains se sont tour à tour servi, la pensée, ayant dissipé le voile des apparences, se découvre soudain dans la solitude d'une région extrême où elle n'a plus ni point de repère, ni raison d'être, ni espoir d'aucune issue; mais de cette impossibilité elle fait dorénavant son destin et elle s'y exalte en s'y déchirant. M. Albert Camus constate qu'il n'est presque pas de philosophes qui de nos jours ne se soient hasardés dans ces déserts et n'y aient reconnu l'empire de la pensée. De Husserl à Heidegger, de Kierkegaard à Jaspers et à Chestov, il distingue toute une famille d'esprits dont l'influence sur notre temps est évidente et qui tous ont fait apparaître quelque visage de la réflexion absurde. Il serait trop peu de dire que ces philosophes ont barré la route à la raison; ce n'est pas seulement l'univers raisonnable qu'ils ont changé en ruines; ils ont pris pour domaine ces ruines mêmes, pour patrie l'exil et, dans la contradiction, le paradoxe, le vide, l'angoisse, ils ont engagé la réalité de l'homme dans une aventure où elle ne peut se trouver que comme énigme et comme question. Et de même, les grands écrivains de ce temps se sont épuisés dans la création d'œuvres, miroirs de l'absurde. Sade, Melville, Dostoïevski, Proust, Kafka, Joyce, Malraux, Faulkner, autant de romanciers qui ont donné au non-sens la garantie d'un art accouplé raisonnablement à l'absurde.

Il est facile de saisir dans une brève esquisse quelques-uns des thèmes de l'absurdité. Il est moins simple de les maintenir dans toutes leurs exigences et d'aller jusqu'au bout de ce qu'ils proposent. D'après M. Albert Camus, les philosophies existentielles qui ont avec tant de force reconnu la réalité de ce qui n'a pas de sens, ne semblent la prendre pour point de départ que pour s'en dégager et y trouver le principe d'une explication. Tantôt du fait qu'il y a de l'impossible dans l'univers elles tirent ce résultat qu'il faut glorifier l'exception, imposer silence à la raison qui est la règle et la sauver en lui faisant prendre conscience de son échec. Tantôt elles se réclament de l'aptitude de la raison à apercevoir la diversité déraisonnable du monde et elles construisent un nouveau mode d'intelligibilité où le non-sens devient une simple catégorie de la pensée. Dans les deux cas, on a éludé l'absurde. On a ou proposé en réponse à la raison sa question au monde obscur ou donné l'inintelligibilité du monde pour la vérité d'une signification supérieure. La raison accepte d'interroger en vain et trouve dans cette défaite la voie qui la mène à la transcendance. Le monde fait de son irrationalité concrète le type d'une rationalité nouvelle. De la passion opposant l'esprit qui veut comprendre au monde qui ne peut être compris, passion qui exprime et fonde l'absurde, les doctrines s'évadent par un saut illégitime. Ce saut, avec l'absurde pour tremplin, M. Camus l'appelle le suicide philosophique.

L'examen, succinct, des philosophes contemporains a
cet intérêt de nous rendre plus proche le problème où
nous sommes enfermés. Nous avons appelé absurde cette
situation de l'homme qui aspire passionnément à la clarté
et à l'unité dans un univers où cette aspiration est finalement toujours déçue. A celui qui accepte cette situation
comme unique donnée, comme une évidence irréfragable,
s'impose maintenant la règle de ne chercher à en sortir
par aucun escamotage, de la préserver dans toute sa rigueur
puisqu'il ne peut s'en évader valablement et de la vivre en
ayant conscience de tout ce qu'elle exige. Du moment que,
de toutes mes forces, je m'attache comme seul possible à
un univers où ma présence n'a aucun sens, il faut que je
renonce totalement à l'espoir; du moment que, envers et
contre tout, je maintiens ma volonté de voir clair tout en
sachant que l'obscurité ne diminuera jamais, il faut que
je renonce totalement au repos; du moment que je ne puis
que tout contester sans donner à rien, même à cette contestation, un valeur absolue, il faut que je renonce à tout
et même à cet acte de tout refuser. Absence totale d'espoir, insatisfaction consciente, lutte sans fin, telles sont les
trois exigences de la logique absurde; elles définissent
désormais le caractère de l'expérience qui consiste à vivre
sans appel. Est-ce tout ? Ce pourrait être tout, mais M. Camus pense tirer d'autres conséquences de la condition qu'il
approfondit. Il constate d'abord que le suicide est un faux
dénouement à l'absurde; sortir de la vie parce que la vie
n'a pas de sens, c'est accepter d'être vaincu et mettre fin
à un destin déraisonnable au lieu de le maintenir par une
constante révolte. La mort nous est donnée comme un possible inévitable qui à chaque instant nous délivre du lendemain. L'homme absurde, tourné vers le néant comme
vers l'absurdité la plus évidente, se sent assez étranger à
sa propre vie pour l'accepter, la parcourir et même l'accroître. Il vit parce qu'il est absurde de vivre et il souhaite
de vivre le plus possible, le plus longtemps possible; il
embrasse le présent et la succession des présents d'une
âme sans cesse consciente; il accepte comme une chance
la durée qui le maintient en face du monde; en dehors de
l'unique fatalité de la mort, tout, joie ou bonheur, lui est
liberté.

« Ainsi, dit M. Camus, je tire de l'absurde trois consé-

quences qui sont ma révolte, ma liberté et ma passion. Par
le seul jeu de la conscience, je transforme en règle de vie
ce qui était invitation à la mort — et je refuse le suicide. » Dans son essai, il montre quel style de vie répond
à ces raisons. Don Juan, le comédien ou l'aventurier jouent
l'absurde. « Ces princes sont sans royaume. Mais ils ont
cet avantage sur d'autres qu'ils savent que toutes les royau-
tés sont illusoires. Ils savent, voilà toute leur grandeur et
c'est en vain qu'on peut parler à leur propos de malheur
caché ou de cendres de la désillusion. » De même, Sisyphe
est conscient; il connaît la vanité de ce qui l'écrase; il
appartient au rocher et le rocher lui appartient puisqu'il
en discerne l'accablante légèreté. Aussi à son tourment se
mêle-t-il une joie silencieuse. « Lui aussi juge que tout est
bien. Cet univers désormais sans maître ne lui paraît ni stérile ni futile... Il faut imaginer Sisyphe heureux. » Heureux? Voilà qui est vite écrit. Si le livre de M. Camus mérite
de n'être pas jugé comme un livre ordinaire, il faut aussi
regarder pourquoi à certains moments sa lecture nous
pèse et nous gêne. C'est que lui-même n'est pas fidèle à sa
règle, c'est qu'à la longue il fait de l'absurde non pas ce
qui dérange et brise tout, mais ce qui est susceptible d'arrangement et ce qui même arrange tout. Dans son ouvrage,
l'absurde devient un dénouement, il est une solution, une
sorte de salut. L'homme qui a analysé l'étrangété de sa condition, qui en a distingué le mécanisme et qui y souscrit
avec franchise et lucidité, devient, s'il en tire une règle de
vie, un menteur et un aveugle; il se sauve avec ce qui le
perd; il se fait une clé du fait qu'il n'y a pas de clé; il maintient hors des terribles prises de l'absurde l'absurde lui-
même.

Cette défaillance ou cette contradiction, il ne faut pas
croire qu'elle soit facilement évitable. Elle fait partie de
ce que M. Camus appelle la recherche de l'absurde. Et même
si l'on avait conscience qu'il y a un moyen de l'éviter, ce
moyen deviendrait à son tour le piège où l'on croyait pouvoir ne pas tomber et l'on y serait pris plus misérablement
que jamais, blessé d'une mauvaise blessure. Du *Mythe de
Sisyphe* il faut retenir que cette recherche n'a peut-être pas
avantage à s'organiser d'une manière trop facile sur le plan
intellectuel. M. Camus dit volontiers : « J'ai deux certitudes, mon appétit d'absolu et d'unité et l'irréductibilité du

monde à un principe rationnel et raisonnable. » Mais ces
deux certitudes ne sont que des traductions fragiles, révi-
sables, et même simplistes, en langage discursif, d'une
situation qui consiste justement en ceci qu'elle ne peut pas
être éclaircie ni même authentiquement décrite. Tout ce
que peut faire la raison pour l'approcher ou croire l'approcher, tout ce qu'elle doit faire, c'est de contester sans cesse
ce qu'elle-même pose pour s'en approcher. Si l'on reconnaît, ce que M. Camus ne semble pas remarquer, que le
domaine de l'absurde, c'est le domaine du non-savoir, on
verra que la raison ne peut le prendre à son compte qu'en
l'asservissant et en l'utilisant; sans doute peut-elle constater elle-même cet abus, et elle sait se dénoncer comme
dépositaire infidèle; mais ce fait de se mettre en cause,
d'être capable de se dénoncer d'une manière constante et
infatigable lui rend alors une apparence d'authenticité; elle
voit s'accroître sa prétention légitime à s'occuper de l'absurde dans l'accusation qu'elle se sent capable de porter
contre elle en tant qu'elle s'en occupe, et elle s'engage dans
une acrobatie qui consiste à se perdre sans cesse, puis à se
retrouver et ainsi sans fin. Seulement elle voit aussi que
chaque fois qu'elle tombe, elle se relève; chaque fois qu'elle
tombe, sa chute la restitue à soi. L'authenticité du « se
perdre » pour la raison pourra toujours être niée, aussi
longtemps que celle-ci n'aura pas prouvé que, par elle-
même, par ses seuls moyens, elle peut se détruire, devenir
démence. Et enfin, à supposer que la raison, par une contestation véritable, fût devenue déraison, ce terme ne pourrait d'aucune manière représenter un dénouement. Il lui
faudrait aspirer à un au delà de la démence, à une possibilité nouvelle où la démence serait à son tour dénoncée,
contestée par la raison devenue folle mais restée elle-même
dans la folie. Et de cette possibilité, on ne saurait pourtant
dire encore : voilà l'absurde.

IX

LE MYTHE D'ORESTE

La pièce de M. Jean-Paul Sartre, *Les Mouches,* qui est d'une valeur et d'une signification exceptionnelles, s'est coulée assez exactement dans le mythe d'Oreste. Comme dans la tragédie antique, Oreste revient à Argos, tue Egisthe et sa mère Clytemnestre et par ce double assassinat entre en conflit avec les divinités des représailles, les Erinnyes. Comme la tragédie d'Eschyle, la pièce de M. Sartre est la tragédie de la libération ou de la liberté. Il faut en effet se souvenir que le drame grec de l'Orestie n'est pas le drame de la fatalité. Sans doute Oreste, pris dans l'engrenage de la loi du talion, assassine-t-il sa mère pour obéir au dieu qui ne veut pas laisser impuni le meurtre du roi. Oreste se rend coupable par obéissance. Il n'est pas maître de son crime. Il n'est que le chaînon indispensable dans la chaîne des forfaits. Mais cette violence qui lui est faite et qui le conduit à cette obligation absurde de tuer sa mère pour venger son père, n'est dans Eschyle ni le centre des *Choéphores* ni même celui des *Euménides*. Le jeune justicier, devant cette situation insoluble qui, quoi qu'il fasse, qu'il s'abstienne ou qu'il tue, le transforme en coupable, ne se lamente pas sur son sort immérité. Il s'y soumet mais il l'accepte. Tout le drame des *Choéphores*, la préparation au crime, l'appel du fils à son père ne signifie que l'acquiescement de plus en plus profond à l'acte sanglant de la vengeance, l'effort d'Oreste pour se changer lui-même en cette nuit du mal et de l'horreur que représente la mort d'Agamemnon, en somme la volonté d'Oreste de devenir intérieur à sa propre fatalité.

Le drame grec n'est pas le drame personnel du héros dont le désir se heurte à un ordre aveugle et incontestable. Il illustre le passage d'un monde à un autre, du monde des divinités souterraines à celui des dieux du jour, des sombres puissances de la peur et du sang aux pouvoirs supérieurs dont la souveraineté suppose avec l'homme une véritable union subjective. Que se passe-t-il après le matricide ordonné par Apollon ? Sans égard pour l'ordre divin, les chiennes de la vengeance se jettent sur le coupable; Apollon prend fait et cause pour son client; il le protège par des ruses, puis comme il faut que l'affaire soit réglée non par des stratagèmes, mais par un jugement définitif, la cause est finalement évoquée devant un tribunal où les dieux nouveaux et les dieux anciens s'affrontent. La sentence restitue Oreste à son innocence, mais plus encore consacre la jeune puissance des dieux nouveaux, confirme leur amitié avec l'homme et annonce un nouvel équilibre que la soumission aux puissances de la nuit ne risque plus de rompre.

C'est donc la tragédie de la libération qu'évoque le plus anciennement le mythe d'Oreste, libération du Bien à l'égard du Mal, des hommes et des dieux à l'égard de l'inflexibilité des lois, des valeurs de la justice virile en face des inextricables obscurités de la filiation, et c'est aussi le thème de l'aurore, de l'avènement, un message qui, par l'épreuve du crime des crimes, du crime poussé jusqu'au bout, fait pressentir la possibilité pour l'homme d'une innocence nouvelle. Il y a, semble-t-il, accord suffisant entre le sens que M. Sartre veut introduire dans le mythe ancien et les symboles traditionnels qui y sont attachés. Cet accord est une des forces de la pièce. La situation que l'auteur moderne a voulu représenter et qui est, à beaucoup d'égards, tout à fait étrangère aux réalités antiques, cadre à merveille non seulement avec le schéma mais avec les thèmes que la tradition nous a transmis. Si à certains moments on perçoit une dissonance entre l'œuvre et le mythe à l'intérieur duquel elle résonne, cette rupture qui d'ailleurs probablement été désirée par l'écrivain, ne vient pas d'une absence d'unité initiale, d'une adaptation superficielle des thèmes nouveaux à l'histoire légendaire, mais au contraire de la coïncidence extraordinaire qui a permis à une pensée toute nouvelle de rejoindre la vérité ancienne avec un minimum de changements et qui rend, par la suite, plus sensibles les désaccords et les différences d'expression.

Dans *Les Mouches* comme dans les pièces d'Eschyle, l'ordre ancien est représenté par le règne des Erinnyes. Depuis le meurtre d'Agamemnon, la ville d'Argos est vouée aux repentirs. Elle a été complice du crime qu'elle a sanctionné et elle s'est donnée, dans une fièvre bestiale, à l'horreur d'un passé avec lequel elle ne veut plus rompre. Tout est maintenant crime, pensée du crime, souci étouffant d'expiation. La peur est souveraine. Les mouches, sortes de réduction homœopathique des Furies, ne cessent de bourdonner au-dessus de ce charnier monumental. Les morts commandent. Au moins, une fois l'an, ils s'emparent des vivants et, issus des profondeurs inférieures, réveillent par l'illusion de leurs représailles le désir de servitude qui maintient l'ordre populaire. Le pouvoir royal, le pouvoir sacerdotal, le pouvoir divin sont d'accord pour garantir la souveraineté des forces de la nuit. Toute une cité pourrit sous la fatalité du souvenir. C'est alors qu'apparaît Oreste. Oreste, conformément à la légende, est étranger à cette mémoire infestée du crime. Il a été élevé loin des siens. Il n'a pris part ni aux rancunes qui rongent sa sœur Electre ni aux cérémonies complices qui prolongent la faute par le remords. Il est l'innocence, mais l'innocence, passive et inconstante, de quelqu'un qui n'existe pas. Il est en quelque sorte hors du monde, et s'il vient à Argos, c'est pour se rattacher aux conditions de son existence. Naturellement, il éprouve pour l'usurpation d'Egisthe, pour l'abjection du règne des Mouches un dégoût qui le conduit à s'indigner, qui l'engage à des velléités d'action, mais son dégoût n'est qu'un mouvement psychologique sans valeur et ses tentatives échouent devant l'indifférence malheureuse à laquelle il se sent condamné par sa nature étrangère. Pourtant, il tue Egisthe et il tue Clytemnestre. Il commet le double crime fatal. Il se mesure, lui aussi, avec la loi intransgressible de la malédiction et du châtiment. C'est que, après le spectacle de sa ville livrée sordidement aux morts, pendant les vains débats qui l'opposent à sa sœur dont il ne peut accueillir profondément l'esprit de vengeance, alors qu'il est perdu parmi les hésitations et le léger désespoir de sa nature encore irréelle, il rencontre

soudain, par une révélation intime qui est une réplique à
la révélation extérieure des dieux, un sentiment tout à fait
à part qui est celui d'être libre. Il est libre et il exprime,
il réalise sa liberté en accomplissant l'acte le plus chargé
de fatalités. Il se libère en devenant responsable. Il se
donne dans le crime la possibilité d'être véritablement
innocent. Et il libère les autres en prenant sur lui le châtiment des Erinnyes et en lui ôtant sa valeur de droit pour
ne lui laisser qu'une réalité de fait.

Il est nécessaire de regarder plus précisément ce que
signifie cette situation d'Oreste. La liberté dont il est le
messager en face de l'ordre ancien, s'exprime sous trois
formes qui toutes trois sont nécessaires à son accomplissement. D'abord, Oreste découvre qu'il est libre en lui-
même. De cette découverte — que l'expression théâtrale
ne peut traduire que malaisément — il n'y a pas à donner
de justification. Oreste rencontre la liberté en même temps
que l'existence, et toutes deux sont l'absolue gratuité, le
vide; elles se révèlent dans une expérience extrêmement
lourde que *La Nausée* a décrite, mais que le mouvement
de la pièce ne laisse qu'entrevoir. C'est qu'Oreste de cette
liberté tout intérieur a hâte de passer à la liberté d'un
acte, d'un acte qui en serait la garantie et le fondement,
si l'abîme pouvait jamais être garanti. Le sens de son double meurtre, c'est qu'il ne peut être vraiment libre que par
l'épreuve d'une action dont il accepte et supporte tout ce
qu'elle a d'insupportable dans ses conséquences. On peut
être tenté de comparer le geste d'Oreste au crime gratuit
de Lafcadio. En réalité, il n'y a gratuité que dans la conscience vide, débarrassée de tout, où l'acte a son origine.
Mais les rapports d'Oreste et de son crime ne sont pas des
rapports gratuits. Le héros revendique toute la responsabilité de ce qu'il a fait; à lui l'acte appartient absolument,
il est cet acte qui est aussi son existence et sa liberté. Pourtant, cette liberté n'est pas encore complète. On n'est pas
libre si on est seul à l'être, car le fait de la liberté est lié
à la révélation de l'existence dans le monde. Oreste ne doit
donc pas seulement détruire pour lui-même la loi du
remords, il doit l'abolir pour les autres et établir par la
seule manifestation de sa liberté un ordre d'où aient disparu les représailles intérieures et les légions de la justice
peureuse.

La rencontre d'Oreste et des Erinnyes est un des moments les plus remarquables de la pièce. Comme dans *Les Euménides*, le jeune homme a trouvé asile auprès de la statue d'Apollon. Il s'est endormi sous cette protection illusoire et les divinités scélérates, monstres qui nourrissent leur vengeance par le sommeil, dorment aussi dans l'attente de cette proie qu'un forfait magnifique leur réserve. Ces puissances sont encore plus élémentaires que les antiques Furies. Elles n'ont de réalité que la terreur et elles se détachent sur un fond vide d'angoisse. En présence du héros de la liberté, que peuvent-elles ? Il serait enfantin de croire qu'avec son effroyable meurtre celui-ci s'est débarrassé de tout, que, libre de remords et continuant à vouloir ce qu'il a fait même après l'avoir fait, il est quitte de son acte et étranger à ses conséquences. C'est au contraire maintenant qu'il va sonder le surprenant abîme de l'horreur, de la peur nue que ne voilent plus les croyances dogmatiques, de l'existence nue, libre, pure des superstitions complaisantes. Qu'est-ce que le règne des Mouches ? C'est le rachat par lequel les hommes, incapables de supporter l'horrible, l'échangent contre un sentiment de repentir; c'est le marché abject qui les conduit, dans l'espoir d'être délivrés, d'être satisfaits, à ne plus s'accepter eux-mêmes, à transformer le mouvement du temps dans une perpétuelle retombée du passé sur soi. C'est ce rachat de l'horrible par le remords qu'Oreste a rejeté. Il est libre, la réconciliation avec l'oubli et le repos ne lui est plus permise, il ne peut dorénavant qu'être associé au désespoir, à la solitude ou à l'ennui. La grandeur du héros libre, ce n'est donc pas d'être affranchi des incommodités des autres lois ou, grâce aux négations de l'humanisme sceptique, d'avoir tranquillement accès au mal, mais c'est d'être écarté de toutes les consolations et chargé du poids le plus lourd qui est l'innocence dans le mal. Lorsque à la fin de la pièce Oreste quitte l'asile d'Apollon, suivi par les Erinnyes qui lui donnent la chasse en hurlant, nous savons que son existence sera désormais celle d'un homme qui devra vivre en se mettant au niveau de l'horreur, à laquelle il a retiré tout droit et toute signification, mais non toute réalité. Car sa tâche, ce n'est pas d'abolir l'angoisse et le malheur, mais de lier l'homme à l'angoisse par un lien plus pur, celui de la liberté, de substituer aux Erinnyes, déesses de la vengeance, puis des remords, les Erinnyes qui ne règnent que dans un ciel vide.

L'un des thèmes des *Mouches,* c'est qu'il suffit qu'un homme se connaisse libre pour que tous les autres le soient. L'ordre et les dieux meurent dès qu'un seul homme a poussé son accomplissement jusqu'au terme de la liberté. Telle est la vraie raison pour laquelle le libre crime d'Oreste affranchit ses compatriotes et a pour les autres le même sens que pour lui. Pour comprendre l'authenticité de ce thème, il faut se rappeler que Dostoïevski lui a donné dans *Les Possédés* une interprétation presque identique. Que veut Kirilov? Il veut se tuer pour affirmer sa liberté, et il sait qu'en se tuant il va délivrer les hommes du mensonge de l'ancien dieu et de la malédiction de la peur. « L'homme, dit-il, a toujours été pauvre et malheureux parce qu'il craignait de réaliser la forme suprême de sa volonté (son indépendance). Mais je proclamerai ma volonté... Cela seul sauvera tous les hommes et les transformera physiquement dès la génération suivante... Je me tue pour prouver mon insubordination et ma liberté nouvelle. » Kirilov, lui aussi, a découvert qu'il était libre. Mais, comme Oreste, il sait que cette liberté ne peut être réalisée que par un acte paradoxal dont il doit accepter toutes les conséquences, et il sait que cette liberté affirmée complètement pour lui-même va devenir liberté pour autrui et liberté d'autrui. « Un seul doit absolument se tuer, le premier; sinon, qui commencerait et prouverait? C'est moi qui me tuerai pour commencer et prouver. » De même, Oreste ne peut atteindre à la liberté que par le crime, mais cet acte monstrueux permet la déchirure du ciel et, devant le vide qu'il révèle, laisse l'homme libre et seul avec lui-même.

En ce sens, la grande force tragique des *Mouches* devrait être leur valeur sacrilège. Oreste est le héros prodigieux, c'est-à-dire un homme qui a décidé de porter atteinte au sacré, de peser hardiment dans sa balance le monde supérieur. Chacun de ses gestes est un défi à l'ordre. Son existence est une faute, un péché permanents. On peut se demander pourquoi cette impression de sacrilège fait parfois défaut à la pièce qu'elle devrait soutenir. Est-ce parce que M. Sartre a donné une expression parodique de ce monde des dieux et des remords ou bien n'a-t-il pas poussé assez loin l'abjection qu'il dépeint ? Il semble que l'ordre truqué qui est celui de Jupiter et d'Egisthe, fondé sur l'hypocrisie et l'exploitation grossière de la crédulité, soit si médiocre et si mesquin qu'il ne puisse avoir pour adversaire que l'ombre d'un rationaliste et non pas un héros ni un homme. A la grandeur d'Oreste il manque d'être impie contre une piété véritable, de bafouer des dieux qui soient vraiment des dieux et de provoquer l'écroulement d'un monde titanesque que sa liberté pourra détruire justement parce qu'elle n'est rien.

X

LE MYTHE DE PHÈDRE

M. Thierry Maulnier à qui l'on doit un très beau livre sur Racine était seul à pouvoir encore approfondir son étude. *Lecture de Phèdre* est comme le fragment d'un second ouvrage qui a exigé d'être incomplet pour être achevé et dans lequel Racine se révèle d'autant mieux qu'il ne se montre pas tout entier. Il semble que les circonstances ont refusé à Thierry Maulnier le pouvoir de commenter les autres tragédies pour que le Racine qu'il était destiné à mettre en lumière fût celui de la seule *Phèdre*, l'auteur d'une œuvre unique, sorti brusquement de l'ombre avant de s'y replonger par un silence extraordinaire. Pour comprendre et aimer *Phèdre*, il faut sinon n'aimer qu'elle, du moins la préférer, être sensible aux raisons qui la rendent incomparable plutôt qu'à celles qui la mettent à son rang dans une suite naturelle de chefs-d'œuvre. L'auteur de *Phèdre* doit, par certains côtés, être tenu pour incapable d'avoir écrit aussi *Mithridate, Britannicus* ou *Athalie* et apparaître comme le créateur absolu de cette seule tragédie qui est la dernière dans la mesure où elle est également la première. Ce n'est pas un silence de douze ans qui la sépare d'*Esther,* ce n'est pas un silence de près de trois ans qui la sépare d'*Iphigénie,* ce mutisme que les années mesurent symbolise un mutisme que les délais du temps n'épuisent pas et qui marque que nous qui écoutons *Phèdre* nous devons, au lieu de chercher à la pressentir dans des œuvres antérieures ou à la reconnaître dans des œuvres plus tardives, ne la voir et ne l'entendre que dans la solitude d'un art uniquement fait pour elle et inutilisable pour tout autre.

Il est bien évident que l'on peut retrouver dans *Phèdre,* non pas ce qui fait d'elle une œuvre à part, mais au contraire ce qui la rend riche de toutes celles qui l'ont précédée, ou bien juger qu'elle est unique parce que tous les caractères de l'art de Racine y sont réunis, parce que toutes les ressources qui, prises une à une, ont suffi à faire des autres tragédies de grandes tragédies sont ici mises en œuvre ensemble et portées à un point extrême d'efficacité. C'est ainsi que Thierry Maulnier peut écrire : « Le Racine politique mis à part, tous les Racine se sont donnés rendez-vous dans la dernière tragédie. » Mais, en vérité, si l'on s'arrête à ces qualités analogues, si l'on veut seulement apprécier dans *Phèdre* une œuvre différente des autres par la plus grande richesse ou la plus grande perfection d'un art qui leur est commun à toutes, on ferme les yeux sur la véritable signification de cette tragédie qui n'est pas d'être parfaite (on a cent fois montré qu'elle était moins accomplie que *Bérénice,* moins équilibrée que *Britannicus,* que les personnages de Thésée, d'Hippolyte, d'Aricie remplissaient d'une manière conventionnelle leur fonction dans le drame), mais d'introduire la tragédie française dans un ordre qui, sans elle, lui serait demeuré étranger. C'est ce pouvoir qui assigne à l'auteur de *Phèdre* un destin exceptionnel et à *Phèdre* un rayonnement, une vérité mystérieuse. Avec *Phèdre,* Racine est entré dans des régions inconnues d'où il ne pouvait ressortir que voué au silence et absent d'un art capable de se répéter.

Le personnage de Phèdre vit dans trois mondes différents, et si l'analyse seule peut arbitrairement distinguer cette triple existence, c'est cependant par l'ambiguïté de sa démarche, par le mouvement de sa course à travers plusieurs mondes simultanés que le dénouement où elle se précipite nous apparaît plus difficile à suivre du regard et plus extraordinaire que tout autre. Soumise à la passion humaine, Phèdre est aussi livrée à une fatalité qui exprime la toute-puissance des vérités mythologiques. Elle chemine vers un abîme où suffirait à la conduire l'égarement de la passion terrestre, mais où la poussent avec plus de certitude la traîtrise des dieux, l'hostilité et jusqu'à l'amitié des puissances surhumaines. De son destin une explication naturelle rend entièrement compte. Son amour pour Hippolyte, son désir de le perdre et son désir de se perdre n'ont pas besoin de causes extraordinaires et se réfèrent au contraire à l'expérience la plus quotidienne. Elle aime et elle voudrait ne pas aimer, elle est jalouse et elle craint pour ses enfants le scandale d'un amour condamnable, quoi de plus proche de la vraisemblance commune ! Phèdre court à sa perte dans le monde sans danger où amour, remords, calomnie, suicide, assassinat, tout s'explique dans les limites de l'analyse intérieure, sans aucun recours à un mécanisme déraisonnable. Ce monde de la tragédie sentimentale n'est pourtant que l'apparence. Devant Phèdre comme devant tout spectateur, cette apparence ne cesse de se déchirer, et à la tragédie où tout s'explique se superpose celle de l'inexplicable qui exige, pour que l'action soit possible, la présence des dieux, la transformation du soleil ou de la terre en puissances sacrées, l'intervention de monstres qui obéissent à des accords infernaux.

Ce monde mythologique où ont gardé leur vie toutes les fables de la fatalité, qui peuple l'univers de figures invocables, qui unit la terre au ciel par la complicité d'histoires et de récits, en dérobe à son tour un autre qui le soutient sans se confondre avec lui et dont il est jusqu'à un certain point absurde de vouloir faire apparaître la réalité, puisqu'il est absolument lié à ce qui ne se manifeste pas. Pourtant, c'est ce troisième royaume qui appartient en propre à la tragédie de Phèdre, c'est lui qui, alors que les autres œuvres passent comme elle d'un plan humain à un plan légendaire, lui propose une signification encore plus mystérieuse, l'engage dans une profondeur où, entraînés avec elle, nous errons autour d'énigmes que nous ne pouvons appréhender qu'en nous perdant. Il nous semble que dans l'investigation de ce monde Thierry Maulnier a été plus loin qu'aucun autre en exprimant en un admirable langage ce qu'il appelle la tragédie de la transparence. Phèdre, dit-il, ne porte pas seulement l'héritage de la passion, mais l'héritage de la justice. Fille de Pasiphaé et asservie comme elle aux délires, elle est aussi fille de Minos et comme lui avide d'une justice, capable de changer les ténèbres en lumière. Son amour pour Hippolyte est l'expression de cette double fatalité. C'est sa nature en proie à la fièvre qui se consume d'une flamme incestueuse pour celui qu'il est monstrueux d'aimer; et c'est sa nature éprise d'innocence qui la porte d'un mouvement irrésistible vers le fils de l'Amazone, l'homme intact, le Thésée sans souillure dont elle souhaite en vain l'impossible résurrection. Ce qui la conduit à la perdition, ce n'est pas seulement la fureur du désir, c'est aussi son rêve de candeur, et ce qui l'enchaîne fatalement à son crime, c'est aussi bien que la folie du crime l'amour de la pureté qui la force à être coupable pour s'unir complètement à l'innocence. De refuge contre elle-même, de possibilité de salut, il n'est plus, ici-bas ni nulle part, d'espérance. Son destin est de se perdre avec ce qui devrait la sauver.

Par ces remarques nous pénétrons dans un monde beaucoup plus souterrain que celui des dieux et des enfers, et c'est vers le mythe dont tous les autres ne sont que des figures que Phèdre nous oriente pour nous égarer avec elle. Le regret du jour qui, comme une obsession d'autant plus lourde qu'elle est inutile, marque de scène en scène le progrès vers la catastrophe n'est que l'envers d'une passion à laquelle, qu'on la recherche ou qu'on la repousse, on ne cède que malgré soi, la passion de la nuit. Phèdre, d'un être qui n'est plus soumis au jour, mais à la vérité de la nuit, a toutes les apparences angoissantes. C'est de la nuit qu'elle vient et la fatalité héréditaire, le lien du sang, la contrainte de la race sont les vestiges saisissables de ce fond d'obscurité qu'il y a dans le sentiment de toute origine. Elle est son origine même. Saisie par le vertige de la terre, elle est sans cesse appelée à s'engloutir dans ce qui lui a donné naissance. Sentir que l'on se perd parce qu'on est lié à ce qui donne la vie, c'est le plus ancien des pressentiments nocturnes. La passion de Phèdre est une passion qui est née de la nuit. Non seulement lien qu'elle rejette, qu'elle ne comprend pas, qui est en elle étranger à toutes possibilités humaines, mais désir qu'elle ne peut poursuivre dans le monde clair, attache qui, chaque fois que s'ébauche une conciliation avec l'existence, l'assujettit plus fort à la destruction, son obscur amour trahit tout ce qui pourrait le rendre viable et ne cherche qu'à se saisir lui-même dans l'impossible. Ce n'est pas parce qu'elle est criminelle que cette passion est une offense au jour; ce n'est ni de l'adultère ni de l'inceste qu'elle tire sa force malheureuse : il y a des passions coupables, comme celles

de Roxane, qui, toutes tournées, par delà les commandements de la morale, vers leur réalisation, brillent de l'allégresse de la vie. Au contraire, la passion de Phèdre appelle
l'ultime écroulement comme sa fin. Elle a besoin de l'abîme
pour se consommer. Elle exige la ruine. Sur elle rien ne
peut se construire. Son empire, c'est l'anéantissement.

Du début de la tragédie à la fin, Phèdre est l'image de
la mort. « Une femme mourante et qui cherche à mourir »,
dit Théramène dès les premiers vers. Cette formule est
significative. En Phèdre la volonté de se donner la mort
est présente, mais elle est surajoutée, elle ne vient qu'après
coup comme la confirmation d'une nécessité de mourir beaucoup plus profonde, inéluctable, qui se sert de la volonté
comme d'un instrument. Si Phèdre veut mourir, si Phèdre meurt, ce n'est qu'en apparence pour expier sa faute,
pour trancher un lien impossible à dénouer; sa mort n'est
pas la conséquence de son amour, conséquence secondaire
et d'une certaine manière accidentelle; elle est cet amour
même, elle est l'amour qui ne peut s'accomplir que dans
la mort, qui de cet accomplissement n'attend ni satisfaction
ni repos, mais un au-delà de la mort, plus dérisoire et nul
encore qu'elle. On peut dire que dès que la passion pour
Hippolyte s'est emparée de Phèdre, la mort aussi a pris
possession de sa nature. Dans la tragédie d'Euripide, Phèdre, morte, étendue sur un lit de parade, domine toute la
scène pendant la moitié du drame et empoisonne de sa
présence maudite l'innocence et la vérité du jour qui ne
peuvent qu'être ternies à son contact. C'est ce témoignage
mortel, cette réalité cadavérique, beaucoup plus que la
lettre posthume, qui accuse Hippolyte et le voue lui aussi
à l'effondrement. Mais, dans la tragédie de Racine, il n'est
nul besoin de l'appareil funèbre et Phèdre, encore vivante,
est plus véritablement liée à la réalité de la mort que si
elle en avait déjà éprouvé les atteintes. C'est au contraire
sous les aspects de la vie que son assujettissement à cette
mort qui trompe les apparences a toute sa force scandaleuse. C'est en cela, déjà morte et pourtant libre de vivre,
qu'elle est une suprême offense à la clarté du jour. Elle est
comme l'obscurité même qui, sans se manifester, décom-
poserait la lumière, tacherait l'innocence, rendrait à la
cruauté de l'ombre tout ce qui a voulu s'édifier hors de la
nuit. A la catastrophe d'Hippolyte il ne peut y avoir d'au-

tre cause : il a croisé la malédiction nocturne, il s'est trouvé
face à face avec le secret. Il succombe non pas à la calomnie, mais à la toute-puissance de la nuit contre laquelle ni
son petit amour, son grand amour pour Aricie, ni ses vertus, ni sa bonne renommée, toutes manifestations du jour,
ne peuvent le défendre. Phèdre peut bien se retirer dans
les ténèbres pour rendre au jour sa clarté, mais le jour
qu'elle laisse derrière elle est un jour dévasté, un jour
vide.

Le déroulement de la tragédie se fait autour de Phèdre
immobile. Par elle-même, dans la mesure où elle est sous
le sceau de la nuit, elle ne peut agir, elle ne peut rien tenter pour faire triompher son amour, puisque cet amour ne
veut pas d'une victoire. Livrée à elle seule, elle ne cesse de
se détourner de l'action, de l'histoire, de ce qui est encore
possible et elle retombe dans l'angoisse de son propre
anéantissement. Il n'y a de progrès dans la tragédie que
par l'intervention de quelqu'un qui puisse agir, qui soit
même le symbole de la vie pratique, par l'intervention
d'Œnone, la servante. Beaucoup de critiques se sont demandé pourquoi Phèdre, à la fin, renonce à vivre et prend
du poison : a-t-elle eu connaissance de la mort d'Hippolyte? Veut-elle en tout état de cause expier la pensée de son
crime? Ces questions sont naïves. D'abord, ce n'est pas la
mort de Phèdre qui a besoin d'être expliquée, c'est plutôt
sa survie, car pendant toute la pièce elle expire, elle porte
dans les veines un poison plus lent mais plus fatal que
celui de Médée, elle est à tout instant en sursis d'existence.
En vérité, c'est à peine un paradoxe de dire que Phèdre au
cinquième acte disparaît du monde parce qu'Œnone, après
le quatrième acte s'est jetée dans la mer. Œnone morte, il
n'y a plus pour Phèdre aucune possibilité d'action, aucune
permission de vivre. Œnone représente non pas la dernière
chance (toutes ses initiatives sont par avance vouées à
l'échec), mais l'ultime liberté, l'instance dernière pendant
laquelle la nuit, se confrontant avec le jour, va passer de
l'âme où elle est confinée au monde qu'elle veut obscurcir.
Remarquons que tout le mouvement de la tragédie vient
de l'effort que Phèdre, tentée par Œnone, accomplit pour
rompre le secret, pour « communiquer » l'incommunicable.
S'il y a eu crime, c'est là son crime. Elle a voulu révéler
ce qui appartenait à la nuit. Elle a cédé à l'angoisse de

dévoiler le mystère même. Devant la servante, devant Hippolyte, devant le monde entier, elle a cherché à mettre au jour l'ombre, à rendre présent ce qui ne pouvait s'imaginer qu'absent. Et, naturellement, la « communication » n'a rien révélé. La communication s'est trahie elle-même et n'a manifesté que la faute. Elle a seulement ouvert à la catastrophe le monde du dehors qui, en l'entendant, a cru la comprendre, et elle a attiré par l'horreur l'existence claire qui ne l'avait accueillie un instant que pour la rejeter.

Que *Phèdre* soit la tragédie du silence, cela doit peut-être être rappelé lorsqu'on s'étonne du silence de Racine après *Phèdre*. De ce silence nous ne croyons pas qu'il faille chercher une explication, ou si on le juge explicable, on est tout à fait fondé à invoquer les scrupules religieux, les susceptibilités littéraires ou les fatigues de la vie amoureuse. Mais pour ceux qui estiment que le mutisme de Racine est un événement qui échappe aux conditions et aux causes, pour ceux qui, sensibles non seulement au renoncement de Racine, mais à la tranquillité avec laquelle il renonce à lui-même, voient dans la banalité et la discrétion sa plus sûre retraite, *Phèdre* est là pour rappeler la signification du silence et pour avouer, en même temps que sa propre ruine, l'effacement de l'esprit qui a voulu se servir d'elle pour comprendre la nuit. Tandis qu'elle se perd dans une mort presque paisible à force de dépasser les tourments des malheurs ordinaires, il est naturel qu'elle semble entraîner avec elle celui qui a touché le mystère de ce qui ne peut se dévoiler et qui dorénavant ne pourra en représenter au monde que l'incognito silencieux.

XI

LES CARNETS DE LÉONARD DE VINCI

La gloire de Léonard de Vinci s'identifie en France depuis près d'un demi-siècle avec la manière dont M. Paul Valéry nous a appris à la comprendre. Nous la voyons telle qu'il la voit. Nous distinguons ce qu'il distingue et rien d'autre. La puissance de vision qu'il nous a prêtée interdit à nos yeux tout regard qui ne serait pas fixé sur quelque qualité admirable et qui prétendrait dans cette magnifique lumière saisir aussi quelque ombre. Ainsi est la postérité. M. Paul Valéry, qui juge merveilleuse l'existence de son héros, mais plus merveilleuse sa destinée posthume puisqu'il a fallu quatre cents ans et un accroissement sans pareil du savoir humain pour nous permettre d'apprécier la grandeur et la vérité d'un tel esprit, n'ajoute pas le trait le plus étonnant de cette gloire à laquelle, après quatre siècles, s'est offert le miroir le plus brillant et le plus profond pour la refléter, soleil lui-même, répétition de l'unique, en qui il nous suffit de regarder pour retrouver et peut-être pénétrer le spectacle jadis incompréhensible.

Les Carnets de Léonard de Vinci, dont la traduction nouvelle de Mlle Servicen nous donne une idée à peu près complète, ne peuvent cependant que rendre plus sensible le caractère d'énigme qui s'est toujours attaché au destin de Léonard de Vinci et qui est inséparable du désir de le comprendre. Cette énigme elle-même, comme toute énigme véritable, est presque impossible à saisir, et on ne sait si elle doit être cherchée dans la prodigieuse étendue des connaissances d'un seul homme, dans sa capacité d'être inventeur en tout, dans le secret qui l'a fait aussi grand savant

qu'admirable artiste ou bien dans les limites qu'a pourtant
accepté de se donner l'esprit le plus apte à les franchir;
est-ce comme réussite ou comme insuccès qu'il faut regarder cette extraordinaire vie pour essayer de nous expliquer
en quoi elle est inexplicable? Le mystère n'est-il pas qu'on
puisse parler d'échec à propos d'un homme qui n'a eu
personne au-dessus de lui dans son art et qui a été au-
dessus de tout autre par la variété et la sûreté de ses expériences? Ou encore faut-il tenir pour une supériorité de
plus, pour la condition de ses mouvements supérieurs, cette
indifférence à certaines démarches, son renoncement à des
possibilités dont il s'est détourné, non sans résolution et
avec la conscience douloureuse de ce qu'il perdait.

Dans une récente étude, M. Jean de Boschère, considérant ce qu'il appelle : « Les échecs de Léonard de Vinci »,
remarque que ce grand esprit s'intéressa à tout, sauf à
l'impossible, qu'il fut maître de tous les problèmes, à l'exception du problème dernier qui juge tous les autres, que,
dans la peinture même, par éloignement de la pensée intui-
tive et mépris des rêves de la sensibilité, il se donna des
fins si limitées (ressemblance avec l'objet) qu'il ressentit
peu à peu ce qu'il y avait de décevant dans la pratique d'un
art dont il ne pouvait attendre presque rien et qui cependant, pour être parfait, exigeait presque tout. Mais c'est
en cela même que M. Paul Valéry le juge plus grand, plus
étendu, plus libre que beaucoup d'autres, notamment que
Pascal. « Pas de révélations pour Léonard. Pas d'abîme ouvert à sa droite. Un abîme le ferait songer à un pont. Un
abîme pourrait servir aux essais de quelque grand oiseau
mécanique... » Une intelligence si maîtresse de ses moyens,
si habile à passer de l'analyse aux actes, si capable d'être
intelligence, doit aussi être détachée des fins et ne pas se
subordonner à une recherche dont la valeur en soi la rendrait nulle comme pouvoir de trouver n'importe quoi. Là
où M. de Boschère voit une pensée timide pour n'avoir pas
supposé dans le monde plus qu'elle ne se sentait capable
d'y trouver, et, en définitive, affreusement déçue par son
effort pour tout réduire à des recettes, M. Paul Valéry voit
la pensée la plus audacieuse puisque universelle, et la plus
proche d'être satisfaite puisque n'appartenant qu'à soi.

Ce qui ajoute à l'étonnement dans lequel l'esprit s'enferme dès qu'il essaie de distinguer cet esprit riche et

appauvri par ses pouvoirs, c'est que, quel que soit l'idéal qu'on lui propose, il y a toujours de lui un aspect qui ne s'y montre pas inférieur. On peut accepter les termes de l'analyse qui fait de Léonard le maître du possible. Le possible, ce qui peut être réalisé, ce qui soumet le savoir au pouvoir, ce qui trouve dans l'acte de faire la condition et la preuve de l'acte de comprendre, voilà sans doute le royaume de ce conquérant. Il ne sait qu'autant qu'il peut, et il ne peut que lorsque son pouvoir s'est exercé par une machine ou par une œuvre qu'il a construite et qu'il peut en principe reconstruire. En ce sens, il n'y a pas d'homme universel, de grand artiste ou de grand savant qui se soit autant que lui attaché au connu. L'inconnaissable ne lui est pas seulement étranger, mais ne lui est rien. Il n'a pas à en détourner le regard, car de ce qu'il ne voit pas il fait le premier moment de ce qui doit nécessairement se voir, et ce qui est en soi invisible, son œil, d'une force de vision sans égale, le condamne à ne pas être par le seul fait qu'il ne le rencontre pas. L'inconnu n'a, en somme, de place dans son attention que comme ce qui est en puissance d'être connu. Il lui fait alors la place la plus grande. Il voit dans la nature un champ illimité d'investigation, il compulse mille secrets là où les autres ne savent rien découvrir, il descend de la surface où tout est naturel à la profondeur où tout est problème; mais s'il se donne la nature comme une infinité de possibles (« La nature est pleine de causes infinies que l'expérience n'a jamais démontrées »), il s'interdit d'envisager, en dehors du possible, une infinité quelconque ou de mettre en question la possibilité même de ce qu'il peut. La nature, telle qu'il peut la reconstituer, est le premier et le dernier mot de sa curiosité.

Or, il arrive ceci que des limites que s'impose son esprit d'investigation afin de donner lieu à une œuvre — machine ou œuvre d'art — cette œuvre elle-même est admirablement affranchie. L'inconnu comme tel, que la passion de son intelligence ne fait pas rentrer dans ses calculs, qu'elle ignore, qu'elle ne peut qu'ignorer, trouve dans les plus grands ouvrages auxquels cette passion aboutit une expression d'une profondeur, d'une force attirante, d'une étrangeté qui échappe aux déterminations de l'analyse. Il n'est pas besoin de rappeler tout ce qu'on a dit du message énig-

matique que les figures de Léonard apportent avec elles;
on peut juger ces commentaires entachés de vulgarité et
bien inférieurs à la vérité des chefs-d'œuvre qu'ils louent;
mais c'est du moins un fait que ces tableaux agissent sur
les hommes en les arrachant à ce qu'ils connaissent et en
les tournant vers ce qu'ils ne peuvent connaître; ces portraits, résultats de combinaisons parfaitement réfléchies et
élucidées, reflètent l'indéchiffrable et célèbrent le mystère
qu'ils annihilent; ils donnent une forme à ce qu'ils prétendent ne pas être; ils suggèrent une vérité qui contredit
celle de leur accomplissement; ils supposent chez l'homme
qui les contemple une attitude absolument condamnée par
l'homme qui les a faits.

Cette situation, pour être saisie dans tout ce qu'elle a de
remarquable, doit être rapportée exactement à ses conditions. C'est dans la mesure où le savoir de Léonard de
Vinci se limite volontairement au possible que son pouvoir
qui veut refaire ce possible va au delà et nous donne,
comme une illusion ineffaçable, une ouverture sur un
monde impossible. C'est parce que toutes ses recherches
ont tendu vers les problèmes qui ont pour solution quelque
chose qui peut se réaliser, qu'il a pu nous donner une idée
infiniment efficace de l'irréalisable. En d'autres termes,
esprit qui n'a voulu concevoir que ce qu'il pouvait faire, il
a fait par cela même un peu plus qu'il n'était concevable.
On voit donc que lorsque M. de Boschère se plaint de la
pauvreté de ses poursuites, du champ étriqué de ses tentatives, des contraintes auxquelles il s'oblige, il ne tient pas
compte de cette conséquence remarquable, que plus ses
poursuites sont pauvres, plus riches sont ses prises, plus
rapproché le but qu'il veut atteindre, plus étendu le pouvoir qu'il conquiert, au point que la modestie de ses projets, leur caractère délibérément limité se traduit finalement par quelque chose d'illimité dans les résultats.

Naturellement, quand on a ainsi exprimé l'une des énigmes de Léonard on n'a absolument rien fait pour l'expliquer, on l'a simplement rendue un peu plus vive. Rappelons toutefois que, pour des critiques comme M. Paul
Valéry, ce peu auquel le plus grand des esprits se limite
lui est un moyen pour se rendre maître de lui-même, c'est-
à-dire de tout, qu'attaché à ne trouver que des recettes,
c'est l'attitude centrale par laquelle comprendre et faire

deviennent également possibles qu'il se met en mesure de découvrir, qu'à cet égard, l'étude d'un mécanisme très particulier peut donner à l'homme, s'il y saisit la loi de l'esprit qui produit, la puissance de créer les effets les plus généraux et même des résultats imprévisibles. De plus, il faut se souvenir, pour mieux prendre conscience des mystères de Léonard, que s'il écarte l'inconnaissable de son attention, s'il n'étudie que ce qu'il peut connaître, il met au service de la peinture, où justement l'inconnaissable s'exprime, toutes les connaissances et toutes les aptitudes qu'il peut acquérir. La peinture, on le sait, n'est pas pour lui un art parmi d'autres, une activité égale à la sculpture ou à la poésie, elle est la fin suprême, celle par rapport à laquelle tout ce qui peut être étudié, dit, fait, doit être regardé comme un moyen, un auxiliaire ou un accessoire; c'est à la peinture qu'il pense lorsqu'il recherche la structure de n'importe quel objet, discerne les fonctions vitales, étudie l'historique des gisements, écrit en grandes lettres dans ses notes : « Le soleil est immobile »; la peinture exige la connaissance de tout, et tout doit aboutir à ce que quelque chose soit peint. Connaître entièrement la nature? Oui, mais pour pouvoir, par le moyen de la peinture, la refaire entièrement : c'est là l'objet dernier, la véritable raison de l'activité de l'homme. Dans ces conditions, on voit ce que peuvent signifier l'art et l'énigme qui lui est attachée. S'il est vrai que la peinture de Léonard de Vinci apparaît comme riche non seulement du savoir le plus rigoureux et le plus étendu, mais aussi de ce qui déborde le savoir et le met en question, si, se rapportant à toutes les connaissances comme à ses éléments, elle se rapporte comme synthèse à l'inconnu, en un mot si l'œuvre peinte qui n'est que l'imitation savante de la nature donne aussi l'impression de ce qui est au delà, c'est que ce grand peintre, tout en faisant de la nature, par l'analyse de son savoir, une réalité purement mécanique et mathématique, l'a conçue, par la synthèse de son pouvoir, comme dépassant cette réalité connaissable et en a ainsi égalé la profondeur ou l'illusion de profondeur. Le secret de Léonard peut se résumer ainsi : la totalité du savoir, portant sur le monde supposé réductible à des éléments connus, lui est nécessaire pour la perfection d'un pouvoir capable de refaire le monde jusque dans sa vérité inconnaissable.

On sait qu'à cette fin suprême Léonard qui a pourtant
donné aux hommes l'impression de l'avoir atteinte devint
peu à peu infidèle. On pourra toujours rêver sur les raisons de cette indifférence finale, de ce dédain mêlé de doute
et d'inquiétude. On pourra supposer que le peintre, après
avoir mis à son service la totalité de son esprit, après avoir
régné glorieusement sur le chercheur faustien qui cohabi-
tait avec lui, finit par être victime de cet empire excessif
et un jour fut opprimé par ce prodigieux serviteur. On
pourra imaginer qu'il ne réussit plus à revenir de la recherche à l'exercice de son art, dès l'instant où l'œuvre
engendrée par cette recherche, si grande qu'elle fût, lui
parut inférieure à l'esprit d'investigation. Subordonner ses
curiosités les unes aux autres, les tendre en vue d'une fin
qui prétendait les asservir sans cependant parvenir à les
absorber, c'est ce qui parut de jour en jour plus douloureux
à l'esprit universel et l'éloigna lentement de la peinture.
La tentation, non pas de s'en tenir au savoir (telle n'est en
rien la visée dernière du génie chez Léonard) mais de renoncer à un pouvoir particulier pour s'élever aux conditions
du pouvoir le plus général, le désir d'aboutir non à une
œuvre déterminée mais à la capacité de faire n'importe
quelle œuvre, la volonté de rivaliser avec la nature en se
faisant non auteur de tableaux mais créateur de son propre esprit et, au plus profond de soi, peintre de l'inconnaissable, voilà ce que les dernières années de Léonard de
Vinci nous permettent de rapporter à un homme comme
le fruit de la conscience intellectuelle la plus rigoureuse et
la plus calculatrice.

XII

COMMENT LA LITTÉRATURE EST-ELLE POSSIBLE?

Il y a deux manières de lire *Les Fleurs de Tarbes* de M. Jean Paulhan. Si l'on se contente de recevoir le texte, d'en suivre les indications, de se plaire à la première réflexion qu'il apporte, on sera récompensé par la lecture la plus agréable et la plus excitante pour l'esprit; rien de plus ingénieux ni de plus immédiatement satisfaisant que les tours et les détours du jugement en face d'une certaine conception littéraire qu'il regarde, fascine et anéantit à la fois; on sort de ce spectacle, ravi et assuré. Mais, après quelque temps, les doutes viennent; il faut bien réfléchir; des allusions dissimulées par leur évidence, divers incidents de forme, une conclusion mystérieuse donnent peu à peu à penser. Le livre dont on vient de s'approcher, est-ce bien le véritable ouvrage qu'il faut lire? N'en est-il pas l'apparence? Ne serait-il là que pour cacher ironiquement un autre essai, plus difficile, plus dangereux, dont on devine les ombres et l'ambition? Voici qu'il faut reprendre la lecture, mais il serait vain de croire que Jean Paulhan livre jamais ses secrets. C'est par le malaise qu'on éprouve, et l'anxiété, qu'on est seulement autorisé à entrer en rapport avec les grands problèmes qu'il étudie et dont il n'accepte de montrer que l'absence.

Le premier livre, le livre apparent, est consacré à l'examen de la conception critique qu'il faut appeler terroriste. D'après cette conception qui gouverne les lettres depuis cent cinquante ans, la littérature a pour devoir de se défendre contre les lieux communs et contre ces lieux plus vastes que sont les règles, les lois, les figures, les unités. Tout écrivain qui s'abandonne aux clichés et aux conventions renonce bientôt à exprimer sa pensée, plus encore à rechercher ces contacts vierges, cette fraîcheur du monde qui est la fin de tout art; il est la victime des mots, l'âme de la paresse et de l'inertie, la proie des formules toutes faites qui imposent à sa pensée leur puissance dégradante. Ce sont là des évidences. Les lieux communs trahissent une intelligence à la fois indolente et soumise, inerte et entraînée, vouée à un langage qu'elle ne guide plus. Quels reproches fait-on à l'homme qui se sert sans précaution des mots : liberté, démocratie, ordre? On l'accuse de verbalisme. Ainsi est l'écrivain qui se laisse aller aux clichés. Il est prisonnier des paroles qu'il ne soumet plus à leur sens. Une secrète maladie du langage l'atteint à laquelle il ne peut que succomber.

Cette conception critique, qui est en somme celle de Victor Hugo repoussant la rhétorique, de Verlaine dénonçant l'éloquence, de Rimbaud se séparant de la vieillerie poétique, qui réconcilie curieusement Sainte-Beuve, Taine et le surréalisme par l'humiliation qu'elle inflige aux mots et la part privilégiée qu'elle donne à une pensée authentique, est si scrupuleusement étudiée par M. Jean Paulhan qu'on se demande comment il lui sera possible de l'ébranler après lui avoir donné des fondations si fermes. Mais il ne lui faut que quelques remarques et de plus, il est vrai, une découverte capitale dont on discerne l'importance un peu plus tard. L'observation la plus simple donne tort à la Terreur. Il n'est pas vrai que l'usage des lieux communs soit un signe de paresse et encore moins de verbalisme. N'y a-t-il pas des écrivains qui inventent les clichés, qui ne les subissent pas mais les découvrent et expriment par leur moyen ce qu'il y a de plus tendre dans la sensibilité, de plus spontané dans l'imagination? N'y en a-t-il pas d'autres qui usent de lieux communs, savent qu'ils en usent et, loin de penser y perdre l'esprit de leur discours, ne se servent de ce langage que parce qu'il est trop éprouvé pour retenir l'attention et faire écran au sens qu'il doit traduire? Les clichés sont destinés à passer inaperçus. Les images, les mots, ne comptent plus. Le langage y dessine un corps invisible et absent.

En fait, toute l'accusation de la Terreur repose sur une

singulière illusion d'optique. Il est bien vrai que certains lieux communs ont pour effet d'environner l'esprit de mots, de lui en imposer à l'excès le souci et le bruit. Mais ce mal ne se produit pas chez l'auteur, c'est le lecteur qu'il frappe, le lecteur qui devant tout lieu commun est obligé de se demander : cette expression garde-t-elle sa force native, sa vigueur originelle ? ou n'est-elle qu'un cliché, un grand mot ? Voilà ce lecteur embarrassé par des questions de langage, pris dans un réseau de paroles qui ne lui permettent plus d'être à la disposition de l'esprit, vraiment en plein verbalisme. Mais la Terreur peut-elle en conclure, comme elle le fait, que le mal vient de la fâcheuse tendance de l'écrivain à céder aux mots ? C'est en vérité tout le contraire. Que l'auteur n'a-t-il été plus soucieux de langage ! Le lecteur en serait moins occupé. Qui en écrivant n'a pas été attentif au sort des paroles voue celui qui lit à n'avoir d'attention que pour elles.

Cette illusion découverte, Jean Paulhan peut aisément rendre à la Terreur sa place, en montrer l'insuffisance et corriger ses excès par la perfection qu'il lui donne. Que peut-on reprocher aux lieux communs ? D'être un lieu d'incompréhension, une expression oscillante, à double entente, non encore fixée, non communément entendue, de n'être pas un lieu commun. Toute la tare est là. Elle est grave puisque ces lieux si répandus se présentent comme des moyens parfaits d'échange et sont en réalité des instruments de trouble et des monstres d'ambiguïté. Mais le remède, lui aussi, est là. Car il ne manquerait rien à ces clichés s'ils apparaissaient toujours comme des clichés. Il suffit donc de faire *communs* les lieux communs et de rendre à leur véritable usage les règles, les figures et toutes les autres conventions qui suivent la même fortune. Si l'écrivain se sert comme il convient des images, des unités, de la rime, c'est-à-dire des moyens renouvelés de la rhétorique, il pourra retrouver le langage impersonnel et innocent qu'il cherche, le seul qui lui permette d'être ce qu'il est et d'avoir contact avec la nouveauté vierge des choses.

Telle est à peu près la conclusion de Jean Paulhan. Mais, parvenu à ce terme, le lecteur a le choix entre deux conduites possibles. Il peut s'en tenir à ce texte qu'il a entendu et dont l'importance suffit à l'occuper. Tout n'est-il pas

clair maintenant? Un doute reste-t-il, qui n'ait été éclairci?
Que demander à un auteur qui a tout prévu et même qu'on
ne lui demandera plus rien? Aussi, étant attentif, ce même
lecteur trouvera-t-il, à la fin de l'ouvrage, au moment où
il est complètement satisfait, quelques mots de rétracta-
tion qui l'inquiètent et l'obligent à revenir sur ses pas. Il
relit donc et peu à peu, persuadé qu'il y a derrière les
premières affirmations dont il s'est contenté un secret qu'il
lui faut atteindre, il essaie d'aller plus avant, cherchant
par quelle combinaison il pourra ouvrir le vrai livre qui
lui est offert. Il songe d'abord, afin d'attaquer et si possible de dissiper le texte apparent qui retient trop son regard,
à faire quelques objections. Il y en a une qu'il peut tenter
sans trop de risques. Quelle est au fond cette Terreur?
Comment a-t-elle pu rassembler tant d'esprits parfois si
différents, presque en tout opposés? A première vue, on
distingue parmi les Terroristes deux catégories d'écrivains
qui semblent très loin de s'entendre sur le langage. D'après
les uns, le langage a pour mission d'exprimer correctement
la pensée, de s'en faire l'interprète fidèle, de lui être soumis
comme à une souveraine qu'il reconnaît. Mais, pour les
autres, l'expression n'est que le destin prosaïque de la langue de tous les jours; le vrai rôle du langage n'est pas d'exprimer mais de communiquer, non pas de traduire mais
d'être; et il serait absurde de ne voir en lui qu'un intermédiaire, un misérable agent : il a une vertu propre que le
devoir de l'écrivain est justement de découvrir ou de restaurer. Voilà donc, semble-t-il, deux familles d'esprits tout
à fait étrangères l'une à l'autre. Que sauraient-elles avoir
en commun?

Beaucoup plus sans doute qu'on ne le croirait d'abord.
Revenons aux écrivains du type classique. Ecrire pour eux,
c'est exprimer la pensée par le moyen d'un discours qui
ne doit pas accaparer l'attention, qui doit même s'évanouir
au moment où il apparaît, qui doit, en tout cas, ne jeter
aucune ombre sur cette vie profonde qu'il révèle. Par conséquent, un seul objet pour l'art, mettre au jour le monde
du dedans en le gardant intact des illusions grossières et
générales dont un langage imparfait l'offusquerait. Mais
que veulent de plus tous les autres, qui refusent de demander à la langue littéraire les mêmes services qu'à la langue
pratique; et le veulent-ils par d'autres moyens? Pour eux

aussi, écrire c'est exprimer la pensée secrète, profonde, en veillant à chasser du langage tout ce qui pourrait le faire ressembler à une langue usuelle, c'est-à-dire en somme s'exprimer par un langage qui ne soit pas instrument d'expression et où les paroles ne puissent apporter l'usure et l'ambiguïté de la vie banale. La mission de l'écrivain, dans les deux cas, est donc de faire connaître une pensée authentique — secret ou vérité — qu'une attention trop grande aux mots, surtout aux mots usés de tous les jours, ne saurait que mettre en péril.

Ce qui confirme la parenté de ces deux sortes d'esprits, c'est l'identité de leur destin. Les uns et les autres, entraînés par le mouvement de leur exigence, finissent par faire le procès du langage comme tel, de la littérature comme telle, et s'épuiseraient dans le silence s'ils n'étaient sauvés par une constante illusion. Des premiers, Jean Paulhan a montré clairement la fortune. Voulant faire du langage le lieu idéal de la compréhension et de l'évidence, ils sont conduits à en retirer les lieux communs qui troublent l'entente des pensées, à en extraire les mots conventionnels, enfin à en chasser les mots eux-mêmes et, poursuivant en vain la clarté dans un langage qui dirait tout sans être rien, ils meurent n'ayant rien atteint. En somme, ils finissent par supprimer le langage comme moyen d'expression justement pour avoir exigé du langage de n'être rien d'autre qu'un moyen d'expression. Quant aux seconds, ils aboutissent à la même hostilité, parce qu'ils ont d'abord reconnu que les mots ne valaient rien pour exprimer, mais qu'ils valaient beaucoup pour communiquer. Ils ont donc expulsé de la langue les mots, les figures, les tours les plus propres à la faire ressembler à un moyen d'échange ou à un système précis de substitution. Mais cette exigence ne pouvait qu'être dévorante. Si elle a permis à Mallarmé de restituer une valeur d'événement à certains vocables, si elle lui a donné les moyens d'en explorer l'espace intérieur au point de paraître vraiment les inventer ou les découvrir, elle a obligé ceux qui sont venus après lui à rejeter ces mêmes vocables comme déjà corrompus par l'usage, à repousser cette découverte comme vulgarisée par la tradition et rendue à l'impureté commune.

Il est de toute évidence que dans cette recherche exténuante d'un pouvoir qu'une seule application doit corrompre, dans cet effort pour faire disparaître l'opacité ou la banalité des mots, le langage est très précisément exposé à périr. Et l'on peut dire la même chose de la littérature en général. Les lieux communs, objet d'un ostracisme impitoyable, ont pour équivalents les conventions littéraires qui semblent être des règles usées, les règles elles-mêmes étant le résultat d'expériences antérieures et, à ce titre, restant nécessairement étrangères au secret personnel dont elles devraient aider la révélation. L'écrivain a donc le devoir de rompre avec ces conventions, sorte de langage tout fait, plus impur que l'autre. S'il le peut, il doit s'affranchir de tous les intermédiaires que la coutume a façonnés et, ravissant le lecteur, le mettre directement en rapport avec le monde voilé qu'il lui veut découvrir, avec la secrète métaphysique, la religion pure dont la poursuite est son vrai destin.

A ce point de l'examen où Jean Paulhan nous conduit d'une main à peine visible mais très ferme, il est permis de faire deux remarques assez graves. La première, c'est que la conception que nous avons appris à connaître sous le nom de Terreur n'est pas une conception esthétique et critique quelconque; elle couvre presque toute l'étendue des lettres; elle est la littérature, ou du moins son âme. Il en résulte que lorsque nous mettons en cause la Terreur, la réfutant ou montrant les conséquences de sa logique, c'est la littérature même que nous questionnons et poussons au néant. En outre, nous sommes forcés de constater qu'à part quelques exceptions célèbres, les écrivains de l'une ou l'autre espèce, même les plus sévères et les plus attachés à leur ambition, n'ont renoncé ni au langage, ni à la forme de leur art. C'est un fait, la littérature existe. Elle continue d'être, en dépit de l'absurdité intérieure qui l'habite, la divise et la rend proprement inconcevable. Il y a au cœur de tout écrivain un démon qui le pousse à frapper de mort toutes les formes littéraires, à prendre conscience de sa dignité d'écrivain dans la mesure où il rompt avec le langage et avec la littérature, en un mot, à mettre en question d'une manière indicible ce qu'il est et ce qu'il fait. Comment, dans ces conditions, la littérature peut-elle exister ? Comment l'écrivain qui se distingue des autres hommes par ce seul fait qu'il conteste la validité du langage et dont le travail devrait être d'empêcher la formation d'une œuvre écrite, finit-il par créer quelque ouvrage littéraire ? Comment la littérature est-elle possible ?

Pour répondre à cette question, c'est-à-dire pour voir comment Jean Paulhan y répond, il est nécessaire de suivre le mouvement qui peut conduire à une réfutation de la Terreur. Nous avons vu que les uns luttaient contre le langage parce qu'ils y voyaient un moyen d'expression imparfait et parce qu'ils souhaitaient pour lui une complète perfection d'intelligibilité. A quoi les mène cette ambition ? A l'invention d'un langage sans lieux communs, c'est-à-dire en apparence un langage sans ambiguïté, c'est-à-dire en fait une langue n'offrant plus de commune mesure, toute soustraite à la compréhension. Et nous avons également vu que les autres luttaient contre le langage considéré comme un moyen d'expression trop complet ou trop parfait et par conséquent comme un langage non littéraire, et que, par leur exigence impitoyable, leur souci d'une pureté inaccessible, ils aboutissaient en pourchassant conventions, règles, genres, à une proscription totale de la littérature, satisfaits s'ils pouvaient rendre sensible leur secret en dehors de toute forme littéraire. Mais, il faut maintenant l'ajouter, ces conséquences — rejet du langage, rejet de la littérature — ne sont pas les seules auxquelles ils se laissent aller les uns et les autres. Il arrive aussi, nécessairement, que leur entreprise contre les mots, leur désir de n'en pas tenir compte pour laisser tout son empire à la pensée, leur hantise d'indifférence, provoquent un souci extrême du langage dont la conséquence est le verbalisme. C'est là une fatalité significative, à la fois déplorable et heureuse. En tout cas, c'est un fait. Qui veut à tout instant être absent des paroles ou n'être présent qu'à celles qu'il réinvente, est sans cesse occupé d'elles, de sorte que, de tous les auteurs, ceux qui cherchent le plus vivement à éviter le reproche de verbalisme sont aussi les plus justement exposés à ce reproche. *Fuyez langage, il vous poursuit*, dit M. Paulhan. *Poursuivez langage, il vous fuit.* Et pensons à Victor Hugo, l'écrivain par excellence en proie aux mots, qui précisément avait tout fait pour vaincre la rhétorique et disait : « Le poëte ne doit pas écrire avec ce qui a été écrit (c'est-à-dire avec des mots) mais avec son âme et son cœur. »

Il en est de même pour ceux qui par des prodiges d'ascétisme ont eu l'illusion de s'écarter de toute littérature. Pour avoir voulu se débarrasser des conventions et des formes, afin de toucher directement le monde secret et la profonde métaphysique qu'ils voulaient révéler, ils se sont finalement contentés de se servir de ce monde, de ce secret, de cette métaphysique comme de conventions et de formes qu'ils ont montrées avec complaisance et qui ont constitué à la fois l'armature visible et le fond de leurs œuvres. Jean Paulhan fait à cet égard des remarques décisives. « Les châteaux branlants, lumières dans la nuit, spectres et rêves (par exemple) sont... de pures conventions, comme la rime et les trois unités, mais ce sont des conventions que l'on n'évite pas de prendre pour des rêves et des châteaux au lieu que personne n'a jamais cru voir les trois unités. » Autrement dit, pour cette sorte d'écrivains, la métaphysique, la religion et les sentiments tiennent la place de la technique et du langage. Ils sont système d'expression, genre littéraire, en un mot littérature.

Nous voilà donc prêts à donner une réponse à la question : comment la littérature est-elle possible ? En vérité, par la vertu d'une double illusion — illusion des uns qui luttent contre les lieux communs et le langage par les moyens mêmes qui engendrent le langage et les lieux communs; illusion des autres qui, en renonçant aux conventions littéraires, ou comme on dit, à la littérature, la font renaître, sous une forme (métaphysique, religion, etc.) qui n'est pas la sienne. Or, c'est de cette illusion et de la conscience de cette illusion que Jean Paulhan, par une révolution qu'on peut dire copernicienne, comme celle de Kant, se propose de tirer un règne littéraire plus précis et plus rigoureux. Notons combien au premier abord cette révolution est audacieuse, car enfin il s'agit de mettre un terme à l'illusion essentielle qui permet la littérature. Il s'agit de révéler à l'écrivain qu'il ne donne naissance à l'art que par une lutte vaine et aveugle contre lui, que l'œuvre qu'il croit avoir arrachée au langage commun et vulgaire existe grâce à la vulgarisation du langage vierge, par une surcharge d'impureté et d'avilissement. Il y a dans cette découverte de quoi faire tomber sur tous le silence de Rimbaud. Mais, de même que le fait, pour l'homme, de savoir que le monde est la projection de son esprit, ne détruit pas le monde, mais au contraire en assure la con-

naissance, en figure les limites et en précise le sens, de
même l'écrivain, s'il sait que plus il lutte contre les lieux
communs, plus il leur est soumis, ou s'il apprend qu'il
n'écrit que par le secours de ce qu'il déteste, a chance de
voir plus clairement l'étendue de son pouvoir et les moyens
de son règne. En tout cas, au lieu d'être inconsciemment
régi par les mots, ou indirectement gouverné par les règles
(car son refus des règles le fait dépendre d'elles) il en
recherchera la maîtrise. Au lieu de subir les lieux communs, il pourra les faire et sachant qu'il ne peut lutter
contre la littérature, qu'il ne s'écarterait des conventions
que pour en accepter la contrainte, il recevra les règles,
non comme un tracé artificiel indiquant la voie à suivre et
le monde à découvrir, mais comme les moyens de sa découverte et la loi de son progrès parmi l'obscur où il n'y a
ni voie, ni tracé.

Il faut maintenant essayer de faire un dernier pas sans
songer à aller bien loin. Jean Paulhan a montré que l'écrivain, uniquement soucieux de la pensée qu'il veut exprimer ou communiquer, et pour cette raison hostile aux clichés et aux conventions, se condamne au silence ou n'y
échappe que par une illusion permanente. Il l'invite donc
à donner, dans la conception de l'œuvre, une certaine pré-
éminence au système de l'expression verbale et à l'entente
d'une forme. Si l'on veut, sa révolution copernicienne consiste à ne plus faire tourner uniquement le langage autour
de la pensée, mais à imaginer un autre mécanisme très
subtil et très complexe où il arrive que la pensée, pour
retrouver sa nature authentique, tourne autour du langage.
Arrêtons-nous sur cette remarque et voyons si l'on peut
l'exprimer autrement. Pendant les divers épisodes de son
étude, M. Paulhan a accepté — avec une soumission com-
plaisante au sens commun qui cache visiblement un piège
— la distinction traditionnelle entre le signe et la chose, le
mot et l'idée. En réalité, M. Paulhan, sachant fort bien tout
ce qu'a d'arbitraire l'opposition entre le fond et la forme
et que, selon les paroles de M. Paul Valéry, ce qu'on
appelle le fond n'est qu'une forme impure, fait entrer dans
ses calculs cette équivoque et ne cherche pas à la dissiper.
S'il la dissipait, on verrait clairement qu'il entend par pensée, non pas une pure pensée (toute pensée aperçue est un
premier langage), mais un désordre de mots isolés, de frag-

ments de phrases, une première expression, fortuite — et
par langage une expression réglée, le système ordonné des
conventions et des lieux communs. Cette observation nous
permet donc de dire que pour M. Paulhan — du moins
dans ce livre secret que nous lui supposons — la pensée,
pour revenir à sa source, c'est-à-dire abandonner le premier et lâche habillement qui la travestit, doit se plier aux
clichés, aux conventions et aux règles du langage.

Au cours d'un essai qu'il n'a pas réuni à son livre, mais
qui en prolonge le dessein, *La Demoiselle aux miroirs,*
M. Paulhan remarque qu'une étude convenable de la traduction révélerait une méthode pour aller jusqu'à la pensée authentique. Car cette traduction ferait connaître quelle
altération propre au langage l'expression apporte à la pensée; il suffirait de calculer quelle sorte de changement le
traducteur impose nécessairement au texte qu'il traduit,
ensuite d'imaginer dans le texte primitif des changements
analogues pour remonter idéalement à une pensée privée
de langage et sauvée de la réflexion. Or, d'après des constatations souvent faites, il apparaît que l'effet presque inévitable de toute traduction est de donner à croire que le
texte traduit est plus imagé, plus concret que la langue dans
laquelle il est traduit. Le traducteur dissocie les stéréotypes du texte, les interprète comme des métaphores expressives et, pour ne pas leur substituer de simples mots
abstraits (qui seraient une autre déformation), les traduit
comme des images concrètes et pittoresques. Voilà aussi
comment toute réflexion travestit l'insaisissable pensée
originelle. La pensée immédiate, celle qu'a vue pour nous
la conscience, d'un regard qui l'a décomposée, est privée
de ce qu'on peut appeler ses stéréotypes, ses lieux, sa cadence. Elle est fausse et arbitraire, impure et conventionnelle. Nous n'y reconnaissons que notre regard. Mais en
revanche, si nous la soumettons aux règles de la rhétorique,
si nous étonnons l'attention par le rythme, la rime et l'ordonnance des nombres, nous pouvons espérer voir l'esprit
rendu à ses stéréotypes et à ses lieux, uni de nouveau à
l'âme dont il est séparé. La pensée redeviendra pure, contact vierge et innocent, non point à l'écart des mots mais
dans l'intimité de la parole, par l'opération des clichés,
seuls capables de la reprendre aux anamorphoses de la
réflexion.

On pourrait rêver à cette pensée qui se révèle dans les
conventions et se sauve dans les contraintes. Mais c'est là
le secret du langage, comme du reste celui de Jean
Paulhan. Il suffit de concevoir que les *vrais* lieux communs
sont des paroles déchirées par l'éclair et que les rigueurs
des lois fondent le monde absolu de l'expression hors duquel le hasard n'est que sommeil.

XIII

RECHERCHES SUR LE LANGAGE

Les deux livres que M. Brice Parain a consacrés au langage (*Recherches sur la nature et les fonctions du langage, Essai sur le Logos platonicien*) font penser aux *Fleurs de Tarbes,* de Jean Paulhan. Il est remarquable qu'une réflexion approfondie sur les systèmes littéraires et une méditation sur les systèmes philosophiques aient l'une et l'autre abouti à une mise en cause du langage et, peut-être, à un essai pour en reconnaître la validité. Cette rencontre ne signifie probablement rien de plus que le commun aboutissement de deux efforts qui ont cherché à aller au bout des choses, et il y aurait seulement à retenir que le bout des choses, dans les deux cas, a été le langage. Mais il est possible aussi que ce débat soit l'un de ceux que les circonstances intellectuelles et spirituelles rendent nécessaires, parce qu'il expose à une dernière contestation et à une dernière possibilité de salut les postulats qu'une crise très générale a déjà ébranlés. Aujourd'hui, dit M. Brice Parain, comme à l'époque de Platon, le nihilisme attaque les principes de la vie intellectuelle; une même crise qu'il y a vingt-cinq siècles atteint la pensée dans ses fondements; l'esprit humain prend conscience d'une incertitude essentielle dont il essaie une dernière fois de sortir avant de chercher à en comprendre le sens.

Si l'on se contente de quelques remarques autour d'un sujet que l'on voit traiter là d'une manière aussi simple que profonde, on peut dire que l'histoire révèle trois conceptions différentes du langage et que toutes trois précipitent l'esprit dans des difficultés qu'il ne surmonte qu'en s'éloignant de la notion de vérité et de savoir achevé. Il a d'abord été généralement admis — c'est la théorie courante avant Platon — que les mots répondent à des objets du monde sensible, qu'à chaque nom correspond quelque chose dont il est l'expression, que la réalité extérieure est en exacte relation avec le langage qui sert à la nommer. Cette croyance simple qui est encore souvent supposée par la pensée irréfléchie se heurte à des objections sans fin où l'on voit toute la première philosophie grecque se débattre et d'où Platon n'émerge lui-même que par un effort dramatique et malaisé. La difficulté essentielle qui résulte de cette opinion, c'est qu'il n'y a plus d'attribution possible, que l'erreur est inconcevable, que les propositions négatives deviennent absurdes. On cherche en vain à faire se rejoindre l'abstraction qu'est le langage et les objets réels que le langage est censé manifester. Le sens des mots ne vient pas des choses.

Une autre conception, qui est en gros celle de Platon et de Descartes, est que le langage exprime les idées, nous fait entrer dans le monde intelligible, tire une valeur universelle de ce qu'il signifie. Pour Platon, les paroles ne sont pas un produit du monde sensible mais un intermédiaire privilégié, le moyen de communication entre les idées et les choses qui reçoivent des idées leurs noms : l'origine du langage est dans le monde intelligible. Pour Descartes, idées et mots coïncident si la volonté ne vient pas soustraire la parole à la signification que celle-ci trouve dans l'entendement; le langage est fait pour être l'interprète fidèle de la réalité essentielle. Mais il y a une différence importante entre les attitudes de ces deux philosophes, car Platon qui repousse l'origine sensible du langage ne renonce pas à poser cette question d'origine et fonde finalement le langage dans un grand système cosmologique où il rend compte de la naissance des paroles; au contraire, Descartes se contente d'un postulat; comme l'écrit M. Brice Parain, il ne met pas en question la provision de confiance dans le Verbe qu'il hérite du moyen âge; ayant reconnu que la nature du discours bien conduit est de nous faire saisir la réalité stable, universelle, définie, qui est l'objet de la science, il ne précise pas d'où le discours tire ce privilège et s'il peut y prétendre comme instrument de l'esprit ou comme expression de l'harmonie divine. Le langage ne reçoit aucun fondement véritable, et lui qui a justement pour destin de contenir les principes des connaissances, ces mots « incapables d'être définis » que sont les axiomes et les premières définitions, reste comme un système dont on ne peut atteindre et justifier le commencement.

La troisième conception renonce à cette recherche du commencement et la remplace par une recherche de la fin. Le langage n'est peut-être pas le réceptacle des essences éternelles, mais il est l'instrument des possibles. Lorsque je parle, quoi que je puisse dire, mes paroles, considérées comme l'expression de ce qui est pensable ou possible à un moment de l'histoire, contiennent toujours de la vérité, à échéance plus ou moins lointaine. Ce qui est dit fait partie du mouvement général de la vérité historique. Le langage est la réalité humaine telle qu'elle se constitue et se manifeste au cours de son histoire, et quand l'histoire est achevée, l'erreur apparaît dans sa nature véritable qui est d'être un moment dialectique de la vérité. Telle est la conception expressionniste du langage, celle de Leibniz et surtout de Hegel. Le langage exprime l'homme et l'homme exprime l'univers. Le langage ne renonce donc pas à être une expression universelle, mais il n'est plus l'expression de la vérité nécessaire, puisque les jugements qu'il formule n'apparaissent que comme des manifestations historiques et il a son siège dans l'humanité et non pas dans l'individu, puisque l'individu n'est plus lui-même qu'une manifestation historique.

M. Brice Parain semble garder de la conception expressionniste cette idée que les mots sont des ordres, des germes d'êtres, et de la conception intellectualiste celle-ci que le langage a une réalité transcendante. En parlant, je n'utilise pas des signes naturels qui communiqueraient directement la connaissance des choses ni des signes conventionnels dont la valeur significative ne pourrait convenir qu'à une pensée logique, mais un pouvoir qui me lie à un ordre, qui m'engage dans une promesse. Si je dis : j'ai faim, il n'est pas sûr que mes paroles traduisent vraiment la réalité, car il n'est pas sûr que j'exprime authentiquement ce que j'éprouve ni que je désire l'exprimer, mais il est certain, en revanche, que les mots : j'ai faim, signifient à

moi-même et aux autres quelque chose dont j'aurai à
assumer les conséquences; même si je me suis trompé sur
mon trouble, je me condamne, du moment que j'ai adhéré
à la définition générale de la faim qu'impliquait ma parole,
à prendre de la nourriture si l'on m'en offre, à me rétrac-
ter, donc à expliquer ma conduite, si je la refuse. Toutes
ces suites n'ont peut-être pas été présentes à mon esprit,
à l'instant où je me suis exprimé, mais elles me tiennent,
maintenant que j'ai parlé, elles ont une nécessité dont
l'avenir est témoin, elles ont cette part de vérité qui fait
que je devrai tout à l'heure, même si je me dédis, répondre
à cette expression que j'ai donnée de moi. Ainsi que M.
Brice Parain l'écrit en une formule remarquable à propos
de l'invention dans le langage, ce n'est pas l'objet qui donne
sa signification au signe, mais le signe qui nous impose
de nous figurer un objet de sa signification.

Le langage a une réalité propre, une existence qui ne
peut être effacée, des lois qu'on ne peut méconnaître. Il est
peut-être en mon pouvoir de me taire, mais si je parle, il
n'est pas en mon pouvoir d'échapper aux obligations du
langage, de me soustraire à sa destination qu'il accomplit
nécessairement. Cette fonction, dit M. Brice Parain, est
d'introduire dans le monde des besoins le monde de l'universel, la règle de l'universel. Le discours n'est pas destiné
à exprimer l'individuel, la sensation, mais il a pour rôle
de m'attirer, que je le veuille ou non, vers le général, vers
la conscience logique et la reconnaissance des lois dont il
est le dépositaire. « En parlant, je transforme mon désir
en une recherche de la vérité, je m'engage à prendre sur
moi la volonté de ma parole. Parler est une acceptation, au
moins tacite, de l'ordre dans lequel nous entrons en parlant. » Ce n'est donc pas le contenu d'images ou d'actions
que nous lui attribuons qui constitue la réalité et la valeur
du langage, ce n'est pas davantage, comme le voulait la
dialectique expressionniste, par la totalité subjective qu'il
trouve sa vérité et son existence. Le discours est extérieur
à cette totalité qu'il remplace; il lui est irréductible, parce
que, même si l'on en élimine toutes les significations dialectiques possibles, il subsiste comme une forme qui ne
peut être remplie de n'importe quoi, comme une règle
qu'on ne peut violer qu'en lui obéissant, comme la loi de
notre esprit, c'est-à-dire comme l'esprit lui-même dans la

mesure où il est loi, lieu de l'universel et de la volonté
réfléchie.

Les deux livres de M. Brice Parain, et leur conclusion
même, sont l'exposé des crises de confiance par lesquelles
est passé le langage pour conserver sa validité à la fois
comme moyen de connaissance et comme moyen de communication. Dans la première hypothèse, celle qui fait du
langage l'expression des choses, la connaissance est assurée, mais la communication est perdue; le langage, à partir
du moment où il prétend manifester la réalité particulière,
cesse d'être possible comme moyen d'échange ou d'expression générale. Dans la seconde hypothèse, celle qui destine
le langage à l'expression des idées, la communication du
savoir comme tel est assurée, mais la connaissance devient problématique, car elle repose sur un postulat : « que
la vérité est une même chose avec l'être ». Dans la troisième hypothèse, qui fait du langage l'expression de notre
esprit, lui-même expression de la réalité, la connaissance
et la communication sont également possibles et également
problématiques, car si toute parole est dans une certaine
mesure l'écho de la certitude sensible, toute parole n'est
aussi qu'interprétation du réel par des individualités qui
ne peuvent embrasser l'ensemble de l'histoire, et les propositions que les hommes échangent ne reposent pas sur
une conscience de l'universel, mais ne représentent que
des jugements de valeur, épisodiques et susceptibles de
constants changements.

Le dessein de M. Brice Parain est de restituer au langage son authenticité, en reconnaissant en lui non pas l'expression de l'esprit, mais sa règle, ce qui lui donne « la
charpente et une promesse de certitude », parce qu'il
l'aide à le déterminer dans le monde du général. Le langage est donc le moyen même de la communication dans
la mesure où nous sommes des êtres logiques, et il est
aussi le moyen de nos justes rapports avec les choses si,
grâce à lui, nous pouvons entreprendre de rechercher l'action vraie et s'il tend toujours lui-même à un effet qui,
quel qu'il soit, est un moyen de la vérité. De cette conception il va de soi que M. Brice Parain voit tout le premier
ce qu'elle sacrifie des ambitions traditionnelles. Mais il ne
peut en être autrement. Il faut que le langage renonce à
être en même temps expression de la certitude sensible et

expression de l'universel; il n'y a pas continuité entre la
sensation et les mots; la vérité du discours ne vient pas
de ce qu'il traduirait une impression qui n'est pas de
même nature que lui, elle vient de l'ordre qu'il introduit
dans ces impressions de la sensibilité, ordre qui est justement le seul où la notion de vérité soit possible, et elle
vient également de ce qu'il y a de nécessité dans cet ordre
et de l'action dialectique par laquelle il engage l'avenir
dans le présent.

Le langage serait le principe par excellence de la communication, s'il était sûr que nous ne fussions que des êtres
logiques. Mais Descartes lui-même ne s'est pas résolu à
affirmer que tout est pensée et il s'est contenté de laisser
entendre que toute pensée est langage. A la vérité, le silence existe; « il n'est pas la mort et il n'est pas la parole »; il y a donc quelque chose qui n'est ni l'indifférence
ni le discours, et ce quelque chose qui n'est pas transmis
par le langage suffit à jeter un doute sur sa capacité de
tenir correctement son rôle. Il est possible que les mots
méconnaissent la vraie nature des hommes, puisque justement certains moments importants de la vie humaine ou
des expériences peut-être essentielles, comme celles de
l'extase ou du rêve, trouvent une beaucoup plus juste correspondance dans le silence que dans le discours. Il n'est
pas davantage certain que la transcendance du langage,
son caractère d'universalité, le rendent propre à être l'instrument et le symbole de la communication. Sa destination,
dit M. Brice Parain, est de formuler non pas ce que
l'homme a de plus intimement individuel, mais ce qu'il
a de plus intimement impersonnel, de plus intimement
pareil aux autres. Il y a dans l'alliance de ces deux mots
intimement impersonnel le signe d'une difficulté qui n'est
pas négligeable. Est-ce par ce qu'ils ont de commun et par
conséquent d'extérieur ou par ce qu'ils ont d'absolument
personnel que les hommes communiquent vraiment ? Et le
langage, s'il y a antagonisme entre lui et le singulier, n'ex-
prime-t-il pas seulement une détermination qui reste essentiellement étrangère à ce qui appartient à chacun, dans
son intimité, et qui seul peut fonder une communication
véritable ? En ce sens, le langage ne permettrait qu'une
transmission banale, celle qu'exprime le terme de compréhension, et s'il est vrai que les hommes ne communiquent

que dans la mesure où ils se communiquent ce qui leur
est absolument propre, c'est le rire, les larmes, l'acte
sexuel, bien plutôt que les opérations du langage, qui leur
offriraient les moyens de s'unir dans une communication
authentique.

La transcendance du langage, cette exigence de « devoir
être » dont M. Brice Parain a mis en valeur le sens et la
légitimité, semble nous préserver des aventures, puisque,
même si nous nous y perdons, il faudra nous perdre selon
des règles, mais en même temps elle nous interdit tout
vrai commerce avec ce qui est, puisque, en parlant les
choses, en nous parlant nous-mêmes, nous nous mettons
sous la garde et la domination de l'universel. Cependant,
le langage a aussi cette destinée de paraître tendre vers
son contraire, de se servir de ses règles inéluctables pour
les mettre en échec, de se renoncer lui-même grâce à un
emploi exact de ses propriétés. Si en parlant je reconnais
tacitement l'ordre dans lequel parler me fait pénétrer, je
puis aussi par la parole mettre en cause cet ordre où j'entre par le fait de parler. Ma parole est à la fois une affirmation et une négation du monde intelligible, une affirmation et un oubli du principe de contradiction. Et le sens du
langage dont le rôle semble être constamment de manifester les choses, alors qu'il substitue à ces choses leur
intelligibilité, est justement dans cette contradiction dont
il ne se sépare pas. Telle est la fonction dialectique du discours, son pouvoir de contestation qui lui est essentiel. Le
langage est lié au savoir en tant qu'il lui assure des points
fixes, une permanence, une détermination par le général,
c'est-à-dire un arrêt dans la recherche passionnée du résultat, mais il est lié aussi au savoir, dans la mesure où il
prétend se lier au non-savoir, s'entraîner à travers des
retournements, des ruptures, des malentendus, par une
éternelle confrontation et un éternel renversement du pour
et du contre, vers une négation de tout principe stable qui
est aussi une négation de lui-même. L'une des prétentions
de la littérature est de suspendre les propriétés logiques
du langage ou, du moins, d'y ajouter des propriétés alogi-
ques. (« La poésie, dit Paul Valéry, est l'essai... de restituer par les moyens du langage articulé ces choses ou
cette chose que tentent obscurément d'exprimer les cris,
les larmes, les caresses, les baisers, les soupirs. ») Si l'on

entend le terme logique conformément à son étymologie,
cela veut dire que la littérature cherche à retirer du langage les propriétés qui lui donnent une signification lan-
gagière, qui le font paraître langage par son affirmation
d'universalité et d'intelligibilité. Mais elle n'y parvient pas
(si elle y parvient) en détruisant le langage ou en mépri-
sant ses règles. Elle veut au contraire rendre le langage à
ce qu'elle croit être sa véritable destinée qui est de communiquer le silence par des mots et d'exprimer la liberté
par des règles, c'est-à-dire de s'évoquer lui-même comme
détruit par les circonstances qui le font être ce qu'il est.

XIV

LITTÉRATURE

L'intérêt du livre de M. Jean Giraudoux, *Littérature,* n'est pas uniquement dans le bonheur avec lequel il répond à ce mot abstrait par les images les plus denses; il n'est pas seulement dans le symbole qu'il accepte d'être de son propre titre, symbole d'où il résulte qu'il n'explique pas mais qu'il est vraiment la littérature, que, loin d'en donner une idée au cours de théories ou de commentaires plus ou moins contestables, il en laisse apparaître la vérité et la réalité d'une manière immédiate et persuasive. Il n'est pas non plus dans le plaisir qu'on a à retrouver beaucoup d'études anciennes et en même temps à voir le livre le plus nouveau, le plus jeune; à la vérité, ces fragments de plaisir concourent tous à éclairer l'objet principal de *Littérature,* qui est de rendre sa dignité à un mot décrié, d'en faire briller la modestie, l'éclatante vertu et d'y découvrir le ressort, le recours et l'honneur de notre destin.

Par certains côtés, l'entreprise de M. Giraudoux pourrait paraître fastidieuse. Il devrait être banal et même déplaisant, pour un écrivain, d'attirer l'attention sur l'importance de sa vocation ou le prix incommensurable des valeurs que son art met en cause. Tous ceux qui écrivent devraient, au moins une fois dans leur vie, s'abandonner à cet éloge d'eux-mêmes, et il serait naturel qu'il n'y eût rien de plus commun ni de plus attendu qu'un tel rite, peut-être nécessaire au bon équilibre de l'artiste, mais d'un intérêt médiocre pour tout autre que lui. Or, c'est un fait que les écrivains se laissent aller à des mouvements tout contraires. S'il est pour chacun d'eux une cérémonie sainte et propitiatoire, c'est celle qui consiste à jeter un blâme sur la littérature, à inventer à son propos des invectives et des malédictions, à la traiter comme Aragon de machine à crétiniser ou comme Paul Claudel de lieu de l'immonde. Il semble, a dit M. Jean Paulhan, que l'on ne puisse être honnête littérateur si l'on n'éprouve pour les Lettres du dégoût. C'est là un trait indubitable de la Terreur dont *Les Fleurs de Tarbes* nous ont laissé le tableau. Le livre, comme l'art de M. Giraudoux, est une protestation contre cette mort que les écrivains aiment se donner, mort au milieu des cris et des tempêtes d'où ils pensent que la littérature doit renaître dans son innocence et sa pureté, c'est-à-dire à l'état sauvage.

Comme on ne peut suivre dans le cadre de ces notes que les intentions d'un tel ouvrage, il faut se borner à des remarques élémentaires. D'abord il apparaît que, pour M. Giraudoux, les pensées sur la littérature sont liées à la grandeur qu'y trouve le destin français dans les relations profondes et singulières qui les unissent l'un à l'autre. A ce sujet, le rôle que joue l'art tragique en France est significatif, et le paradoxe de l'attitude française à l'égard de la littérature se révèle dans le paradoxe de la conduite française en face de la tragédie. Il n'y a pas de pays moins fait que la France pour comprendre un art vraiment tragique. La tragédie affirme tout ce que la France aime ne pas affirmer. Elle noue un lien horrible entre l'humanité et un destin inconnaissable; la France recherche une vérité tout humaine. Elle exige des êtres qui se plaisent à cohabiter avec les monstres de la fatalité; la France ne connaît que la fatalité familiale, et ni sa foi ni son absence de foi ne sont aptes à lui rendre familières les figures démesurées et les menaces ineffables qui sont l'essence du tragique. Tout devrait donc éloigner le goût français de ces terribles jeux nocturnes, et c'est presque le comble de l'absurde que le pays où l'on aime par-dessus tout la vie commode, la tranquillité et les sentiments sans ombre soit aussi celui où l'on préfère à tout autre spectacle les pièces qui ont pour titre *Phèdre* ou *Britannicus*. Pourquoi? se demande M. Giraudoux. C'est qu'en France comme en Grèce le héros tragique, objet de cette passion mystérieuse, est un personnage littéraire et que le personnage littéraire est séparé par une frontière infranchissable de l'être vivant. Le propre de notre littérature, comme le propre de notre civilisation, est de tracer une ligne de démarcation entre la réalité, telle que nous y vivons avec nos sentiments polis et réservés à l'égard du destin et du malheur, et ce monde spécial, chargé à notre place d'éprouver les plus grandes souffrances et de supporter les plus grands coups du sort. A aucun moment, le Grec ou le Français ne se rend à un spectacle pour y trouver une leçon dont sa vie profitera ou ne lit un livre pour y chercher un reflet de son existence. Il se plaît au contraire au spectacle et à la lecture dans la mesure où il sera vraiment spectateur et vraiment lecteur, c'est-à-dire où l'art le préservera de toute référence à son destin quotidien.

Voilà donc une réponse à ce premier sujet d'étonnement. Mais son intérêt n'est pas d'y mettre fin, elle est de révéler une autre cause de surprise qui nous rend plus sensible le paradoxe de la littérature dans son étroite relation avec le sort de chaque Français. Car, si la littérature est ce monde pur, réservé, privé à un degré incroyable d'utilité et de rapports avec les événements historiques, si elle permet aux Français de prendre une attitude absolument différente de l'attitude qu'ils adoptent dans la vie réelle, s'ils y entrent comme dans une terre où ils ne se retrouvent qu'en ne songeant pas à eux-mêmes, comment cette littérature n'est-elle pas exposée à perdre tout contact avec la vérité humaine ou à devenir extravagante et irréelle ou à jouer un rôle de plus en plus discret dans une histoire à laquelle elle n'emprunte ni sujet ni raison d'être? Comment cette littérature dont l'honneur est de ne se nourrir que d'elle-même, qui se refuse à n'être pas purement imaginative, qui se fonde sur des considérations aussi artificielles que celles des règles et du langage, peut-elle prétendre rester liée, par une secrète connivence, à l'humanité et à l'existence quotidienne de la France, exprimer d'une manière incorruptible les hasards de l'aventure française dans le monde, enfin, par la manière dont elle déchaîne et cultive les passions et les ouragans, représenter le destin profond qui pour chacun de nous est la vraie patrie.

C'est là, à la vérité, le secret de la civilisation classique. M. Jean Giraudoux en a depuis longtemps livré les mots de passe dans son étude sur Racine. Chacun se souvient

des brillantes et solennelles images par lesquelles, recher-
chant pourquoi Racine a écrit l'œuvre la plus directe et la
plus réaliste, il en trouve les raisons dans le milieu d'artifices où celui-ci a grandi, dans les relations qu'il a entre-
tenues, non pas avec la vie et le peuple de son temps,
mais avec une mythologie littéraire, dans les conventions
du théâtre et du langage où il a rencontré l'horreur pure
de la passion et de la mort. Il n'y a pas à s'attarder à ces
remarques fascinantes. On sait maintenant que l'unique
méthode de Racine n'a pas consisté dans un don de
vision frénétique, dans une aptitude à ressentir la passion
de l'inceste ou la jalousie sanguinaire, mais à utiliser jusqu'à l'extrême les dispositions naturelles d'une culture et
d'un langage et à prendre, de l'extérieur, par le style et la
poétique, comme par un filet, les vérités qu'il n'avait ni à
soupçonner en lui ni à observer chez les autres pour en
pénétrer la force et le secret. Ce qu'on peut ajouter, c'est
que ce qui apparaît comme la vérité même de Racine est
aussi la vérité de Gérard de Nerval et que, chez cet écrivain qui a vécu dans une périlleuse intimité avec soi, on
retrouve la même confiance dans les formes littéraires.
Le livre personnel par excellence, *Aurélia,* figure la foi la
plus émouvante qu'un artiste puisse garder dans la littérature, puisque c'est à elle, avec tout ce qu'un tel abandon
comporte de modestie et d'attention verbale, qu'il a remis
son destin et sa vie.

Il est normal que, faisant de la littérature le lieu privilégié où se révèle de la seule manière pure la vérité de la
vie et des choses, M. Giraudoux donne à l'écrivain, comme
principale mission, la recherche d'un vocabulaire et d'un
style. C'est naturellement dans les mots que la littérature
découvre ce qu'elle ne peut échanger contre rien d'autre.
De même que, si l'écrivain, à l'intérieur de cette sphère parfaite qu'est la littérature, sait trouver l'altitude et le niveau
convenables, il se rendra maître du sang, de l'orgueil, de
la tendresse, du paradis, de l'enfer, et en bloc de toute la
vérité du monde, de même, s'il sait trouver à l'intérieur du
langage, la position merveilleusement instable et équilibrée
qui lui en livrera toutes les formes, il s'emparera de ces
tempêtes naturelles, de ces grottes ténébreuses et de ces
charmilles tranquilles qui sont la littérature. Il y a chez
M. Giraudoux une ferme croyance en la vertu métaphysique

des règles et les capacités du langage. On poursuivrait à cet
égard un parallèle fructueux entre M. Paul Valéry et lui.
Tous deux s'entendent pour mettre la dignité de la littérature dans la conscience de ses moyens; tous deux voient
dans les artifices et les conventions les seules voies par
lesquelles un écrivain puisse aborder à quelque chose de
vrai et de naturel; tous deux, en somme, considèrent qu'il
n'y a pas d'art sans rhétorique et que même la véritable
noblesse de l'art est d'être composé de signes, de rythmes,
de nombres, d'images, d'effets et de rien d'autre. Mais il
faut reconnaître qu'on trouve chez M. Giraudoux une foi
dans l'aptitude du langage à répondre aux choses dont
M. Paul Valéry est singulièrement privé. Pour celui-ci,
toute œuvre d'écrivain est un faux et elle aura d'autant
plus de valeur qu'elle sera le résultat d'un exercice plus
conscient, d'une fabrication plus complète, d'un effort de
correction et de retouche qui l'écartera plus réellement de
l'intention première, de la pensée spontanée et innocente.
Au contraire, M. Giraudoux exprime volontiers un acte de
foi dans la correspondance profonde entre les mots et l'univers. Qu'est-ce que la poésie? Une confiance dans le langage humain, une collaboration avec le mot, une amitié
pour la phrase, grâce auxquelles l'homme peut découvrir
les régions vierges et ignorées qui attendent son entremise.
Optimisme significatif. Il est la marque incontestable de la
rhétorique. Il est aussi le signe d'une conscience littéraire
singulièrement étrangère aux angoisses, aux délires et aux
vœux d'anéantissement de l'âge moderne.

On peut retrouver d'autres symptômes de cet optimisme,
comme principal trait de son art et de ses aspirations,
dans les relations qu'il aperçoit entre notre littérature et
l'âme du peuple français. Alors que, par suite d'un maquil-
lage dont sont responsables les régents de notre esprit, les
lettrés français vivent étrangers aux chefs-d'œuvre dont
ils croient faire leur vie, en revanche, dit M. Giraudoux, les classes populaires sont chez nous d'accord, par
leurs gestes et leur existence, avec les Français auteurs, et
tout se passe comme si les grands écrivains étaient les
guides de ceux qui ne sont pas destinés à les lire. C'est en
ce sens que le destin de la littérature en France lui apparaît comme si étrange et si beau. Car, par un extraordinaire
accord — et cet accord, c'est notre civilisation — l'art qui

est aux antipodes de la naïveté et de l'improvisation se
rencontre avec ce qu'il y a de plus simple dans notre vie;
la suprême culture et la simplicité la plus primitive sont
jumelles. Bref, l'esprit de notre peuple est son esprit tout
court, et ce qui est le plus loin de Montaigne et de Mari-
vaux, c'est le Français lettré, mais ce qui en est le plus près,
c'est le vigneron gascon ou la modiste parisienne. Telles
sont les certitudes d'une rhétorique sûre d'elle-même. Elle
a besoin de croire que l'univers qu'elle construit avec des
sons et des artifices répond, par une entente admirable,
à l'univers où habitent la modestie et le naturel des choses.
Elle se repose, non pas sur une harmonie préétablie, mais
sur l'unité d'une civilisation qui a réussi à fondre la diversité de ses éléments. Elle a confiance dans la durée de ce
qu'elle fait et, ne cessant de se regarder dans le miroir
de sa perfection qui fut celui de l'âge classique, elle continue à se voir, sereine et raisonnable, comme ce qui ne
peut ni disparaître ni vieillir ni changer.

DIGRESSIONS SUR LA POÉSIE

I

LE SILENCE DE MALLARMÉ

Les écrivains les plus purs ne sont pas tout entiers dans leurs œuvres, ils ont existé, ils ont même vécu : il faut s'y résigner. On aimerait qu'ils ne fussent rien en dehors de leur art sans lequel ils sont si souvent si peu de chose. Il serait naturel que ce qu'ils ont fait exprimât complètement ce qu'ils ont été. Entièrement consumés par leurs chefs-d'œuvre, il suffirait d'ôter ce masque pour qu'ils redevinssent invisibles; hélas! ils sont logés dans l'évidence d'un théâtre et, dès leur vie même, aux prises avec un biographe futur contre lequel ils se défendent faiblement.

Mallarmé a très bien résisté à cette tentation. Ses contemporains n'ont su que l'admirer ou le méconnaître. Même pour eux, il était un homme vivant dans un temps très éloigné, sur lequel on ne pouvait songer à recueillir de témoignages historiques. Que dire de lui? Qu'il était la modestie même et que cependant il nourrissait l'ambition poétique la plus orgueilleuse? Qu'il était affable, merveilleusement bien élevé et en même temps d'une intransigeance, d'une rigueur volontaire dont nulle exigence ne pouvait donner l'idée? Qu'il vivait modestement d'un métier où il n'excellait pas, et qu'il se savait prince, plus encore démiurge, puisqu'il n'allait à rien de moins qu'à diviniser la chose écrite? Ce sont là des traits qui attirent plus la légende que l'histoire, et la légende pour un écrivain consiste à supprimer l'homme en ne laissant subsister que l'auteur.

Le livre de M. Henri Mondor, *Vie de Mallarmé,* aurait

donc pu éveiller quelque sentiment de réserve. Il y a de
très grands artistes qu'on devient incapable de connaître
dès qu'on connaît leur vie. Trop d'aventures, trop d'anecdotes, trop de récits exacts sacrifient à jamais la véritable
attention et élèvent une statue dont le regard ne pourra
plus se détourner. Les vers que nous lisons ne sont plus
que des points de repère d'une histoire. La biographie a
tout dévoré. On avait donc le droit de craindre que M. Mondor ne sût trop de choses du poète qu'il aime et qu'il ne
nous le fît oublier à force de nous le faire connaître. C'est
un grand bonheur qu'il n'en soit rien. M. Henri Mondor a
rassemblé les documents les plus précieux, les témoignages
les plus inattendus, les lettres les plus rares. Certains textes, premier état de poèmes ou lettres de Mallarmé, ont
une importance inestimable. La biographie elle-même ne
cache pas l'œuvre. Elle n'est que le reflet d'une merveilleuse vie intellectuelle. Lorsqu'on l'a lue, on s'aperçoit
qu'on savait déjà tout ce qu'elle nous a appris et néanmoins
on garde le sentiment heureux de ne rien savoir. Notre
ignorance est restée pure. Tel est le vrai fruit d'une parfaite érudition et d'une intelligence tout imprégnée d'amour.

L'intérêt de ce travail est de nous laisser rêver à une
sorte de biographie intellectuelle de Stéphane Mallarmé.
Les énigmes sur l'intimité d'un génie aussi singulier abondent. Ce qu'il a été, on ne le sait. Mais ce qu'il a accompli,
quelles ressources il a mises en œuvre pour le faire, à quelles
conditions inhumaines il s'est condamné, de quels tourments il a payé la formation d'un monde dégagé de tout
prestige mortel, on ne peut se résigner à l'ignorer. Les chemins et les travaux de l'esprit qui tente l'impossible sont
des sujets de méditation inépuisables. On admire les fruits
visibles de son art, mais on ne cesse de songer aux opérations qui n'ont abouti à rien de visible et dont tout l'acte
a été dans une absence impénétrable et pure. Là le poète a
vraiment saisi l'absolu et il a espéré l'exprimer en quelques
mots par un prodige de combinaisons soustraites au
hasard.

Deux faits frappants se dégagent du travail de M. Mondor. Le premier, c'est que Mallarmé a eu conscience de son
œuvre alors qu'il n'était guère plus qu'un adolescent. A
vingt-trois ans, non seulement il entreprend *Hérodiade*
mais il est déjà en possession de ce système cristallin d'où

toute facilité est exclue et qui ordonne les mots selon des
rapports nouveaux, par un effort de réflexion, de recherches, de pressentiments rigoureux. Bien plus, il discerne
que cet art poétique, fondé sur une volonté de perfection
formelle, est quelque chose de si prodigieusement impossible que sa réalisation équivaudrait à la création de l'univers. L'œuvre écrite lui apparaît comme ayant le poids, le
mystère, la puissance du monde. Elle est comme ne pouvant pas ne pas être. Elle se retire du silence par l'étendue
et le nombre des refus qui devraient l'y condamner. Elle
domine tout l'univers, étant faite de la domination de l'univers des mots.

C'est un phénomène peut-être unique qu'un rêve aussi
hardi ait été conçu, dans toute sa rigueur, avec une minutie
et une précision complètes, par un jeune homme qui ces-
sait à peine d'être un enfant. Dès le premier âge, cette tête
mystérieuse avait formé les moyens d'un art universel. Il
s'était élevé doucement, modestement, sans le trouble d'une
vaine fièvre, à une ambition suprême, d'où il pensait pouvoir considérer l'art d'écrire dans sa pureté. Par le maniement de mots indéfiniment pesés et révisés, il entrait dans
le domaine des essences et sa vision ressemblait à une
vision spirituelle par la violence avec laquelle elle solli-
citait toute sa vie, l'éloignait du monde banal et l'exposait
aux plus grandes épreuves.

Ces épreuves sont d'un caractère remarquable et l'on ne
saurait assez méditer les lettres de Mallarmé qui y font
allusion. Il semble d'abord qu'il s'agisse des fatigues d'un
esprit en proie à un rêve irréalisable et exposé par ses
excès à la stérilité. En réalité, ses tourments sont d'un tout
autre ordre. Ils ressemblent bien davantage aux souffrances que supportent certaines âmes dans la nuit mystique.
On dirait que Mallarmé, par un effort extraordinaire d'ascèse, a ouvert en lui-même un abîme où sa conscience, au
lieu de se perdre, se survit et saisit sa solitude dans une
netteté désespérée. S'étant détaché sans repos et sans exception de tout ce qui paraît, il est comme le héros du vide,
et la nuit qu'il touche le réduit à un refus indéfini d'être
quoi que ce soit — ce qui est la désignation même de l'esprit.

Les textes où il signale ses épreuves sont très nombreux.
En mars 1866, il écrit à son ami Cazalis à propos d'*Héro-*

diade : « Malheureusement en creusant le vers à ce point, j'ai rencontré deux abîmes qui me désespèrent. L'un est le Néant auquel je suis arrivé sans connaître le Bouddhisme, et je suis encore trop désolé pour pouvoir croire même à ma poésie et me remettre au travail que cette pensée écrasante m'a fait abandonner. » Le 14 mai 1867, toujours à Cazalis, il écrit : « Je viens de passer une année effrayante; ma Pensée s'est pensée et est arrivée à une Conception divine. Tout ce que, par contre-coup, mon être a souffert pendant cette longue agonie est inénarrable. » A Coppée, étrange confident, il rapporte ces mystérieuses et claires paroles qui rappellent certaines énigmes de Gérard de Nerval (hiver 1868) : « Pour moi, voici deux ans que j'ai commis le péché de voir le Rêve dans sa nudité idéale, tandis que je devais accumuler entre lui et moi un mystère de musique et d'oubli. Et maintenant, arrivé à la vision horrible d'une œuvre pure, j'ai presque perdu la raison et le sens des paroles les plus familières. » Enfin, à Lefébure (3 mai 1868) il dit l'essentiel : « Je passe d'instants voisins de la folie entrevue à des extases équilibrantes... Décidément je redescends de l'absolu. »

Ces textes ont un sens qu'on ne peut songer à exprimer en quelques mots. Mallarmé n'est pas le premier poète qui, à la cime de son expérience, ait découvert selon la parole de Hugo von Hoffmansthal « cette harmonie entre moi et le monde entier, extase énigmatique, sans paroles et sans bornes », dont seul le vide peut être l'expression. Il n'est pas davantage le premier artiste qui ait aperçu, dans un moment de terrible angoisse, le dénûment de la pensée, lorsque, comme dit Plotin, elle voit sans rien voir, mettant un voile sur les autres objets et se recueillant dans son intimité où elle disparaît. Mais il est le seul qui ait tiré de la conscience et de la contemplation des mots cette suprême et complète extase, se composant avec de pures syllabes la nuit la plus riche, la plus avide, la plus chargée de bonheurs et de désespoirs que l'homme spirituel puisse concevoir. Et il est surtout le seul qui ait éveillé cette profonde assemblée nocturne, non pas par une ivresse et une fascination verbales, mais par un arrangement méthodique de mots, par une intelligence toute particulière des mouvements et des rythmes, par un acte intellectuel pur, capable de tout créer en n'exprimant presque rien.

*
*

On peut admettre que l'ouvrage de M. Henri Mondor, s'il laisse encore à connaître quelques manuscrits que les circonstances n'ont pas permis de révéler, donne ce qu'on peut savoir de plus précieux sur le cheminement des œuvres de Mallarmé, leur lente élaboration, le travail qu'elles ont demandé. Il est peu probable qu'il faille attendre de l'avenir d'autres documents décisifs. En lisant ce livre, on tient tout ce que l'on pourra jamais tenir d'une vie consacrée au labeur le plus strict, à une réflexion ininterrompue sur l'objet le plus important qui soit et qui a réellement constitué la vérité de ses jours. C'est cela qu'on cherche dans cette *Vie de Mallarmé* et c'est cela qu'elle voudrait nous offrir. Les détails des événements n'y sont qu'un prétexte. La gloire qui naît, les injures qui luttent avec elle et qui la rendent plus pure et même les nobles incidents de la vie poétique servent seulement à tracer la courbe que marquent de loin en loin quelques poèmes, quelques études critiques et surtout les allusions à quelque grand projet. C'est sur ces points brillants que le lecteur porte toute sa passion de savoir et son désir d'être éclairé. Il attend sur le suprême sujet la suprême révélation. Il se persuade qu'elle ne pourra lui faire défaut dans un livre où il y a tout. Hélas! le livre est complet et l'essentiel lui manque.

Cette lacune, on ne peut naturellement en rendre M. Henri Mondor responsable puisqu'il a au contraire le mérite de la transformer en une vérité positive. C'est maintenant un fait qu'on ne saura jamais que peu de chose sur le travail de Mallarmé et presque rien sur les relations de son esprit avec l'œuvre qu'il méditait. Il y a un silence, d'une qualité particulière, qu'il n'y a plus d'espoir de voir se dissiper jamais et qui est d'autant plus remarquable et mystérieux qu'aucun secret délibéré ne semble en avoir établi le règne. Mallarmé, si sa discrétion naturelle le portait à ne point parler directement de ce qu'il faisait, a plus souvent que beaucoup d'autres artistes traité publiquement du labeur poétique et par conséquent de lui-même au cours d'improvisations admirables qui ont eu de nombreux témoins. Il n'a jamais dissimulé ses projets. Il a fait allusion plusieurs fois à l'œuvre qu'il préparait et dont il a proposé sous diverses formes la justification théorique. Enfin, il n'a pas été avare de confidences, du moins dans la première partie de sa vie, sur la fatigue angoissante qu'il trouvait à écrire, ne cachant pas ses doutes ni ses efforts et ne recourant à aucun de ces aveux réservés qui sont l'imitation diabolique du silence. Il a donc, autant qu'il est possible, écarté le voile et rendu public son esprit. D'où vient alors cette énigme, comment, ayant parlé autant et plus que beaucoup d'autres, peut-il donner l'impression de s'être tu si profondément?

L'histoire du silence de Mallarmé, si elle était faite, aurait, à défaut de sens exemplaire, l'intérêt d'un regard porté sur une absence, sur une réalité très profonde qui ne se livrerait à la connaissance que dans ce fait qu'elle ne saurait être connue. Qu'ignore-t-on de Mallarmé? Que serait-on tenté d'apprendre? Quel vide de savoir se révèle derrière ce que l'on sait approximativement ou que l'on sait trop bien que l'on ne sait pas? Une telle étude, grâce à M. Henri Mondor, sera peut-être un jour entreprise, si, du moins, il est permis de rêver l'étude d'un esprit, à partir de ce qu'il a fait et de ce qu'il n'a pas fait, et comme ébauche des possibles qu'il a été. Mais, sans prétendre le moins du monde à dessiner un travail aussi difficile ni même à en préciser l'objet, on peut, à titre de songerie préalable, mettre en vue quelques-unes des grandes énigmes mallarméennes en essayant confusément d'en considérer l'ordre. Pendant les années qu'il passe à Tournon, à Besançon, à Avignon, avant de venir à Paris, Mallarmé parle fréquemment dans ses lettres des extrêmes souffrances que lui coûte la rigueur de sa tâche. Une sorte de nuit stérile semble l'envelopper. Non seulement, la perfection sans laquelle écrire ne lui est rien, mais une exigence torturante et ambiguë, un doute sur son œuvre et les moyens de son œuvre, une recherche vague et impérieuse le condamnent à de purs tourments sans délices. Le premier volume de M. Mondor est parsemé de ces témoignages remarquables qui disparaissent tout à fait au cours des années qui font suite à la composition d'*Igitur*. (Il écrit au sujet d'*Igitur* à Cazalis en novembre 1869 : « C'est un conte, par lequel je veux terrasser le vieux monstre de l'Impuissance, son sujet, du reste, afin de me cloîtrer dans mon grand labeur déjà réétudié. S'il est fait (le conte) je suis guéri; *Similia Simili-bus.* ») Pourquoi ce silence presque soudain? Après 1870 et pendant les trente ans qu'illustrent un travail plein d'incertitudes et des tentatives qui, comme le *Coup de Dés*, font parler au poète lui-même de démence, on ne relève plus que des remarques peu significatives sur sa fatigue, son découragement ou les difficultés de sa méditation. Un voile est jeté sur le drame profond de son esprit aux prises avec lui-même; le désespoir qui était à la fois l'ombre, la voie et le ressort de sa lucidité, s'évanouit, soit que le souci de ne plus le laisser paraître ait tari les confidences, soit qu'une découverte fondamentale lui ait par-dessus ses doutes et ses fatigues donné une confiance souveraine dans la direction de sa pensée.

Cette certitude, peut-être éprouvée au cours d'une nuit douloureuse non pas comme l'éclair d'une révélation énigmatique mais comme le point extrême d'une méditation entièrement consciente, semble en tout cas avoir déterminé l'apparence de son esprit. A ses amis comme à ses disciples, si discret qu'il fût et éloigné de toute affirmation péremptoire, il se montre comme l'homme le plus sûr de ses fins, voué obstinément à la poursuite d'un grand projet et ayant acquis, par une longue maturation, la connaissance des moyens qui lui permettent de l'entrevoir. Les lignes suivantes de Catulle Mendès, si l'on en retire les insinuations que cet esprit vulgaire n'a pu s'empêcher d'y glisser, sont à cet égard remarquables : « Par la nette direction de sa pensée, six ou sept années durant, vers un seul but poétique, il en était arrivé à une telle certitude dans l'illumination, à une si précieuse lucidité dans l'hypnotisme, que rien ne pouvait le troubler; et désormais, il parla, écrivit, vécut avec l'aménité sereine de la toute-puissance, dans un calme imperturbable... et il était sûr de son au-delà personnel. » On sait que sur toute la vie de Mallarmé a traîné, comme une lumière qui, au lieu de prolonger, ainsi qu'il arrive, un astre déjà mort, serait venue d'une étoile encore à naître, l'espérance d'une Œuvre extraordinaire dont ses œuvres pourtant admirables ne semblaient que le reflet et que le *Coup de Dés* figurait comme le naufrage consciemment chanté. De ce livre, texte suprême, substitut plénier de l'univers, il a donné dans des pages fort accessibles (soit dans son autobiographie à Verlaine,

soit dans le's *Divagations*) l'aperçu le plus clair, et ses amis
n'ont pas cessé d'en espérer au moins l'ébauche. En 1884,
c'est Verlaine qui écrit avec sa simplicité : « Il travaille à
un livre dont la profondeur étonnera, non moins que la
splendeur éblouira tout sauf les seuls aveugles. » En 1886,
Wyzewa, d'une manière non moins naïve, écrit à son tour :
« Il a rêvé un livre nouveau... Toujours désormais, son âme
poursuivra le vain rêve mobile des perfections; et l'Œuvre'
de sa vie demeurera toujours inachevée, s'il ne s'arrache
point aux belle's chimères pour traduire, avec les procédés
que d'autres lui fourniront, telles prestigieuses parties du
Symbole Universel. » Et enfin dix ans plus tard, de'ux ans
avant sa mort, c'est Mallarmé qui, dit M. Henri Mondor,
songe à « e'ntreprendre l'Œuvre définitif, pour quoi il a,
depuis plus de trente ans, suivi tant de rêveries, creusé
de profonds problèmes, griffonné sur beaucoup de petits
papiers, multiplié les notes préparatoire's, les mots sibyl-
lins et laissé se's familiers en annoncer l'événement ».

Ce n'est pas le fait que Mallarmé n'ait point finalement
été l'aute'ur d'un tel ouvrage (il l'avait déclaré à Verlaine :
« Je réussirai peut-être; non pas à faire cet ouvrage dans
son ensemble (il faudrait être je' ne sais qui pour cela!),
mais à en montrer un fragment d'exécuté »), ni davantage
l'ignorance où l'on est des relations qu'il percevait entre cet
ouvrage et ses œuvres déjà faites, qui met sur sa vie un tel
silence. Si l'on présume que quelque chose de grand s'est
perdu, ce sentiment vient moins du Livre qui n'a pu venir
au jour que des réflexions par lesquelles il l'avait préparé
et qui, comme tous les travaux infinime'nt profonds qu'exigeait chacune de ses œuvres et son œuvre en général, n'ont
pas survécu à sa disparition. C'est là le mystère qui recouvre sa vie de' poète. Peu d'artistes ont eu comme lui une
conscience aussi claire, aussi minutieuse, aussi complète
des moyens de leur art et aucun n'a, par un jugement aussi
méthodique et aussi fin, conçu un système de beautés capable à la fois de donner le sentiment de l'absolu et de paraître entièrement transparent à l'esprit qui l'avait formé.
Qu'a été le' travail réfléchi d'un poète qui a refusé de tenir
sa poésie du mystère et qui a réussi à lui donner en toute
clarté la puissance mystérieuse d'un charme? A quelles
combinaisons, s'est-il exercé? Quelles métamorphose's du
langage, quelles secrètes transformations des mots, quelles

naissances et quelles morts d'images a-t-il expérimentées au plus profond de lui? Nous ne savons rien de ce qu'il nous importerait infiniment de savoir. A peine quelques anecdotes viennent-elles ajouter leurs ombres à cette ignorance. M. Paul Valéry parle d'une antique tapisserie derrière laquelle reposèrent jusqu'à sa mort, signal par lui donné de leur destruction, les paquets de ses notes, le secret matériel de son grand œuvre inaccompli. Viélé-Griffin, dans un récit que M. Mondor n'accepte qu'avec réserve, fait allusion à une fiche minuscule sur laquelle Mallarmé avait écrit le mot *Quel* et que le poète, comme s'il se fût parlé à lui-même, commenta en disant : « Je n'ose même plus leur écrire cela, car je leur en livre trop. » Enfin, dans une lettre au même Viélé-Griffin, Mallarmé parle d'une série de notes qu'il a sous la main et qui règne au dernier lieu de son moi.

Il est probablement conforme au destin intellectuel des hommes que l'attention qu'ils donnent au fait de la création, dans l'esprit qui l'élabore, soit découragée ou promise à l'échec le plus ironique. Mais cet échec ne peut détourner la patience d'un long regard. Si le silence de Mallarmé ne pouvait d'aucune manière être rompu, s'il était naturel et raisonnable que l'homme qui avait le plus clairement organisé et suivi le cheminement de son esprit ne laissât de son effort qu'un témoignage énigmatique, couronné par quelques œuvres inimitables, il n'est pas moins important que ce silence, ce fait d'être resté silencieux au milieu de tant de paroles puisse apparaître comme le secret même dont l'existence ne devait pas nous être révélée. On peut croire que cet esprit si lucide, si contraire aux hasards et aux ombres, s'était en lui-même énoncé tout entier, s'était dit et s'était vu complètement. Mais aux autres, même ceux qui lui étaient le plus proches, il a tu ce qui lui était essentiel, dérobant son intimité sous des réticences charmantes et ne se laissant deviner que dans un au-delà insaisissable, aussi éloigné de son moi public que pouvait l'être de ses œuvres partielles le grand œuvre secret dont il n'a montré que l'absence.

II

LA POÉSIE DE MALLARMÉ EST-ELLE OBSCURE ?

Dans son ouvrage, *Mallarmé l'Obscur,* M. Charles Mauron a voulu écrire une étude théorique sur la clarté et l'obscurité en art, introduction à une étude plus concrète sur l'obscurité propre de Mallarmé. Il a aussi esquissé une explication de tous les poèmes publiés dans l'édition courante des œuvres de Mallarmé, et cette explication est si complète que, lorsqu'elle rencontre des passages malaisés, « elle est faite, dit-il, ligne à ligne et mot à mot ». Les intentions de M. Mauron sont excellentes, et comme il fait preuve à la fois de modestie et de savoir, qu'il prévoit les objections qu'on peut lui faire et que, sans y répondre, il rappelle que son entreprise a pour elle la caution de beaucoup de bons esprits, en particulier d'Albert Thibaudet, il faut bien rechercher pourquoi une telle tâche n'est sauvée par aucune des précautions qui la garantissent.

Naturellement, M. Mauron, s'attendant à des reproches, prétend y échapper en se montrant un peu plus habile que les commentateurs habituels. C'est entendu, dit-il, je traduis en prose des poèmes obscurs et cette traduction pourra paraître scandaleuse. Mais soyez tranquille, je sais ce qui est dû à la poésie. Ma traduction ne se donne pas comme un équivalent du poème qu'elle exprime, elle n'est que le croquis approximatif du réseau des relations qui constituent l'œuvre poétique, elle est une hypothèse sur le sens objectivement vrai qu'a nécessairement cette œuvre et qui était dans l'esprit du poète au moment où il l'a écrite. En d'autres termes, tout poème a un sens objectif, valable pour tous et garanti par la pensée de son créateur.

Ce sens peut être exprimé par une traduction en prose. Et si cette transposition laisse naturellement périr l'œuvre elle-même dans ce qu'elle a de beau et de purement sensible, elle sauve et même rend plus abordables les pensées qui l'ont nourrie ou plus exactement ce qui dans cette œuvre peut être accessible à la pensée.

On voit que M. Mauron pose un problème qui n'est pas nouveau et il le tranche selon des préjugés qui sont plus anciens encore. Nous nous garderons de rien dire sur cette question, mais il nous semble qu'elle met assez bien en valeur les éléments dont pourrait se servir une recherche sur la structure de la signification poétique. Car c'est là la difficulté qui se transforme naturellement en malentendus. La question n'est pas exactement de savoir si l'on peut tourner en prose une ode ou un sonnet; on peut en effet estimer que cette transposition, jugée inadmissible s'il s'agit d'un poème, n'est pas moins dépourvue de sens pour des œuvres en prose, comme *Maldoror* ou *Aurelia*. Ce qu'il importe de concevoir, c'est que l'œuvre poétique a une signification dont la structure est originale et irréductible, que cette signification ne peut se comparer au sens qui fonde l'intelligibilité pratique et que toute tentative pour la saisir en négligeant cette structure est aussi absurde que le serait l'étude du chien, animal aboyant, pour la connaissance du Chien, constellation céleste. Si l'on veut, l'équivoque est dans le mot sens lui-même. Les esprits qui prétendent que tout poème a un sens et en attendent la révélation ont une attitude parfaitement correcte; leur erreur commence dès qu'ils entendent le mot sens comme ils chercheraient à l'entendre à propos d'un texte qui relèverait de la pensée définie.

Le premier caractère de la signification poétique, c'est qu'elle est liée, sans changement possible, au langage qui la manifeste Alors que, dans le langage non poétique, nous savons que nous avons compris l'idée dont le discours nous apporte la présence, lorsque nous pouvons l'exprimer sous des formes diverses, nous rendant maîtres d'elle au point de la libérer de tout langage déterminé, au contraire, la poésie exige pour être comprise un acquiescement total à la forme unique qu'elle propose. Le sens du poème est inséparable de tous les mots, de tous les mouvements, de tous les accents du poème. Il n'existe que dans

cet ensemble et il disparaît dès qu'on cherche à le séparer
de cette forme qu'il a reçue. Ce que le poème signifie
coïncide exactement avec ce qu'il est; l'esprit qui veut le
comprendre doit le prendre en entier, il le subit dans sa
réalité complète, il se l'assimile matériellement et il en
discerne la puissance lorsque, ayant cherché en vain à le
transformer pour le mieux saisir, il réussit à l'atteindre par
la docilité avec laquelle il l'accepte et l'épouse. Le premier
réflexe devant quelques vers que la raison discursive voudrait élucider, c'est de leur donner une autre forme. Mais
la résistance ne permet aucune métamorphose. Il faut ici
comprendre sans feinte ni détour, et en n'échangeant que
le poème contre le poème. « Il s'est trouvé, a écrit M. André Breton, quelqu'un d'assez malhonnête pour dresser un
jour, dans une notice d'anthologie, la table de quelques-
unes des images que nous présente l'œuvre d'un des plus
grands poètes vivants; on y lisait : *Lendemain de chenille
en tenue de bal* veut dire : papillon. *Mamelle de cristal* veut
dire : une carafe. Non, Monsieur, *ne veut pas dire*. Ce que
Saint-Pol-Roux a voulu dire, soyez certain qu'il l'a dit. »

En somme, la manière dont la signification poétique se
révèle dans le poème et en lui seul fait apparaître ce
caractère singulier qu'il n'y a pas de détails en poésie. Il
n'y a pas d'accidents ni d'accessoires, il n'y a pas de mots
infimes qui par rapport à l'on ne sait quelle fin pourraient
être négligés ou supprimés sans que le sens général en fût
obscurci. La signification poétique ne relève pas de cette
généralité pour laquelle plusieurs moyens d'expression
sont possibles et qui peut s'appliquer à un certain nombre
de cas. Elle ne sert qu'une fois et elle rend indisponible le
système d'images, de figures, de consonances qui lui est
indissolublement associé. Elle appartient à la catégorie de
l'Unique. Elle est non seulement ce qui dépend essentiellement du langage, mais ce qui rappelle le langage à son
essence et l'empêche de se confondre avec ses buts.

On comprend bien que si ce qui est signifié dans un
poème est identique à son expression et si cette expression
se présente, au moins idéalement, comme un ensemble sans
partie, c'est que le langage n'y joue pas le même rôle que
dans le discours ordinaire. On a mis souvent cette différence en valeur. Dans l'usage de la vie pratique, le langage
est un instrument et un moyen de compréhension, il est

la voie qu'emprunte la pensée et qui s'évanouit au fur et à mesure que s'accomplit le parcours. Mais, dans l'acte poétique, le langage cesse d'être un instrument et il se montre dans son essence qui est de fonder un monde, de rendre possible le dialogue authentique que nous sommes nous-mêmes et, comme dit Hölderlin, de nommer les dieux. En d'autres termes, le langage n'est pas seulement un moyen accidentel de l'expression, une ombre qui laisse voir le corps invisible, il est aussi ce qui existe en soi-même comme ensemble de sons, de cadences, de nombres et, à ce titre, par l'enchaînement des forces qu'il figure, il se révèle comme fondement des choses et de la réalité humaine.

La poésie suggère donc un sens dont la structure lui est propre. Tandis que la signification rationnelle implique une notion qui peut se détacher des mots, qui ôte même toute importance aux mots et qui en dehors d'eux assure l'intelligibilité et la compréhension entre les êtres, la signification poétique est ce qui ne peut être séparé des mots, ce qui rend chaque mot important et qui se dénonce dans ce fait ou cette illusion que le langage a une réalité essentielle, une mission fondamentale : fonder les choses par et dans la parole. C'est cela que suppose toute lecture d'une poésie comme celle de Mallarmé. Elle impose la croyance momentanée à la vertu sensible des mots, à leur valeur matérielle et au pouvoir qu'ils auraient d'atteindre le fond de la réalité. On croit instinctivement que le langage révèle dans la poésie sa véritable essence, qui est toute dans le pouvoir d'évoquer, d'appeler les mystères qu'il ne peut exprimer, de faire ce qu'il ne peut dire, de créer des émotions ou des états qui ne peuvent se figurer, en un mot d'être en rapport avec l'existence profonde plutôt par le faire que par le dire. Et l'on comprend un poème, non pas lorsqu'on en saisit les pensées ni même lorsqu'on s'en représente les relations complexes, mais lorsqu'on est amené par lui au mode d'existence qu'il signifie, provoqué à une certaine tension, exaltation ou destruction de soi-même, conduit dans un monde dont le contenu mental n'est qu'un élément. On pourrait dire que la signification poétique se rapporte à l'existence, qu'elle est compréhension de la situation de l'homme, qu'elle met en cause ce qu'il est.

Mallarmé a écrit dans une page des *Divagations* que la

Métaphore répondait à quelque puissance absolue. Quand
on dispose son œuvre sur une telle croyance, il est assez
naturel qu'on n'accepte ni ne propose d'elle aucun commentaire, et c'est un fait que jamais Mallarmé n'a suggéré
une glose d'un de ses poèmes; il était l'ennemi évident de
toute explication, dit M. Paul Valéry, sensible à l'ombre
d'un pédant. Il est même à croire que son œuvre ne pouvait lui apparaître que pure de toute énigme, sans le voile
de la plus légère obscurité, car énigme et obscurité lui
auraient fait supposer qu'on entrait dans ses poèmes sans
cesser de rester au dehors, qu'on les regardait d'un point
de vue non poétique, qu'on les confrontait, dans une intention de défi ou d'enseignement, avec les moyens de la raison discursive, attitude qui n'était pas illégitime en elle-
même mais qui ne pouvait que rester étrangère au poète
et lui sembler inconcevable. L'accusation d'obscurité que
la critique n'a cessé de porter contre lui, n'a donc de sens
que pour l'intelligence non poétique, ou plus exactement
que si l'on imagine, par une hypothèse singulière, que
l'œuvre de Mallarmé n'appartient pas à la poésie. On est
alors libre de la juger énigmatique et même de l'expliquer,
de la séparer de ses énigmes, de même qu'on est toujours
libre de donner un commentaire littéraire d'une œuvre
musicale, de l'interpréter comme un symbole des luttes
propres de l'esprit.

M. Charles Mauron, quand il publie en une centaine de
pages les gloses de tous les poèmes de Mallarmé (à l'exception, on ne sait pourquoi, de l'avant-dernier : *A la nue
accablante tu*), n'est coupable et dupe que d'un malentendu. Il croit nous parler de la poésie en tant que telle,
alors qu'il ne nous parle que de lui-même. Il nous montre
avec complaisance ce que peut penser un lecteur qui, du
haut de son promontoire, en dehors du champ de la poésie,
regarde ce bloc de basalte et de lave. Et il formule ce que
pourrait en dire la raison si celle-ci voulait méconnaître la
structure propre de la signification poétique. Mais, à la
vérité — et c'est là où la tâche de M. Mauron paraît incon-
sistante au regard même de l'intelligence discursive — il
n'y a aucun motif pour que la raison cherche à méconnaître le point de vue de la poésie. Son rôle au contraire
et son ambition est de le respecter dans toute sa rigueur,
d'en faire valoir la pureté, de s'en saisir pour écarter tout

ce qui pourrait s'y mêler d'inauthentique et de confus. Lui demande-t-on d'expliquer un poème, elle ne s'y refuse pas, mais elle montre que l'explication de toute poésie véritable consiste à éloigner les habitudes pratiques d'intelligibilité, à ruiner les commentaires, des plus grossiers aux plus subtils (commentaires qui sont justement nécessaires pour être réfutés) et, de cercle en cercle, de gloses inexactes en scolies imparfaites, par un vide de mieux en mieux approprié, à diriger le regard sur le point où la poésie, cessant d'être objet pour devenir puissance de vision, donne au lecteur le sentiment d'être lui-même expliqué et contemplé. Est-il tourment plus pur que cette critique de la raison par soi et cette division pendant laquelle elle s'éprouve au voisinage de ce qu'elle ne peut toucher ? Elle en reçoit l'impression, non d'être déchue, mais d'approcher infiniment ce qu'elle accepte de ne point saisir selon son mode.

III

BERGSON ET LE SYMBOLISME

Doit-on chercher dans la philosophie de Bergson le fondement du symbolisme comme on a pris l'habitude de le
dire et comme M. E. Fiser, dans son ouvrage sur le *Symbole littéraire*, nous invite à le penser ? Mais le travail de
M. Fiser, sérieux et robuste, nous donne aussi des raisons
de mettre en doute la valeur de ces correspondances. Il est
visible que ce critique réussit mal à retrouver dans Baudelaire ou Mallarmé les thèmes bergsoniens d'après lesquels la spiritualité, c'est essentiellement du passé con-
tracté dans un présent qui en accueille la totalité. Cette
innocence de la vie profonde, cette mobilité du moi qui se
perd dans une intimité obscure, toute cette réalité pure
dont aucune image ne peut représenter l'élan et qui est
pour Bergson l'essence de la durée, ne répond que par
des analogies tout extérieures au spectacle idéal dont l'œuvre poétique de Mallarmé fournit la contemplation. Si l'on
voulait se contenter de quelques formules, on dirait que
le rien insaisissable, le « non » enfanté par l'attente, le
doute, l'absence, ce tonnerre silencieux qui éclate autour
d'images perdues les unes dans les autres et annonce dans
les œuvres de Mallarmé un point fascinant de rupture, est
séparé, par un abîme, de la philosophie bergsonienne et
n'a de sens que dans un vertige où l'angoisse s'exténue
elle-même et l'emporte sans cesse sur le ravissement. De
la même façon, chez Baudelaire, si l'on voulait aussi user
de formules superficielles, on s'apercevrait que le rêve
n'exprime pas la pureté d'un moi plongé dans la durée,
mais affirme le rayonnement d'une conscience magique qui
entre en contact avec l'essence du monde. Le mythe n'est

pas un moyen de se retourner vers soi et de se retrouver sous la forme du temps pur, il est l'expression de la marche épuisante, impossible, vers le point où semblent se confondre l'univers et le cœur qui le désire. « Dans certains états de l'âme presque surnaturels, dit Baudelaire, la profondeur se révèle tout entière dans le spectacle, si ordinaire qu'il soit, qu'on a sous les yeux. Il en devient le Symbole. » Est-il bon de traduire de tels textes, comme cela est naturellement possible, dans les termes de la philosophie bergsonienne ? Ce jeu, qui nie la poésie, nie aussi le bergsonisme, tout occupé à respecter la pureté et l'originalité de l'intuition primordiale.

Nous ne pensons pas non plus que les vues de Bergson sur le langage puissent représenter exactement l'attitude du symbolisme à l'égard des mots. Il n'est même pas sûr qu'on ne se rende pas incompréhensible le travail poétique en cherchant à l'ajuster aux remarques de Bergson. En un sens, la philosophie des *Données immédiates* n'a pas consisté dans une critique du langage en général, critique qui est probablement aussi ancienne que la parole; mais elle a laissé voir dans quel cas et pourquoi le langage devenait un instrument infidèle et, en outre, elle a restitué à la parole, après l'avoir discréditée comme moyen d'expression de la vie intérieure, le pouvoir de suggérer la durée mélodique, de la rendre indirectement sensible à un spectateur étranger. Pourquoi les mots qui sont incapables d'exprimer les vérités supra-intellectuelles, deviennent-ils aptes, par des arrangements nouveaux, à en faciliter l'approche et même à en provoquer l'intuition ? Cette difficulté a été souvent mise en valeur. Elle manifeste d'une manière frappante le mélange de méfiance et de foi, de soupçon et d'amitié qui figure les relations de l'esprit bergsonien et du langage. En somme, Bergson avait une extrême méfiance à l'égard des mots et une extrême confiance dans la poésie. Ce n'est pas sa critique du langage qui rend possible et éclaire l'existence d'un art symbolique, c'est son sentiment profond de l'art qui lui fournit les preuves de la validité et de l'excellence du langage, considéré comme le système nouveau d'un charme.

Il reste que Bergson, tout en éprouvant fortement les pouvoirs du poète, demeure en état de vigilance inquiète devant les mots, toujours en voie de cristallisation et

chargés d'habitudes intellectuelles et pratiques. Il lui est
naturel de faire un éloge négatif du langage créateur et il
montre comment celui-ci parvient à ne pas trahir la vision
profonde, en lui restant étranger, en tournant autour
d'elle, dans une succession d'images disparates, en dessi-
nant par un tourbillon enchanté les contours de la figure
dont il fait briller l'absence. Il n'y a pas de mot dont la
conjuration soit assez forte pour ôter à la conscience ses
voiles. Tout ce qu'on peut demander au flot habile des
paroles, c'est de bien laisser entendre qu'aucune d'elles ne
peut, même momentanément, apparaître comme l'équivalent de l'intuition et s'unir à cet éclair dans l'invocation
qu'elle lui adresse. Cette attitude d'antipathie tempérée n'a
rien de commun avec l'attitude de Baudelaire. Et pour
Mallarmé, quoi de plus essentiellement contraire à son
âme ? Son horreur des clichés, des formes oratoires, de la
logique prosaïque est compensée par sa passion pour les
mots, sa « piété aux vingt-quatre lettres », son intimité
avec toutes les formes d'expression, depuis le mot, fleur de
pierrerie, flamme isolée qui brûle à l'écart, jusqu'au vers,
« mot suprême, parfait, vaste, natif », « mot neuf et
comme incantatoire ». Si naturellement ce mot n'a pas
pour destin de transmettre, sans prétexte, la pensée d'un
objet ou la signification d'un état d'âme, il a pourtant une
valeur qui n'est pas celle de sa sonorité pure, et la confiance que Mallarmé lui accorde est la confiance en un
joyau qui s'éclaire de feux, en un centre de suspens d'où
rayonne un sens musical, en une figure qui tourne et se
défait dans l'allusion qu'elle révèle. « L'enfantillage de la
littérature jusqu'ici, dit-il en réponse à l'enquête de Jules
Huret, a été de croire, par exemple, que de choisir un certain nombre de pierres précieuses et en mettre les noms
sur le papier, même très bien, c'était *faire* des pierres précieuses. Eh bien, non. La poésie consistant à créer, il faut
prendre dans l'âme humaine des états, des lueurs d'une
pureté si absolue que bien chantés et bien mis en lumière,
cela constitue en effet les joyaux de l'homme : là où il y a
symbole, il y a création, et le mot poésie a ici son sens :
c'est, en somme, la seule création humaine possible. » Et
Mallarmé dira aussi, louange suprême de la parole : « Je
me figure par un indéracinable sans doute préjugé d'écrivain, que rien ne demeurera sans être proféré. »

On pourrait noter que M. Paul Valéry conçoit les rapports du langage et de la pensée d'une manière qui l'éloigne infiniment de Bergson. Dans la mesure où il lui semble qu'une œuvre est toujours un faux et que « l'effort dans le langage rythmé, nombré, rimé, allitéré, se heurte à des conditions entièrement étrangères au schéma de la pensée », il voit dans le travail poétique le moyen de rompre avec l'esprit spontané et de conquérir une beauté propre qui ne puisse se comparer à nulle autre. L'écrivain, par ses corrections, ses reprises, l'obstination délibérée de ses refus, loin de se rapprocher de son dessein initial, comme le disait Bergson, s'éloigne de la vision authentique, et la nature du langage l'assure d'un enchantement nouveau fondé sur une quantité de méprises et de malentendus nécessaires. Il y a donc, chez M. Paul Valéry, une confiance dans le langage qui n'est pas confiance dans un système d'expression, capable de correspondre fidèlement à la pensée, mais confiance dans les propriétés particulières de la forme, dans ses effets originaux d'induction, dans sa puissance qui la rend apte à organiser le poème et à en construire la merveille. C'est là une ambition fort contraire au bergsonisme. M. Paul Valéry suppose — et c'est sur ce postulat qu'a grandi le surréalisme — que, s'il y a un moment où le langage coïncide avec la pensée originale, c'est au point de départ, lorsque l'esprit s'abandonne à l'immédiat, au monstre grossier qu'il est alors pour lui-même. Mais il ajoute que l'écrivain ne répond à sa mission qu'en substituant à cette spontanéité sans retouche les efforts du travail le plus conscient. Le langage spontané, c'est peut-être le langage qui explique le mieux l'informe de la vie intérieure, mais le langage qui importe à l'artiste, c'est celui de l'extrême conscience, et il n'y a rien que l'esprit méprise plus vivement que la spontanéité irréfléchie, image de ses accidents et de ses hasards. Ce qui, à un certain point de vue, est le contre-pied de la philosophie bergsonienne.

IV

LA POÉTIQUE

C'est aux premiers jours de l'été qu'a eu lieu le dernier cours de M. Paul Valéry au Collège de France. Depuis 1937 la poétique était enseignée dans cette maison à quelques esprits soucieux de mieux pénétrer l'énigme des œuvres et de l'art; mais cette année la poétique a atteint sa limite d'âge; on lui a appris qu'il ne lui était pas permis de vieillir, et elle a dû renoncer à sa carrière, comme si un excès d'expérience et de gloire, chez l'homme chargé d'en instituer les débuts, avait été contraire à l'excellence et à la grandeur d'une telle étude.

Il est possible que M. Paul Valéry poursuive ailleurs des travaux qui, si accomplis qu'ils soient, ne peuvent être tenus pour achevés. Le propre de ces recherches est d'être infinies; elles n'admettent d'autre terme que celui d'une réflexion qui se renouvelle et trouve dans chaque solution plutôt un nouveau problème qu'une issue définitive. On peut concevoir que d'autres écrivains et d'autres savants emprunteront à M. Paul Valéry la matière des questions que celui-ci a développées et y apporteront des vues fort différentes et d'un grand intérêt. Mais le fait que cette tâche surprenante a été pour la première fois isolée par un homme aussi attaché à la connaissance qu'éminent dans la pratique de son art, le fait qu'à travers les préoccupations les plus diverses toute sa vie et toute son expérience ont été obstinément fixées autour de recherches rares et difficiles dont il a pu tardivement tirer une étude méthodique, ce concours de circonstances exceptionnelles ne permet guère aujourd'hui de séparer la poétique de M. Paul Valéry et rend singulière la mesure qui a écarté à la fois le professeur et l'enseignement. Ce sont là les effets des règles qui appliquent les conditions de la généralité à ce qui n'a de sens que dans l'exception.

Le cours de poétique n'a pas encore été publié et il semble difficile de le dégager dès maintenant du charme fortuit de la parole, de l'esprit de digression et d'aventure que représentait cet enseignement, poursuivi avec les ressources d'une conversation en apparence improvisée. Quoi de plus significatif qu'une telle méthode, image de l'instabilité propre de l'esprit, figure et moyen d'une recherche qui, s'exerçant sur un sujet non défini et presque indéfinissable, ne pouvait supporter une démarche trop stricte et devait recevoir plus d'aide de hasards concertés que d'un plan préservé des retours et des contradictions de la découverte? On sait que par poétique M. Paul Valéry entend non pas l'exposé des règles concernant la composition des poèmes ou la construction des vers, mais l'étude de l'esprit, en tant qu'il *fait* quelque chose, dans la mesure où il s'exprime, dans une œuvre et dans la création de cette œuvre. C'est là une tâche qu'il est assez étrange d'avoir à appeler nouvelle. Il est curieux que, attaché comme on l'a été à l'histoire de la littérature, à la critique des textes et des ouvrages, on ait en même temps négligé ou oublié l'étude de l'esprit lui-même en tant qu'il produit ou consomme de la « littérature ». Sans doute l'esthétique existe-t-elle comme un rameau de la psychologie, et des ouvrages importants, d'ailleurs peu nombreux, ont rassemblé des observations mi-théoriques, mi-pratiques, dont les résultats se rapportent à de tels problèmes. Mais, en fait, l'écrivain ou le savant qui prétend explorer le domaine de l'esprit créateur se trouve en présence d'une étude qu'il a tout entière à imaginer et dont il ne sait même pas s'il peut la considérer comme possible.

L'objet de ces travaux sur la création peut en effet être contesté par le créateur lui-même. Le poète peut juger que le regard que l'on porte sur la manière dont se fait la poésie ou bien ne saisit que des apparences ou bien, en l'éclairant trop sur le mystère de son entreprise, change en obstacles les moyens accrus qu'il semble pouvoir lui proposer. L'étude de la poétique a ses postulats. L'artiste qui admet comme complices, dans son œuvre, des puissances aussi indéterminées que l'inspiration et le délire, se met à l'écart d'un savoir qui tend à associer la création et l'extrême conscience et qui cherche à remplacer de vagues idoles par des termes plus chargés de responsabilité. Si au contraire l'art n'échappe pas à la conscience qui peut lui fournir une discipline et des règles, s'il est même essentiellement la conscience à son plus haut point de lumière, dans le moment où celle-ci se conçoit comme tout entière disponible sous l'œil qui compulse ses trésors, il devient très naturel que l'art qui se fait soit aussi l'objet d'une étude et peut-être d'un art où soient mises en forme toutes les relations d'un univers de création. Le hasard, jouerait-il sa partie dans le jeu de l'artiste, se transforme en matière d'observation et de définition, dès l'instant qu'il n'est qu'un facteur dont l'attention et le vouloir se servent pour lutter contre le vague des œuvres inachevées et l'indétermination du temps. Enfin, il n'est pas sûr que la conscience ne puisse se faire une idée même de ce qui est sans ordre et sans loi, puisqu'elle est elle-même en perpétuel déséquilibre et en constante voie de se détruire pour se reformer.

Ce qui donne au problème général de la fabrication des œuvres de l'esprit une étendue et une complexité presque insurmontables, c'est qu'il met en cause tout l'esprit et qu'il n'y a pas d'abord à faire de différences entre le moi tel qu'il ne se livre à aucun regard dans sa pure et simple existence et le moi qui se pose comme enfant de lui-même dans un acte complet, c'est-à-dire dans une œuvre. La pauvreté de l'esprit, éloigné de toute capacité de créer, égale et fonde la richesse du plus grand créateur; la nudité de la conscience, réduite à n'être rien que la possibilité dépouillée de tout, contient tous les pouvoirs qui vont lui permettre de réaliser une œuvre incomparable. Et en même temps l'artiste représente, par rapport à l'homme de la vie pratique et même par rapport à l'homme du savoir objectif, une forme absolument originale, un champ de forces dont les connexions, les lois, les valeurs sont particulières et presque sans analogie avec les autres. Une étude qui envisage la production des œuvres doit donc sans cesse revenir aux observations communes et les combiner avec d'autres toutes différentes, embrasser la richesse de l'esprit banal pour lui substituer la capacité de l'esprit créateur, trouver dans la sensibilité ordinaire tout ce qui explique la sensibilité artistique et aussi ne pas y trouver ce quel-

que chose qui met celle-ci à part et la rend irréductible.
De plus, c'est des seules ressources de l'observation immédiate qu'une telle recherche peut tirer la chance d'être
authentique et de rejoindre valablement son objet.

M. Paul Valéry a donné un exemple du caractère à la
fois très simple et très subtil de ces études en poursuivant,
dans une partie de son cours, une analyse de la sensibilité. Dans une certaine mesure, l'artiste peut être considéré comme l'homme le plus utilitaire, car il utilise même
les choses inutilisables, il est l'être qui se sert des perceptions insignifiantes et des actes arbitraires pour inventer,
en dehors de l'intérêt pratique, un intérêt de second plan,
une nécessité de second ordre. Le propre de l'invention
artistique est de prêter à ces impressions inutiles une telle
valeur que, non seulement elles nous deviennent aussi indispensables que n'importe quelles perceptions habituelles,
mais qu'à mesure qu'elles nous sont données nous éprouvons davantage le besoin de les retrouver et d'en jouir.
C'est ce que M. Paul Valéry appelle l'infini esthétique.
Alors que, dans le monde de la vie pratique, la satisfaction supprime le désir (j'ai soif, je bois, l'affaire est finie,
classée), dans l'univers de la sensibilité, la satisfaction fait
renaître indéfiniment le besoin, la réponse régénère la demande, la possession engendre un appétit croissant de la
chose possédée. Et tel est l'art. Il a pour dessein d'organiser un système de choses sensibles capables de se faire
redemander sans jamais pouvoir assouvir le désir qu'elles
provoquent. La création consiste à faire un objet qui engendre le désir de lui-même. L'artiste emploie des moyens finis
(il manie le pinceau, se sert de sa voix, assemble les mots
du dictionnaire) dans l'intention qu'un autre, le lecteur,
le spectateur, ne puisse jamais en finir.

C'est au sein de la sensibilité à l'état pur que se trouve
la mine des trouvailles et des relations implicites, des combinaisons vierges dont l'artiste se sert pour attirer « le
consommateur » dans ce mouvement de perpétuelles jouis-
sances. Tout se passe comme si, à l'état naissant, certains
groupements de couleurs, de formes ou d'idées étaient
encore libres, libres d'échapper aux formes toutes faites
et aux clichés, comme s'il y avait pour ces éléments une
possibilité d'obéir à certaines attractions mutuelles, celles
par exemple qui se remarquent entre les sons et les mots

et qui cessent de se manifester, dès que nous sommes entrés dans la voie banale. On peut comparer cet échange d'impressions à ce qui se passe dans les manipulations chimiques, lorsque celles-ci, mettant en rapport les corps à l'état liquide ou gazeux, éprouvent leurs contacts intimes. L'artiste est un être sensibilisé à ces premières combinaisons qu'il saisit, distingue et apprécie, avant que le passage à l'état solide ne les ait rendus inutilisables comme éléments de solutions aperçues de lui seul.

Que ces impressions, étrangères à la vie pratique, au monde et même à l'esprit, existent comme une image de ce que peuvent être les sensations artistiques et comme l'aliment privilégié de l'activité de l'artiste, c'est ce que montre l'analyse de la sensibilité rétinienne qui, fortement impressionnée par une couleur, répond par la production de la couleur complémentaire. M. Paul Valéry a tiré de cette analyse des remarques d'une extrême ingéniosité et d'un grand intérêt. Ce phénomène est en lui-même parfaitement organisé. L'œil, qui répond à une couleur par l'émission de sa complémentaire, suit une variation périodique qui, descendant toujours dans l'échelle des tons, ne cesse d'aller en s'amortissant (à un rouge vif correspond un vert, à ce vert un rouge cramoisi auquel répond un vert bleu, etc...). Il y a là un système de substitutions analogue à un système esthétique, en ce sens que ces impressions ne jouent aucun rôle dans la vision utile de l'œil (au contraire), qu'elles sont une création propre de la sensibilité qui apparaît ainsi capable de produire aussi bien que de recevoir, et enfin qu'elles forment un ensemble original, isolable, lié par des relations régulières de production.

Le phénomène de la complémentarité paraît à M. Paul Valéry une caractéristique de la sensibilité telle qu'elle se montre lorsqu'elle entre en jeu dans la création artistique. Cette production singulière à laquelle peuvent se comparer à la fois l'activité du prisonnier qui, sur une muraille nue, trace des figures (ces figures sont les complémentaires du vide, de l'ennui) et le chant du musicien dont l'art est une réponse désintéressée à un certain état d'âme, donne une idée de ce que l'on peut entendre par un art pur. Un art pur est un art qui cherche à n'obéir qu'à la nécessité esthétique, qui, au lieu de combiner la représentation des choses avec certaines lois de la sensibilité, renonce au trompe-l'œil, à la falsification du réel et même aux conventions significatives. Il refuse d'unir dans une même œuvre la sensibilité et la ressemblance, la sensibilité et la compréhension, les valeurs de vérité pour la mémoire et les valeurs de vérité sensorielle. Il prétend créer un système absolu, complet, indifférent aux circonstances accidentelles des choses, constitué par des relations intrinsèques et propre à se soutenir sans emprunt extérieur. La musique, par exemple, nous donne l'illusion de posséder un univers séparé, un royaume étrange, qui se suffit à lui-même et qui existe par lui-même et qui ne signifie rien que lui-même. Un tel art, dans la mesure où il fait un choix dans l'incohérence des sensations, incohérence qui est notre milieu naturel, discerne des affinités, observe des développements formels, prévoit leurs réactions réciproques, etc., exige au maximum le contrôle de l'intelligence et le secours de la conscience réfléchie. Une œuvre de quelque étendue ne peut résister à la dispersion de la sensibilité, à son mouvement propre de distraction et de diversion que par un travail et un effort conscients. Le paradoxe de l'art pur, c'est-à-dire non significatif, est d'avoir constamment besoin d'une puissance dont les moyens de règne sont le savoir et la compréhension. Et en même temps on voit pourquoi les arts du langage ne peuvent jamais être des arts purs. Nous ne pouvons organiser l'univers des mots, comme celui des sons et des couleurs. La vertu excellente de la poésie n'est pas de détruire le langage en tant qu'il est un système de signes, de l'annihiler dans sa fonction significative, mais de produire avec le groupe complexe, signe et son, un ordre qui, en même temps qu'il signifie quelque chose, trouve sa justification comme ensemble ordonné de rythmes et de sons. La pureté de la poésie vient de l'harmonie qu'elle réussit à établir entre des conditions parfaitement hétéroclites : musicales, rationnelles, significatives, suggestives. Il lui est nécessaire d'être impur pour se réaliser dans toute la pureté de son pouvoir.

Peut-être ces observations, où l'on reconnaît quelques-unes des pensées privilégiées de M. Paul Valéry, n'ont-elles tout leur prix que dans le mouvement infiniment divers, sinueux, variable, qui leur a donné naissance. On se trouve devant une sorte de construction, de mythe de la sensibilité, qui en est aussi une description orientée. Les choses

les plus profondes, les moins connaissables parce que sans
cesse dérobées dans la vie, sont séduites à une analyse qui
épouse leur inconsistance, et en même temps dégage leur
signification selon les vues savantes de l'esprit. Il y aurait
probablement quelque naïveté, et plus d'inconvénients que
d'intérêt, à tenter de comparer cette méthode à celle que
la phénoménologie a rendue classique. Les problèmes ne
se posent pas de la même manière et ce ne sont pas non
plus les mêmes problèmes. Toutefois, il y a chez M. Paul
Valéry, comme chez les phénoménologues, le même usage
des observations immédiates, un effort semblable pour saisir l'existence par une description fondamentale et un souci
commun d'échapper aux antagonismes de la philosophie
traditionnelle en les tenant pour des dispositions caractéristiques de la réalité humaine et non pas pour des problèmes qu'il faut résoudre. Il est même possible que certaines remarques de M. Paul Valéry sur l'art trouvent leur
analogue dans les études de la phénoménologie. Des unes
et des autres naît cette pensée que l'œuvre d'art est un
irréel. Le tableau du peintre, qu'il représente ou non un
objet du monde sensible, d'une certaine manière, n'existe
pas. Naturellement, la toile, les couches de peinture et
aussi les formes du tableau sont des choses existantes,
mais, en tant qu'œuvre d'art, le tableau est distinct de ces
particularités; dans la mesure où il est un objet esthétique,
il ne se confond avec rien de ce qui semble le rendre réel,
il n'est pas plus les coups de pinceau ou la chose représentée sur la toile que le cadre qui l'enserre; il répond au
contraire à une image qui se présente comme image et qui
ne peut comme telle jamais être *réalisée*. Le peintre se
sert de moyens réels pour permettre à une image, c'est-à-
dire à un ensemble irréel, de se manifester. Il donne au
spectateur la possibilité matérielle de saisir « le beau »
qui ne saurait s'offrir à la perception et qui est à part des
choses réalisées. Il procure à une image l'occasion d'être
visitée, mais l'image peinte, en elle-même, n'en demeure
pas moins image, c'est-à-dire irréelle. Telle est l'analyse
que nous devons à M. Jean-Paul Sartre. Elle s'accorde assez
bien avec ce que M. Paul Valéry dit de la pureté et de
l'impureté de l'œuvre d'art et de ces valeurs qui font que
le réalisme artistique, plutôt qu'une doctrine fausse, est
une conception privée de sens.

V

LES POÈTES BAROQUES DU XVIIe SIÈCLE

M. Thierry Maulnier, à qui l'on doit, depuis son *Intro-duction à la poésie française,* un intérêt réveillé pour les œuvres méconnues des poètes français, non pas comme épaves retrouvées au cours de recherches d'érudition mais comme témoins d'un sentiment poétique approfondi, a con-sacré aux poètes précieux et baroques du XVIIe siècle quel-ques belles pages que l'on n'oubliera pas. Le livre où ces commentaires d'un accent si juste ont paru, comme pré-face à d'admirables poèmes, choisis par Mme Dominique Aury, *Les poètes précieux et baroques du* XVIIe *siècle,* a été publié en même temps qu'un ouvrage sur *La jeune poésie et ses harmoniques,* où se retrouvent, flambeaux trop bril-lants pour ne pas créer l'ombre, des œuvres de l'art baro-que français auprès d'œuvres du jeune art poétique d'au-jourd'hui. M. Albert-Marie Schmidt y a esquissé une biographie de la poésie, de 1600 à 1660. Ses remarques sont une intéressante contribution à la connaissance de l'art secret, gracieux et hautain que la perfection classique a ravi trop longtemps à l'admiration.

Mme Dominique Aury qui a proposé le choix le plus heu-reux, le plus propre à faire croire qu'à sa suite la poésie française ne peut être que découverte sans fin et invention sans cesse renouvelée, remarque qu'il y a analogie entre les tendances de ces grandes œuvres du passé et celles de la jeune poésie contemporaine, mais qu'on ne saurait les lui donner en exemple, ni prévoir par cette histoire si bril-lante le destin qui suivra les premiers commencements auxquels on assiste aujourd'hui. C'est là un sage avertissement. Si le rapprochement des poètes de la fin du xviᵉ siècle et du début du xviiᵉ avec les jeunes poètes de notre âge n'est pas impossible, c'est qu'il s'impose beaucoup plus naturellement encore avec les grands poètes du xxᵉ siècle et avec ceux qui au xixᵉ leur ont ouvert la voie. Tout ce qui dans la poésie moderne est expression secrète, exigence nouvelle du langage, appel au pouvoir inattendu de la métaphore se trouve en harmonieux accord avec la poésie préclassique. Et si les jeunes poètes sont attirés dans le même parallèle, c'est qu'héritiers de leurs prédécesseurs, ils sont après eux les répondants de cette grande tradition.

Il est bien clair que, même avec les poètes issus de Nerval, Rimbaud, Mallarmé et les derniers Renaissants, il ne serait pas raisonnable de chercher des analogies trop significatives. Les arts se comparent toujours comme ils peuvent. Les filiations associent en vain le singulier au singulier. L'historien crée à son usage des rapports possibles et des distinctions supposées qui ont pour objet non pas d'expliquer réellement le phénomène inanalysable qu'est l'apparition d'une œuvre d'art unique, mais de rendre accessible à l'esprit l'histoire de ces œuvres ou de transformer cette histoire elle-même en une œuvre d'art nouvelle. Comparer la poésie moderne et la poésie baroque a un sens dans la mesure où l'on a conscience de comparer, dans leurs circonstances très générales ou dans leurs caractères les plus extérieurs, des manifestations dont ces caractères ou ces circonstances ne rendent pas compte. On peut trouver une satisfaction authentique et même exprimer un certain aspect de la vérité littéraire en faisant de Mallarmé et de Maurice Scève les témoins d'un art commun, fondé sur une méditation du silence universel et sur un usage des mots rendus, par l'obscurité, à leur puissance originelle, mais ces termes mêmes, seraient-ils prolongés par une analyse attentive et minutieuse, laissent immédiatement saisir le caractère purement imaginaire de la comparaison qu'ils établissent. Cerner dans une même expression de la sensibilité poétique certains vers de Jean-Ogier de Gombauld et certains vers de Nerval, c'est s'abandonner au même mouvement qui conduit Saint-Amant à identifier sa maîtresse et la nuit.

Ce qui rend plus difficiles encore et plus tentantes ces correspondances, c'est que l'art baroque ne répond ni à

une période historique précise, ni à une intention théorique
déterminée, ni même à des caractères indiscutables. Il n'y
a pas une école baroque, et l'on ne saurait rattacher, comme
à son origine ou à son expression la plus consciente, ce
grand courant de poésie à l'esprit de cénacle qu'a illustré
l'hôtel de Rambouillet. C'est également un fait que la poésie baroque n'appartient ni au xvii° siècle, ni même au
xvi° et que les grands rhétoriqueurs, Guillaume de Lorris,
Jean de Meung, poursuivent dans les siècles antérieurs des
ambitions analogues par des moyens comparables. L'art
baroque, remarque Thierry Maulnier, n'est même pas une
découverte de la sensibilité française. Le gongorisme est
espagnol, le concettisme est italien. C'est dans la *Vita
Nuova* qu'on trouve les plus illustres exemples d'une richesse poétique qui vient de la contraction des figures et
d'une vie propre des métaphores poussées à bout. Et l'un
des traits où M. Albert-Marie Schmidt voit le secret des
poètes baroques, leur goût de l'amour imparfait, prétexte
à des voluptés équivoques et à un certain dévergondage
mental, est naturellement sorti des « Cours d'Amour »
provençales et siciliennes, dont Andrea Cappellano, chape-
lain de la comtesse Marie de Champagne, a laissé le bréviaire dans son fameux livre *De Amore*.

Il n'est donc guère possible de pousser les poètes précieux du xvii° siècle dans une définition convenable de
leur art. Leur principale caractéristique est le bannissement
dont ils furent l'objet par les écoles qui, de poètes célèbres
et souvent comblés de faveurs, les ont transformés en exi-
lés sans destin et sans grâce. C'est en les désignant comme
ses ennemis que Boileau les a désignés comme témoins
d'un art étranger à l'art classique. C'est en reconnaissant
à Malherbe, à Maynard, à Corneille, les titres de précur-
seurs et de poètes exemplaires qu'il les a séparés de l'art
précieux auquel leurs qualités et leurs défauts les rattachent si souvent. C'est donc surtout pour ce qu'ils n'ont pas
été, pour ce qu'il y avait dans leurs ambitions et leur art,
parfois tout dissemblables, de commune étrangeté à l'ordre
classique que les poètes précieux se trouvent aujourd'hui
réunis, réconciliés et d'ailleurs rendus plus séduisants par
l'ombre qui a été pendant plusieurs siècles leur refuge et
qui est maintenant encore leur définition.

Thierry Maulnier remarque que si l'on veut donner au

mot préciosité un sens précis, en dressant le catalogue des
thèmes, des images, des recettes d'école, on est amené à
classer parmi les précieux tous les poètes du XVIIᵉ siècle.
Ceux qui se sont vus attacher ce titre sont seulement remarquables par la jeunesse de leur inspiration, la variété
de leurs moyens, la liberté de leur langage, par quelque
chose de moins surveillé, de plus aventureux, par un foi-
sonnement où le mauvais goût lutte avec la pureté, la
forme la plus stricte avec l'amplification oratoire, la recherche de l'imprévu avec le souci du naturel. Ils ont eu recours
à tous les genres et ils ont écrit aussi bien des chansons
sans énigme que des poèmes chargés de secrets. Invocation
amoureuse, métaphysique de la sensualité, description de
la nature, plainte de la coquetterie, ode religieuse, poésie
de cour, poème cosmique, ils ont tout tenté et du reste tout
réussi, n'ayant de timidité que devant l'art tragique et ne
se montrant inégaux qu'aux œuvres de trop d'étendue. On
pourrait donc penser que ces poètes précieux dont beaucoup de vers ont la pureté et la simplicité classiques, qui
écrivent souvent dans la même forme que Malherbe, ne
sont précieux que par leur impatience à tout atteindre,
leur exubérance sans discipline, leur promptitude à ne se
refuser à rien. Ils seraient précieux parce qu'ils ont été
classiques et puis quelque chose de plus, et c'est ce surcroît, cette infidélité à l'art simple et naturel qu'ils ne
surent aimer qu'en passant, parmi bien d'autres objets de
leur goût instable, qui formerait le trait particulier de leur
désordre.

L'acharnement de l'école classique contre presque tous
les poètes du XVIIᵉ siècle, tenus pour les représentants
d'une hérésie fondamentale, révèle toutefois des motifs de
désaccord plus profonds et permet de mieux discerner
quelle unité il y a entre les différents moments de l'art
baroque. D'une manière générale, on peut dire que les Précieux, fidèles en cela à la grande tradition de la Renais-
sance, voient dans la poésie un moyen de maîtriser les
mystères de l'homme et du monde, une aventure spirituelle
qui, grâce à un langage renouvelé, conscient de lui-même
comme pouvoir d'exception, conduit l'âme vers les régions
extrêmes que sans l'art elle ne saurait atteindre. Il y a
autour de la poésie précieuse un système d'ambition et
d'orgueil qui ne pouvait apparaître à l'école classique que

comme la corruption essentielle de l'art. L'art n'est plus seulement un art, c'est-à-dire une technique sans destin pratique, qui montre l'homme à lui-même et le divertit en l'exprimant, il est un pouvoir conquis sur les forces obscures des choses, grâce aux vertus inaccoutumées des mots. Et il est un instrument de savoir qui, par l'usage de la musique et du rythme, par la trituration du langage et le renouvellement que lui apporte la marche des métaphores, donne à l'intelligence plus que l'intelligence ne lui avait donné. M. Albert-Marie Schmidt a cité dans son essai plusieurs exemples de l'art précieux, conçu comme une alchimie authentique et un moyen d'évocation rituelle. Mais, même lorsque ces préoccupations ne prennent pas une forme savante, elles dérangent les effets littéraires habituels et aux vers les moins ésotériques communiquent le simulacre des pouvoirs qu'ils n'ont pas.

Une autre raison de rupture est dans le goût de pureté qui est propre à la poésie précieuse et qu'elle fait porter non pas sur la forme, mais sur la matière poétique, sur la substance qu'elle veut y incorporer. Alors que l'art classique admet un contenu, se réserve les sentiments humains les moins volatils et les pensées les plus nettes et met la pureté dans l'accord que la forme transparente et harmonieuse trouve avec le fond le plus vrai, l'art précieux, tourmenté du besoin de ne pas laisser la poésie se corrompre par son objet, ne cesse de soumettre les sentiments et les pensées à un travail de transformation par les mots, et les astreint à un ordre métaphorique qui leur prête un sens nouveau, à moins qu'il ne leur enlève tout sens. La réalité, dans ce qui la rend accessible au langage de la banalité quotidienne, les raisons telles que le mécanisme de l'expression prosaïque peut les accueillir, les sentiments non policés, non dégrossis, non encore traduits dans un premier système de figures où ils cessent d'être des sentiments, tous ces matériaux bruts l'effraient et il s'en délivre en les purifiant par le feu de l'analyse verbale qui les brûle, les dessèche et parfois les porte à un point glorieux d'incandescence.

En revanche, l'art précieux ne conçoit pas la forme comme une réalité qui ne devient pure que lorsqu'elle est invisible. Tout au contraire, lui si avide de ne pas être appesanti par une substance étrangère, si curieux de dis-

soudre en lui donnant l'existence la plus subtile la pensée
qu'il contient, il étale les moyens qu'il se donne et il pousse
à un haut degré de visibilité les mots, les images, la technique superbe de son vers musical. C'est qu'un art pur est
pour lui un art réduit à ses moyens, parce que ces moyens,
grâce à leur valeur d'évocation et leur pouvoir d'être plus
qu'ils ne signifient, sont seuls capables de faire d'un art
verbal un mode de connaissance nouveau. Il est en somme
remarquable que l'art classique qui ne prétend se soutenir
que par le sens qu'il exprime, loin de chercher à devenir
un instrument intellectuel privilégié, accepte de n'être
qu'un jeu, tandis que l'art précieux qui éliminerait volontiers toute pensée prétend saisir dans la rencontre heureuse des sons, des mots et des figures la démarche d'une
connaissance supérieure. Tel est le vertige de l'art, lorsqu'il se donne son essence pour objet.

Si un style commun se fait jour à travers la diversité des
talents et des recherches qui divisent l'art baroque en mille
reflets, on ne saurait perdre toutes les œuvres qu'il a créées
dans l'égalité d'une même admiration. Il y a dans cette
époque étincelante des poètes qui sont habiles, charmants,
capables d'inventions momentanées, mais il y en a quelques-uns qui apportent à la poésie française ce qu'elle a
produit de plus noble dans la somptuosité abstraite et de
plus simple dans la densité hermétique. Un d'Aubigné et
un Du Perron au xvi° siècle, un Sponde, un La Céppède,
un Théophile, un Gombauld dans les premières années du
xvii° ont reçu ce privilège d'entrer dans l'intimité d'un
monde ténébreux avec une âme ferme, hautaine, déjà classique et d'employer les artifices de la métaphore ou de
l'ellipse dans un esprit de naturel et de vérité. C'est au
cœur des images ardues qu'ils trouvent la cadence la plus
dépouillée, c'est par le rare, l'exquis, le difficile qu'ils atteignent le chant le plus simple. Ils sont précieux et ils sont
classiques, l'art baroque s'exprime en eux comme l'équilibre dans l'excès et la mesure dans l'étrange.

VI

RÉFLEXIONS SUR LA JEUNE POÉSIE

Il semble que la poésie soit plus que jamais attachée à une conception magique de l'art. Ce puissant courant dont le romantisme allemand a retrouvé les débuts et qu'ont réveillé en France Nerval, Baudelaire, Rimbaud, Mallarmé, a creusé si profondément son lit que toute source rêve d'y couler. L'art le plus savant a eu, depuis plus d'un demi-siècle, l'ambition de rendre aux mots un pouvoir primitif. La technique la plus soucieuse de ne point donner ses œuvres pour autre chose que les fruits d'un exercice a aussi prétendu à des charmes qui pussent conjurer les choses et maîtriser la nature. Un poète, comme M. Paul Valéry, qui est singulièrement avide de réduire un poème à l'appréciation de ses moyens, a cependant donné de la poésie la définition la plus propre à en accroître presque indéfiniment l'ambition créatrice. Quand on dit que « la poésie est l'essai de représenter, ou de restituer, par les moyens du langage articulé, ces choses ou cette chose, que tentent obscurément d'exprimer les cris, les larmes, les caresses, les baisers, les soupirs, etc, et que semblent vouloir exprimer les objets, dans ce qu'ils ont d'apparence de vie ou de dessein supposé », on affirme l'accord du langage poétique et de la nature essentielle des choses et l'on trouve dans cet accord l'assurance d'un pouvoir propre des mots. Toute magie prête à la nature une signification que sa mise à découvert par des formules affranchit des règles ordinaires. Elle fait du monde un grand système d'expressions singulières.

Il n'y a pas à commenter cette fidélité des jeunes poètes

à l'ambition suprême de la poésie. Elle est la chance de leur art et elle lui donne l'objet dont il se croit insépara- ble. « La poésie, dit Audiberti dans la *Nouvelle Origine,* est l'énergie du monde. » « Les romanciers, et de nobles ma- thématiciens, décrivent le monde. Le poète, aussi, sous les espèces du romancier, il peut se préoccuper de le décrire, de le recenser. Mais, bien plus exactement, il l'écrira. Le fera. Prolongera la création. » Il faut seulement remarquer que même les jeunes poètes, qui, comme Pierre Emmanuel, tentent un nouveau mariage de l'éloquence et de la poésie, de l'espace et de l'instant, d'une certaine impureté prosaï- que et du feu qui s'y oppose, poursuivent cet idéal qui fait d'une œuvre un centre de pouvoirs et de l'homme qui l'écrit un lieu de rencontre magique. La poésie, même impure, tend aux effets stupéfiants que la discipline de la pureté exige d'un langage renouvelé. Elle veut prendre n'importe quelle forme, aller à tout, cesser de se créer des interdits, comme le demande Armand Robin, mais elle ne renonce pas à sa puissance essentielle d'art conjurateur qu'elle n'a trouvée jusqu'ici que dans la rigueur de sévères interdic- tions.

Art magique, la poésie est naturellement associée à une activité spirituelle. C'est une remarque devenue courante que l'activité poétique répond à des ambitions de l'esprit qui s'achèvent dans la connaissance mystique et les formes extrêmes de l'expérience intérieure. De même que la prose et les arts qui y sont liés correspondent au savoir discur- sif, de même la poésie exprime la rupture profonde qui peut être signifiée grossièrement par le non-savoir, au sens où saint Jean de la Croix écrivait : « Délaisser les divers modes de savoir et passer au non-savoir, voilà ce qu'il faut pratiquer. » Il en est résulté pour la poésie la tentation de s'organiser comme ascèse, moyen de connaissance ou vie mystique propre. D'une manière très vague, les jeunes poètes lient l'exercice de leur art aux moments supérieurs d'une existence spirituelle et pensent par leur création accéder à cette perte d'eux-mêmes que les mystiques attei- gnent dans leurs illuminations. Audiberti agite autour de la poésie les mots de la plus lourde signification religieuse : l'extase lui paraît une des attitudes fondamentales du poète ; « la poésie est, tout à la fois, la petite sœur, la ser- vante de la religion et l'essence vaste et générale de la religion ». « Toute technique engendre sa propre mystique, et toutes les mystiques ensemble naviguent vers la mystique. » M. Marius Grout (*La Jeune Poésie et ses harmoniques*) rattache à une expérience vivante de Dieu tous ses ouvrages poétiques, ses œuvres sont destinées à être « la relation la moins mensongère entre la pure vision de Dieu et ces mots impurs mais vivants que le monde propose au poète et qui attendent de lui leur rédemption afin de prendre un sens ». On sait que Patrice de La Tour du Pin explore un au-delà religieux que voilent à peine les brumes des images et Pierre Emmanuel noue la légende antique à la promesse de la résurrection chrétienne.

On ne peut que signaler ces vertiges où la jeune poésie cherche sa définition. Est-ce une attitude claire, une ambition sans équivoque ? Non, sans doute. On constate dans ces rapports entre expérience poétique et expérience intérieure de continuels glissements. Tantôt l'art est tenu pour une opération spirituelle authentique qui suffit à conduire l'esprit au cœur de la connaissance ténébreuse. Tantôt il apparaît comme lié à une vie religieuse extérieure qu'il double ou à laquelle il apporte des moyens d'expression. Tantôt il choisit des thèmes mystiques qui lui servent de sujets privilégiés. Ce sont là trois formes bien différentes d'échange entre la poésie et le sacré. Dans le premier cas, la poésie est le sacré; dans le deuxième cas, la poésie est la voix du sacré et si elle en permet la révélation extérieure, elle n'en approfondit pas la connaissance ; dans le troisième cas, le sacré est au service de la poésie qui en méconnaît par là la nature propre. Comment la poésie, si l'on voit en elle le coup de force suprême de l'âme, pourrait-elle accepter de s'appuyer sur une certitude religieuse préétablie, sur une intuition dogmatique à laquelle elle devrait se contenter d'adhérer ? Principe inexorable de mouvement, parole créatrice qui forme son objet, déchirement de la conscience qui tend vers son centre en se détruisant elle-même, elle exclut tout accord préalable avec une forme spirituelle déjà exprimée, et si elle peut se confondre avec elle, c'est en la retrouvant comme sa propre invention. Elle n'est pas nécessairement hérétique dans son expression, mais elle l'est toujours dans ses origines. Elle ne sort que d'elle-même.

Ce qui frappe dans les commentaires de M. Marius

Grout et même dans les floraisons verbales de la *Nouvelle Origine*, c'est que tout en prétendant rendre à la poésie son caractère d'exercice suprême de l'esprit, ils ne lui prêtent aucun pouvoir d'initiative et qu'après lui avoir accordé d'être le dernier regard, la vision du suprême moment, ils la chargent d'un message spirituel en somme conformiste. C'est là où l'on peut craindre que toutes ces pensées sur l'art ne soient accueillies comme un idéal d'orgueil et non comme une profonde et terrible exigence. M. Rolland de Renéville remarque que « nous avons abandonné la notion classique de la poésie considérée comme un jeu parfait » et « reconnu en la poésie une voie de connaissance ouverte à l'homme tant sur son propre mystère que sur les abîmes du monde extérieur ». Mais si la poésie est dans cette situation de n'être complètement un art qu'en étant plus qu'un art, elle suppose dans celui qui la reçoit un homme capable, dans l'exercice même de ses dons, de se mettre tout à fait en jeu, de se considérer sans cesse comme problème et, chaque fois qu'il touche le port, de se rejeter en pleine mer. De même que cette poésie ne peut être jugée du seul point de vue littéraire ou plutôt n'est parfaite du point de vue littéraire que si elle atteint par son propre mouvement des valeurs qui dépassent ce point de vue, de même le poète n'est tel que s'il accepte les exigences dont sa réflexion sur la poésie l'a amené à concevoir l'étendue et si, devenu conscient de la singularité de l'expérience qu'il poursuit, il la conduit, non en homme de lettres rassuré par ses formules, mais en homme résolu à les briser et à se briser avec elles, chaque fois qu'elles lui assureront le repos. Autrement, la poésie redevient un jeu perverti dont les règles ne sont même pas respectées.

Tout en exprimant son admiration pour les grands poètes qui dominent la littérature française du XXᵉ siècle, M. Armand Robin cherche à revendiquer pour les derniers venus des pouvoirs et des ambitions que leurs prédécesseurs auraient négligés. Il pense que ces grands écrivains furent une génération « d'hommes détruits », que désespérant de la beauté qu'ils portaient en eux ils organisèrent contre eux et contre elle une extraordinaire machine faite de refus, de puissance de raillerie, d'instinct délibéré de suicide. Admettons cette analyse. Il est trop clair que cette puissance que la poésie a dépensée contre elle-même, cette sévérité avec laquelle elle s'est traitée' pour se réduire sans cesse, cette contre-poésie qu'elle a rêvée au comble de ses scrupules ne viennent pas simplement des circonstances, d'une maladie ou d'une faiblesse générale des hommes, elles viennent du choix que la poésie a fait depuis les romantiques allemands, depuis Mallarmé, et qui l'oblige à se concevoir comme une activité supérieure à l'art, comme un exercice spirituel sans cesse en défiance et en lutte contre ses moyens. Il faut, dit M. Armand Robin, que la poésie « se délivre de ce complexe de petitesse qui vient de la paralyser pendant deux ou trois générations ». Soit, mais prenons garde que « ce complexe de petitesse » n'est pas autre chose que le suprême orgueil par lequel la poésie a décidé d'être art pur, art magique, art destiné à changer le destin de l'homme.

POÉSIE INVOLONTAIRE

Le petit livre de Paul Eluard *Poésie involontaire et poésie intentionnelle* n'est qu'un point brillant dans une constellation de problèmes qui resteront toujours confus. C'est un fait que, presque de tout temps, la poésie a cherché à se détacher de la volonté du poète, à le nier comme intermédiaire privilégié, à se laisser voir en son absence, comme s'il lui suffisait, pour exister, qu'il y eût un ensemble d'hommes et des paroles disponibles. Cette prétention de la poésie est trop constante pour n'avoir pas un sens sérieux. On peut naturellement y voir une manière d'exalter la valeur de la création poétique. De même qu'on a toujours fait du poème le résultat d'un délire, c'est-à-dire l'effet d'une activité anormale, on a eu tendance aussi à en retirer la propriété à celui qui pensait pouvoir en être le seul maître. La poésie n'appartient pas en propre au poète, parce qu'elle est liée à une réalité qui le dépasse infiniment ; elle est ce qui peut être fait sans que celui qui le fait ait là-dessus le moindre droit.

A la vérité, il faut qu'il y ait dans l'activité poétique quelque chose qui s'oppose à l'instinct d'appropriation, en même temps qu'un effort pour substituer au moi personnel une forme moins définie. L'essentiel de cette activité consiste à échanger le langage de l'action contre un langage où les paroles n'aient plus de valeur pratique, ne servent plus à rien. Un tel retournement suppose chez celui qui l'accomplit une attitude toute nouvelle. Fermé au monde de l'action, il rompt avec le monde des choses figées, des intelligences séparées, des notions et des objets strictement

délimités. Il fait dans les mots le sacrifice de ce qui les
rend utilisables et il fait dans les choses et en lui-même
l'holocauste de ce qui est en service. C'est en ce sens que
son existence prend une valeur spirituelle. Il se tourne vers
ce qui est inconnu, ruine de ce qu'il connaît, destruction
de la réalité où tout l'assure ; il cherche obscurément ce
qui se perd, ce qui ne peut être objet d'un échange précis;
il a lui-même le sentiment qu'il rend possible une communication plus profonde entre les êtres, celle qui n'est pas
fondée sur le commerce illusoire de la vie active mais sur
la recherche d'une existence soustraite à des fins. Le poète,
si soucieux qu'il soit d'une technique pour l'usage de laquelle son moi le plus conscient lui est nécessaire, tend à
sacrifier ce qui dans ce moi est limite, borne, jouissance
sans risque, conscience. Il va, par la mise en jeu de ses
dons personnels, à une existence où ce mot de personnel
n'a plus de sens. « Je est un autre », dit Rimbaud.

Le paradoxe de la poésie consiste en ceci : le poète fait
servir à une *activité* — l'activité poétique — une disposition qui dénie toute valeur à *l'activité* — quelles qu'en
soient les formes — et qui n'a plus de sens si elle *sert* à
quelque chose. Il est avide de se perdre pour se trouver
comme rassembleur de mots et créateur de mythes. Il repousse tout ce qui est possession, usage d'un monde déjà
conquis, et ce refus le conduit à posséder des trésors littéraires, à augmenter le nombre des richesses héritées. Enfin,
il voit retomber sur lui, en gloire et parfois en profit, les
moments d'extrême sacrifice au cours desquels il s'est complètement mis en cause. Une telle conséquence ne peut
manquer de lui être insupportable. Si la poésie est la mise
à mort des formes et des valeurs d'utilité, il n'est pas possible qu'un homme, bénéficiaire du génie poétique, songe à
« l'utiliser », en fasse son bien, l'exploite comme moyens
de règne ou de conquête personnels. Il est nécessaire d'obtenir de lui la reconnaissance que ce génie ne lui appartient pas, n'est pas à lui; le don n'est donné à personne,
parce que personne n'en peut user comme s'il en avait la
propriété.

Ainsi, ce renvoi à la poésie involontaire, dont Paul Eluard
nous donne l'exemple, a un double sens. Il signifie que le
poète, naissant à une existence où il cesse de se vouloir
comme personne, n'a pas le droit, sans devenir absurde, de

faire servir à sa personne ce qui est destiné à l'en détourner. De là ce souhait que la poésie soit allégée de toute appartenance à quelqu'un, qu'elle apparaisse comme le fait de tout le monde, qu'entre celui qui l'exprime et elle, il n'y ait qu'une relation de hasard, comme entre la montagne et la voix dont elle répand l'écho. Il est à peine besoin d'ajouter qu'un tel souhait est resté vain au cours de l'histoire de la poésie. L'esprit poétique demeure rigoureusement personnel. Il l'est dans ses moyens, il l'est aussi dans sa vocation, car comment le génie de la poésie pourrait-il demander à celui qui le porte de renoncer à son moi personnel, s'il n'était pas lié à cette personne dont il exige le sacrifice impossible ? Les textes que Paul Eluard met au compte de la poésie involontaire sont d'ailleurs la preuve que la poésie n'est donnée qu'à ceux qui la cherchent, puisque la plupart ont pour auteurs des poètes et que même les « fous », ou les enfants dont il cite les propos, ont été manifestement tentés par une certaine volonté d'expression, par un désir plus ou moins intentionnel de formuler la vérité. Séparer la poésie de la volonté de l'exprimer, c'est proposer à la volonté de faire mourir la poésie. Il n'y a au fond qu'un exemple de poésie involontaire, d'une poésie séparée de la volonté et réduite à la volonté de se séparer de la poésie, c'est celle que représente le silence de Rimbaud lorsque, par sa fuite, il l'eut sacrifiée pour en augmenter l'empire.

VIII

POÉSIE ET LANGAGE

Les meilleures œuvres poétiques nous renvoient à la
poésie. Même lorsqu'elles nous séduisent à ce qu'elles sont
sans nous permettre de réfléchir à ce que nous devenons
sous leur influence, l'émotion qu'elles nous commandent
est d'une qualité telle que nous nous sentons ouverts à la
vérité poétique. C'est là, semble-t-il, la première différence
entre les poèmes qui répondent du dehors à la nature de la
poésie et ceux qui rendent la poésie possible. Les premiers
nous communiquent une émotion définie, analogue à la
peur ou au plaisir, où nous nous reconnaissons vaguement
nous-mêmes. Les seconds créent en nous un état qui s'oppose à toute forme déterminée de sentiment. Cet état est en
lui-même très singulier. Il est unique, en ce sens que, lié
de la manière la plus nette au poème qui le provoque et à
tous les détails de ce poème, il apparaît comme incapable
d'être suscité à nouveau par une autre œuvre, même aussi
importante ou aussi expressive. Mais, en même temps, il
nous semble si fondamental que nous l'identifions avec le
sentiment originel, celui que nous éprouvons lorsque nous
touchons le fond de nous-mêmes. Ce premier paradoxe est
suivi d'un autre non moins constant. Unique quoique liée
à notre condition permanente, l'émotion poétique est à la
fois toute proche de l'existence et infiniment séparée
d'elle. C'est l'essence de la poésie de prétendre transformer
celui qu'elle inspire. Le poète est invité à être ce qu'il écrit.
En écrivant, il fait quelque chose, et il ne peut le faire
sans chercher à devenir ce qu'il fait (Ainsi parle pour nous
l'exemple de Novalis, Hölderlin, Gérard de Nerval). Mais
il est vrai aussi que la poésie est une manière de mimer
ce qui n'est pas vécu. Le poète rêve à une possibilité dont

il est « l'amant malheureux » et qu'il ne réalise qu'idéalement. S'il fait passer sur le plan de l'existence ce qui doit s'exprimer par l'imagination, il brise la réalité poétique et ruine la poésie en devenant poésie.

Les Ziaux de Raymond Queneau, *Haut-Mal* de Michel Leiris ont le privilège de nous mettre en présence de ces paradoxes et de nous les rendre supportables tout en les portant à un point extrême d'efficacité. Dans ces recueils sont réunies les œuvres qui ont fait partie des plus belles, des plus puissantes constellations des années passées. Ce n'est rien dire que d'affirmer le souvenir que nous en avons gardé. C'est grâce à elles et à quelques autres que notre mémoire poétique existe pour toute cette part de création dont l'entre-deux guerres a mesuré la richesse. Il faut remarquer à propos de quelques rares œuvres que nous n'avons pas le sentiment de nous souvenir d'elles, mais c'est elles qui font qu'une possibilité de souvenir nous est donnée, qui confirment l'espoir de nous rappeler à nous-mêmes et de nous rappeler nous-mêmes, parce que l'objet qu'elles proposent au souvenir est justement le temps libéré de ses significations. Une vieille tradition scolaire classe les poèmes selon leur valeur mnémotechnique. Cette naïveté n'est pas sans profondeur. Il n'est pas mauvais de convaincre les enfants que la poésie fonde la mémoire en lui donnant à saisir, en dehors des mots stables, la puissance vide de quelque chose qui se déroule. Il leur faut apprendre qu'on se souvient des mots dans le mouvement par lequel ils se composent ou se décomposent à l'abri de tout sens général.

Les Ziaux et *Haut-Mal* sont liés à la poésie par une entente fort différente. C'est encore l'un des caractères de la poésie. Elle ne supporte pas d'être comparée. Elle est à elle-même inconnue. Elle repousse ce qu'il y a de distinct et de commun dans les images qu'on donne d'elle. Naturellement, on peut toujours rapprocher les uns des autres certains poèmes, mais au moment où nous remplissons cette tâche, nous sentons aussi qu'il est illégitime de la mener jusqu'au bout. D'un côté, malgré nos précautions, nous réintroduisons dans le composé pur des éléments intelligibles qui servent au rapprochement que nous tentons. D'autre part, nous sommes prêts à réduire à la valeur de moyens les ressources que l'analyse met en rapport avec la réalisation de l'effet poétique. Mais c'est justement ce que la poésie ne peut admettre. Il n'y a pas de moyens, pas plus qu'il n'y a de détails dans un poème. Chaque œuvre est la poésie, et elle pose cette nécessité d'une manière exclusive. Il semble qu'un poème ne puisse participer à la poésie et que l'idée platonicienne de participation soit tout à fait contraire au sentiment poétique même superficiel. Il y a dans chaque poème un acte qui nous renvoie à la poésie entrevue dans son essence, essence qui, elle-même, ne peut être entrevue et n'existe que dans ce poème.

Le poète nous force donc à n'être qu'à lui. Et en même temps nous savons qu'étant à son poème nous touchons une réalité par rapport à laquelle il n'est rien. Bien plus encore, nous sommes reportés à une disposition fondamentale qui nous rend comme antérieurs au poème, présents à sa cause et capables de l'exiger avant qu'il ne soit. Apprendre, voir dans une évidence que la poésie est possible, alors qu'elle est inconcevable et terrible à supporter, c'est ce que l'œuvre, au plus fort de son effet, nous désigne comme sa vérité propre. Si étrangère qu'elle paraisse à la nature de la création qu'elle constitue, c'est cette création qui, à côté de son « sujet » apparent, est son constant prétexte. Les vers n'ont pas d'autre raison d'être que le pouvoir dont ils sont issus et qui se révèle à travers les particularités de l'ouvrage sous la forme de problèmes. Le poème est donc une mise en cause, de nature non rationnelle, qui n'est pas liée à « son sens objectif ». Soit *Le Toast funèbre* de Mallarmé : si l'on y cherche illicitement un sens transmissible à la prose, on peut y reconnaître la glorification de l'existence qui n'a pas craint son néant. Mais est-ce cette idée « métaphysique », cette allusion à un problème général qui nous découvre la vérité du poème ? Naturellement non. Le groupement déterminé des images, des vocables d'où est résultée une certaine tonalité intellectuelle n'est pas uni à cette tonalité comme à sa cause essentielle. Ce que le poème signifie dépend de la question qui est enfermée dans la nature poétique, et la question elle-même change complètement les rapports de forme et de fond, aussi bien que la valeur des « idées » qui peuvent être évoquées.

Si le poème est une mise en cause, on sait qu'il est d'abord mise en cause du langage. Sur ce point, l'esthéti-

que moderne nous a apporté toutes sortes d'éclaircissements. Pour les résumer, en deux mots, il suffit de rappeler qu'à côté du langage, comme valeur d'échange pratique,
on suppose une autre forme de langage qui ne tend pas à
une action, qui n'est pas déterminée par un sens et qui,
plutôt que le substitut commode d'une idée ou d'un objet,
est une somme d'effets physiques et de possibilités sensibles. Cela est clair, trop clair. Cette distinction nous laisse
en effet loin des rapports qui dans la poésie associent les
mots à des valeurs d'un caractère nouveau. On comprend
très bien que le poète rejette le langage quotidien, si l'habitude et les déterminations de la vie active ont pour effet
d'ôter à ce langage toute réalité matérielle. On comprend
aussi que le poète veuille restaurer le langage comme
valeur propre, qu'il cherche à le rendre visible, qu'il le sépare de tout ce qui l'annule. Cela dit, s'il est vrai que la
poésie doive s'occuper de tout ce qui dans les mots ne sert
à rien, être attentive aux images, au nombre, au rythme,
au contour des syllabes, il nous reste à nous demander à
quoi tend cette résurrection d'une langue qui veut exister
comme telle.

On pense souvent que la distinction de deux langages a
d'abord une valeur négative. Arracher l'homme à ce qu'il
est quand il agit, c'est ce que la poésie recherche en dis-
créditant la parole comme moyen d'action. Le poète condamne l'homme non poétique qui est en lui et lui fait
expier sa condition d'être assujetti à l'expérience commune, aux actes et au dehors des mots. Mais est-ce tout ce
que signifie pour lui cette transformation du langage ? En
réalité, s'il proscrit les facilités du commerce impersonnel,
c'est qu'il veut rendre possible la communication de ses
secrets les plus profonds, et en faisant taire le vacarme
extérieur, il cherche à donner une forme à l'intimité que
la parole habituelle dénature. Le langage poétique lui semble associé à une possibilité qui non seulement corrige et
efface les valeurs du discours journalier mais correspond
à ce qu'est le langage dans son essence, à sa capacité de
nommer les choses, d'exprimer notre nature dans son
fond. Ce langage essentiel embrasse toute l'étendue de l'expression : il va de la parole au silence, il comprend la
volonté de parler et la volonté de ne pas parler, il est le
souffle et la respiration muette, il est langage pur parce

qu'il peut être vide de mots. C'est vers ce langage que la poésie nous oriente en détruisant le langage quotidien, et son ambition désormais est double : elle prétend fonder le discours et elle lui donne comme objet suprême le silence.

A ce double mouvement la poésie de *Haut-Mal* obéit comme à la pente qui doit nécessairement la partager. Tantôt elle ouvre le langage à une abondance nouvelle de possibilités, à un flux que la voix projette par une émission inépuisable. Tantôt elle se durcit et semble imposer à la parole un crépuscule définitif. Ce règne des mots et du silence s'ouvre et se ferme par les images. Le rôle des images dans l'univers poétique n'est pas toujours de supposer sous le réseau des correspondances multiples l'unité d'une réalité inexprimable vers laquelle s'avance, sans jamais l'atteindre, l'ensemble coordonné des métaphores. Qu'il y ait une Image finale qui maintient obscurément sous son attraction les fragments d'images dont notre mémoire nous propose l'apparentement, que cette Métaphore dernière justifie les comparaisons les plus hétéroclites, nous n'en savons rien et nous ne demandons pas à la poésie de nous l'apprendre. C'est la qualité des images de *Haut-Mal* d'échapper à cette visée allégorique et de se succéder selon des enchaînements que ne confirme aucune unité provocatrice. Ces images en elles-mêmes ne sont jamais fortuites. Elles naissent soit d'un souvenir soit d'un appel irrésistible de mots. Elles nous engagent à un mouvement qui, tout en nous enlevant à notre cohérence habituelle, nous maintient dans une composition ordonnée. Mais cette construction n'est pas la réplique d'un monde rendu saisissable par la logique métaphorique; c'est au contraire le vide qu'elle représente, le dénudement que nous trouvons dans la richesse des figures, l'expérience d'une perte, de la décomposition finale qu'accomplit devant nous l'ordonnance poétique, comme si l'ordre le plus profond ne pouvait dans sa vérité signifier que le désordre.

> *Tout décroît La pluie est l'agonie du nuage*
> *Le disque de la lune s'amenuise en croissant*
> *Le ciel se meurt en vent quand les eaux le ravagent*
> *Et ses rides se muent en longs sifflets stridents*

Oui, tout décroît, et la parole, comme le taureau de la

corrida, attend sa propre mise à mort qu'elle demande
dans les marges du poème à un silence imaginaire.

La poésie des *Ziaux* est presque sans prétexte l'épreuve
du langage. Cette épreuve se déroule dans les cadres d'une
prosodie très stricte, rimée ou rythmée, qui par l'appel de
la forme et la régularité du souffle entretient au delà des
phrases significatives une volonté expressive de parole. Il
nous semble qu'il y a peu d'œuvres où le langage soit aussi
simplement et aussi directement mis en cause, où il frise
d'aussi près la catastrophe pour enfin se sauver par la raison même qui provoquait sa ruine. Rien de plus rapide,
de plus décisif que ce drame ironique des mots. Enchantée
par la cadence, la langue se défait, perd le sens par lequel
elle s'unissait à la durée, perd les moyens de son pouvoir,
abandonne ses ressorts syntaxiques, n'est qu'un vacarme
de pièces déréglées qui ne s'enchaînent plus et qui tom-
bent. Mais, sous la même influence stupéfiante, de ces
débris de mots renaissent un autre langage et une autre
composition. L'élan de la chute qui avait divisé en une dispersion irréconciliable d'images l'horizon visible propose
comme une nouvelle figure le mouvement même du vertige.
Syllabes, sens, intensités physiques, tout se rassemble selon
des affinités stables qui font naître une très étrange
émotion.

La mort a écouté le prêche inconsistant
la morale a prêché emporté par le vent
le prêche de morale écouté par la mort
c'est la mort qui écoute et la mort qui entend
l'autre parle sans cesse et sa voix ne demeure
que l'espace d'un souffle emporté par le vent
qui écoute et entend muette et reniflant
l'odeur de ce bon prêche au-dessus de mon temps
c'est mon prêche et ma mort ma morale et mon temps
mon odeur encrassée odeur d'agonisant
car chaque jour je meurs et je prie inconstant
la mort de ma morale emportée à tout vent

Qu'il y ait dans cette conjuration du rythme une forme
à laquelle peuvent se comparer les chansons d'enfant et les
comptines, cela n'est pas douteux, mais il n'en est que plus
troublant d'entendre à travers la puérilité du souvenir la
voix créatrice qui dérange le langage pour le ramener à
ses sources.

IX

APRÈS RIMBAUD

Quand on lit la biographie de Rimbaud, on ne peut s'empêcher de se hâter vers le moment qui la transforme en
quelque chose d'extrême qui n'a pas eu de précédent et qui
ne se recommencera plus. « Aventure unique dans l'histoire de l'Esprit, dit Mallarmé; il s'opéra vivant de la Poésie. » Comment M. Pierre Arnoult, dans son livre sur Rimbaud, tente-t-il d'éclaircir cette énigme qui, depuis cinquante
ans, brûle, confond l'inspiration poétique et la sépare d'elle-
même comme un glaive? Il n'y a pas d'éclaircissement véritable de ce mystère et l'on voit le biographe glisser d'une
explication à l'autre, comme égaré, dans une oscillation
furtive qui est une attitude très légitime en face d'une
question comme celle-ci. L'explication que l'on s'accorde
à exclure fait appel à la susceptibilité littéraire. Le seul
livre que Rimbaud s'occupe de publier est aussi celui où il
dit adieu aux lettres. Qu'il ait ou non détruit *La Saison,*
cette destruction fait partie du sens de ces quelques pages,
et le silence qui l'accueille n'est qu'un accident insignifiant
par rapport à son silence délibéré. Plus tard, quand les
échos de sa gloire chercheront à l'atteindre aux confins du
monde où il vit, loin d'être intéressé par ce rayonnement
tardif, il montrera le plus sûr mépris dans l'indifférence,
et son « Merde pour la poésie » exprime un jugement qui
atteint aussi bien la vérité poétique que la gloire et l'ensemble des hommes qui veulent communiquer en elle.
M. Arnoult écrit à propos des dernières *Illuminations:*
« Son verbe, les ténèbres ne l'ont pas compris. Il fut repoussé et son ressentiment lui demeura. Il n'y avait plus

qu'à dissimuler, à se taire. » Il prête aussi à Rimbaud au
moment du silence définitif ces paroles qui ont le même
sens : « Je garderai mes secrets désormais... Ce sera merveilleux d'être moi, seul, témoin de ma gloire et de ma raison. » Mais cette explication est aussi insuffisante que l'explication par l'insuccès littéraire. Si le poète s'est tu pour
avoir pris conscience de l'impossibilité de toute communication profonde, il est absurde de croire qu'il a pris conscience de cet échec en constatant l'indifférence des cénacles.
Que la renommée le fuie ou le cherche, son sentiment de
rupture est le même. Il ne semble pas que l'attention à
autrui joue le moindre rôle dans une décision qui ne place
devant notre regard que lui-même, dans son intimité la plus
nue.

C'est pourquoi on n'explique rien, lorsque, considérant
l'autre aspect de la communication, on pense que le poète
renonce à la poésie parce qu'il n'a pas su trouver le langage
qu'exigeait sa vision. Il n'y a aucun aveu d'impuissance
dans *La Saison en enfer*. Au contraire, il lui est naturel de
reconnaître le succès de son Alchimie : « J'écrivais des
silences, je notais l'inexprimable, je fixais des vertiges. »
Le texte de « Adieu » qui doit toujours être relu ne porte
pas la brûlure de l'esprit qui se sent supérieur à ce qu'il a
fait : « J'ai créé toutes les fêtes, tous les triomphes, tous
les drames. J'ai essayé d'inventer de nouvelles fleurs, de
nouveaux astres, de nouvelles chairs, de nouvelles langues.
J'ai cru acquérir des pouvoirs surnaturels. Eh bien! je dois
enterrer mon imagination et mon souvenir! Une belle gloire
d'artiste et de conteur emportée!... Moi! moi qui me suis
dit mage ou ange, dispensé de toute morale, je suis rendu
au sol, avec un devoir à chercher, et la réalité rugueuse à
étreindre! Paysan! » Le sens le plus immédiat de ce texte,
c'est que le silence qu'il annonce est décrit comme une
échéance qui ne s'explique pas par une cause précise. Le
poète a en main tous les pouvoirs qu'il a rêvés. Il est
devenu créateur par excellence. Il est au-dessus de tout. Et
pourtant, il renonce à cela même qu'il est devenu, il revient
à rien. Pourquoi? C'est ainsi. Une heure nouvelle a sonné
Comme à la nuit succède le jour, le non-poète doit maintenant prendre la place du poète et le déposséder à jamais
de ses trésors ineffables qu'il a prétendu posséder. De cet
abandon, la volonté claire ne peut que sanctionner la réa-

lité. Elle la sent antérieure à sa propre décision. Elle la
subit comme une étrange victoire où, en défi à ce qui va
se perdre, elle célèbre la vérité qu'on peut enfin toucher
dans une âme et un corps (et non plus la vérité poétique
qui est toujours imaginaire).

M. Arnoult pense assez volontiers que le silence de Rimbaud est la malédiction à demi entrevue, à demi suppor-
tée, de l'homme qui a dépassé les bornes permises et qui
perd la parole au moment même où il a quelque chose à
révéler. C'est en effet tout ce qu'on peut jamais dire de
l'abdication d'un poète. Plus il s'empare de l'essence de ce
qu'il est, plus il est menacé de la perdre. Il obéit à la nuit,
il veut être nuit lui-même et en même temps il continue à
affirmer, par le langage, sa fidélité au jour. Ce compromis
n'a de valeur que par la rencontre des tendances qui le
rendent impossible. Il faut que la catastrophe veille pour
que la perfection, la solidité de l'œuvre poétique ait un
sens. Si le poète s'exprime dans le langage de la communication claire, c'est qu'il est engagé dans l'obscurité qui
risque à tout instant de lui ôter la communication de toutes
choses, et s'il est maître de pouvoirs qui font de lui l'homme
le plus riche, c'est qu'il touche à un point tragique de dénuement où il est exposé à tomber au-dessous de la démence. Ces remarques doivent être rappelées dans n'importe quelle situation poétique, mais il faut bien voir que
par elles-mêmes elles n'expliquent rien. Elles supposent ce
qu'elles manifestent, et elles décrivent par une mythologie
générale, le jour, la nuit, ce que l'expérience poétique ne
rencontre que comme l'épreuve la plus particulière, la
moins propre à des comparaisons et des échanges. Il sera
toujours absurde et, en tout cas, stérile, d'essayer de comprendre la folie de Nietzsche par la folie de Hölderlin,
la folie de Hölderlin par le suicide de Nerval, le suicide de
Nerval par le silence de Rimbaud. Qu'il y ait eu une sorte
de nécessité commune dans ces événements dont l'histoire
anecdotique voudrait s'emparer pour les expliquer du dehors, que la folie de Nietzsche soit née au sein de sa raison
et comme son exigence ultime, que la mort de Nerval soit
l'effet de son existence vécue poétiquement, que la parole
de Rimbaud demande à être entendue, dernier écho de l'indicible, sous le silence qui la sacrifie, ces manifestations de
la nuit ne nous laissent rien qu'une rapide lumière après

laquelle nous demeurons dans l'illusion d'un savoir véritable et fort loin d'une conscience réellement éclairée.

Il ne peut être question de nous approcher ici du cas
de Rimbaud, mais ce que l'on peut tenter de comprendre,
c'est pourquoi il a exercé sur l'histoire de la poésie un
pouvoir qui ne peut se comparer à nul autre. Le problème
qui se pose à son sujet est alors celui-ci : pourquoi le poète
ne peut-il cesser d'être poète sans provoquer un désastre
dont la poésie, loin d'être ébranlée, s'enrichit? Pourquoi le
fait de garder volontairement le silence, plus que la folie
ou le suicide, couronne-t-il l'homme d'une impossibilité qui
le glorifie au lieu de le diminuer? Qu'est-ce qu'il y a de
scandaleux et de sublime dans le congé que le poète donne
à la poésie? A dire les choses très rapidement, il faut remarquer que le mutisme d'un poète doit ressembler à une trahison inexplicable, non seulement parce qu'il sacrifie la
volonté de parler au silence, mais surtout parce qu'il préfère le silence qu'est le refus de la poésie à ce silence supérieur, fondamental, que la poésie prétend exprimer. C'est
de là, en effet, que vient le paradoxe. Qu'annonce la poésie
au monde? Elle affirme qu'elle est le langage essentiel,
qu'elle comprend toute l'étendue de l'expression, qu'elle est
aussi bien l'absence de mots que la parole, enfin qu'être
fidèle à la poésie c'est concilier la volonté de parler et le
silence. La poésie est silence parce qu'elle est langage pur,
voilà le fondement de la certitude poétique. Mais c'est justement cette certitude que Rimbaud déchire. Lui qui est
par excellence le poète dont la poésie accueille l'inexprimable, qui a donné au langage l'assurance de n'être pas limité
au langage, ne peut se contenter de cette suprême conquête,
et il rejette le silence poétique en lui préférant l'incognito
du vacarme quotidien. Le scandale de cette attitude est
double : il apparaît d'abord insoutenable que l'homme qui a
atteint le sommet poétique, qui est par conséquent dans
l'existence authentique la plus vraie, s'en détourne soudain
et revienne sans un remords, mais au contraire avec un
sentiment de victoire, vers la banalité de tous les jours.
Et ensuite, cet abandon, au nom du silence ou, en tout cas,
en faveur du silence, jette un doute sur la prétention de la
poésie à être plus qu'elle-même, à pouvoir retrouver aux
sources du langage l'autre aspect du langage qui est l'absence pure de mots.

Il eût été naturel que l'exemple de Rimbaud avilît la poésie et lui donnât une sorte de mort, contre-coup de celle qu'il lui avait donnée en lui-même. Mais c'est le contraire qui s'est produit. La poésie n'existe que par ce qui la menace. Elle a besoin de pouvoir succomber pour survivre. Elle ne renaît que détruite. Jusqu'au poète des *Illuminations*, elle n'avait atteint sa propre mise en cause que dans des catastrophes véritables, ruines d'emprunt qui lui restaient finalement étrangères. Qu'un poète mourût, qu'il devînt fou, suicide et folie n'étaient qu'un privilège épisodique qu'il lui fallait partager avec la pauvreté et l'ivresse. Mais avec Rimbaud, elle réussit à disparaître dans un désastre vraiment poétique, c'est-à-dire imaginaire. Elle se met en cause en elle-même et par elle-même. Elle précipite l'univers dans la plus violente transformation, et cependant rien ne change, l'homme qui la porte reste intact, il garde tous ses pouvoirs, il est toujours capable de miracle, il n'est plus que soi. Mais c'est alors que la poésie prétend reparaître sous l'injure prodigieuse qui lui est faite. Dans le poète qui s'est mis à mort sans cesser d'être ce qu'il est, elle revit, comme objet de mépris qui survit au mépris, elle s'enracine dans son absence, elle se séduit à ce néant qu'elle devient dans la pureté d'une dernière métamorphose. Que la contestation qui est au cœur de la poésie ne puisse jamais trouver de fin, qu'elle doive aller jusqu'à abolir ce qu'elle éprouve, c'est ce qu'a montré l'exemple si rare et si redoutable de Rimbaud, mais ce qu'a montré cet exemple si réconfortant, c'est qu'il y a un en deçà et un au delà de la poésie qui est la poésie même et que, sans cette capacité de se détruire et de se trouver en se détruisant, celle-ci ne serait presque rien.

Le destin de Rimbaud a un pouvoir extrême d'évocation parce que le versant terre à terre de sa vie n'est pas moins mystérieux que le côté poétique. D'une certaine manière, il devient un parfait philistin, comme l'écrit M. Arnoult. Il a renié toutes les révoltes de son adolescence, il accepte l'idéal bourgeois. Lui qui écrivait : « J'ai horreur de tous les métiers », il n'est plus qu'un homme de travail qui gagne beaucoup d'argent; lui qui exprimait son rêve : « Fumer surtout, boire des liqueurs fortes comme du métal bouillant... », il est sobre, avare, hypocrite (« Je ne bois que de l'eau, pour quinze francs par mois, tout est très cher. Je

ne fume jamais »). Son regret, c'est de n'avoir pas de position, son ambition, de se marier en Europe, d'avoir un fils,
de faire de lui un ingénieur. En ce sens, en choisissant le
silence banal, c'est bien la vie inauthentique qu'il a choisie,
celle de l'action (« qui n'est pas la vie, disait-il dans le
brouillon de *La Saison,* mais une façon instinctive de gâcher
une insatiété de vie »). Et pourtant, il est évident que le
suivent le scandale intime, le malheur opiniâtre et on ne
sait quoi d'horrible qui lui voile à jamais l'éclat du jour.
Ce n'est pas seulement l'existence vagabonde qu'il commence après son reniement et qui l'entraîne vers tous les
paysages dont il a trouvé en soi l'équivalent sonore, ce n'est
pas cet égarement à travers le monde qui, comme un nouvel Oreste poursuivi par les Erinnyes et sans l'espoir de
l'asile de Minerve, le jette dans une vie impossible, mais il
y a en lui une angoisse inexprimable qui le brûle pour rien
et dont il subit l'appesantissement dans une colère inutile.
Rien de plus lourd que ses aveux : « Il faut être victime de
la fatalité pour s'employer dans des enfers pareils! »
... « Hélas! je ne tiens pas du tout à la vie; je suis habitué
à vivre de fatigues. Mais si je dois continuer à me fatiguer
comme à présent et à me nourrir de chagrins aussi véhé-
ments qu'absurdes sous des climats atroces, je crains
d'abréger mon existence... Puissions-nous jouir de quelques
années de repos dans cette vie, et heureusement que cette
vie est la seule, et que cela est évident, puisqu'on ne peut
imaginer une autre vie avec un ennui plus grand que
celle-ci. » Et ces paroles annoncent les grands cris de bête
blessée de la fin, ces gémissements atroces qui accusent
définitivement la vie. « Je suis un homme mort... Mes souvenirs me rendent fou : je ne dors pas une minute. Notre
vie est une misère sans nom. Pourquoi donc existons-
nous? »

La vie de Rimbaud après la poésie est d'autant plus
mystérieuse que l'on ne peut pas savoir si la décision de se
taire est destinée à le porter plus loin que la poésie, si elle
est une exigence dernière ou un abandon pur et simple. La
page finale de *La Saison* décrit son reniement comme une
victoire, comme un nouveau pas fait en avant : au lieu de
la vérité poétique, saisie et vécue dans l'imaginaire, « il *lui*
sera loisible de posséder la vérité dans une âme et dans
un corps ». Mais, ensuite, qu'arrive-t-il? Nous n'avons au-

cune raison de penser que la vie de Rimbaud — ni sa mort
— le rende maître d'une vérité supérieure à la vérité poétique. Il lui faut au contraire se perdre dans la banalité
de l'action et les tourments qu'il subit en vain. Que lui
apporte son effort de dépassement? Rien du tout, et c'est
là que se trouvent le secret et le paradoxe de l'ambiguïté.
Au delà de la vie authentique que représente la poésie, ce
n'est pas une vie plus authentique qu'il y a à saisir, mais
à nouveau l'enfantillage, la frivolité de tous les jours, l'en-
lisement subi et accepté. La seule différence, c'est que par
ce retour délibéré à la vie banale, la vie banale est vécue
pour ce qu'elle est ; elle est le néant abrutissant que l'on
reconnaît et que cependant l'on préfère à l'on ne sait quel
mensonge idéal ; l'acceptation de l'inauthentique lui donne
une authenticité supérieure, crée la seule valeur possible ;
l'acceptation de la parole quotidienne la met au-dessus du
silence poétique. Toutefois, c'est la loi de l'enfantillage
d'effacer la conscience qui accepte ce qu'elle ne juge plus.
Peu à peu, l'absence poétique devient absence de poésie,
et cette absence même perd toute signification, n'est plus
qu'un tourment angoissant, inconnu, « sans nom ». Après
Rimbaud, il y a encore Rimbaud, mais un Rimbaud qui
doit « mourir à la peine », qui ne peut plus parler que
pour dire : « Quel ennui ! Quelle fatigue ! Quelle tristesse... »

X

LÉON-PAUL FARGUE ET LA CRÉATION POÉTIQUE

Léon-Paul Fargue tient dans les lettres françaises un rôle irremplaçable. Il représente la littérature non seulement telle qu'elle s'écrit, mais telle qu'elle se vit. Il prolonge avec excellence des habitudes séculaires qui sans lui ne seraient plus et qu'on serait tenté de décrier. Il protège et ennoblit des manières de faire, un goût de la conversation, un souci d'être ensemble par où, pendant plusieurs siècles, s'est marquée l'existence de beaucoup de nos écrivains. Est-ce que cette tradition qui s'évanouit emporte avec elle plus de souvenirs que de valeurs ? Ne nous le demandons pas. Du moment que Léon-Paul Fargue, bel artiste, poète parfois secret, la continue dans un temps qui la laisse mourir, elle garde son charme, sa noblesse et se dérobe momentanément au juge qui voudrait la condamner.

On a fait de lui beaucoup de portraits et lui-même n'a cessé de se dépeindre, homme de lettres, c'est-à-dire très amoureux des lettres, prêt à leur sacrifier les habitudes d'une existence régulière, toujours disposé à se conduire d'une manière un peu différente des hommes qui n'écrivent pas et enfin vivant dans une combinaison tout à fait heureuse de facilités et d'exigences. Quelques-uns le connaissent, beaucoup l'imaginent. Son œuvre elle-même est un peu voilée par la curiosité qu'elle donne de son auteur. Elle a été négligée aussi à cause de l'abondance qui l'a faite ce qu'elle est. Si les écrits de Léon-Paul Fargue se bornaient à quelques-uns des volumes qu'il a réunis, on serait infiniment plus avide des qualités singulières qu'on y trouve, mais cet écrivain écrit avec une aisance périlleuse et s'est prêté à beaucoup de sollicitations. Il a habitué ses lecteurs par des chroniques de toutes sortes au caractère original de la forme qui est vraiment la sienne. Il les a rendus insensibles à ses vraies qualités par l'abus de qualités qui leur ressemblaient. Il y a dans ses articles un peu de la puissance d'imagination qui lui est propre, un peu de la cocasserie verbale dont il a besoin, un peu de la pureté de réflexion qui est la marque de son esprit ; mais cet « un peu », si agréable qu'il soit, n'est pas suffisant pour le représenter complètement et enlève à ses œuvres véritables l'effet de rareté qui leur serait nécessaire. On croit le connaître parce qu'on le lit très souvent avec plaisir et on est tenté de ne plus savoir le lire dans les rares ouvrages où l'on pourrait vraiment le connaître.

Si l'on pouvait oublier cette production trop aisée qui nous a accoutumés à ce qu'il est sans nous permettre de le bien concevoir, on serait frappé des mérites pleins de contradictions et par conséquent très particuliers qu'il montre dans ses livres. D'abord, les sujets comptent très peu pour lui. Il écrit parfois de brèves histoires qu'il faut bien appeler contes ou nouvelles mais d'où la notion d'une intrigue reste entièrement absente. Les événements y prennent place sans constituer une suite. Le temps lui-même ne réussit pas à imposer un ordre. Tout ce qui se passe se déroule dans un cadre où les faits sont réversibles. A un certain moment, la conclusion survient parce qu'il faut bien qu'il y ait un dénouement. Mais rien ne la rend nécessaire si ce n'est la fatigue présumée de l'auteur.

Cette absence de sujet va de pair avec l'usage de certains thèmes qu'on retrouve dans presque tous les livres de Léon-Paul Fargue et dont la persistance crée une monotonie très émouvante et très belle. Ces thèmes sont ceux d'une poésie mythique. Le rêve est partout dans cette œuvre. Il sert comme dans toute construction poétique à modifier les conditions normales de la conscience, à ouvrir les barrages d'un monde où les formes de l'espace et du temps sont bouleversées, à rendre naturels les éclairs prodigieux d'invraisemblance qui doivent éclairer une autre existence. De plus, ce rêve s'oriente avec prédilection vers les périodes privilégiées qui sont celles du commencement et de la fin

du monde. On connaît les pages de *Vulturne* où les êtres,
comme les héros d'Edgar Poe, Oïnos et Agathos, vont par
delà la mort à la rencontre des sphères et découvrent
les images que, durant la vie, leurs passions, leurs désirs
et leurs paroles ont créées sans relâche. Ces thèmes composent l'essentiel de *Hautes solitudes*. Deux de ses poèmes
sont, l'un, le récit de la naissance du monde, l'autre, une
fantaisie anxieuse sur la disparition de l'univers. Un troisième exprime le retour d'une âme, déjà délivrée, à la vie
banale qu'elle regrette. Enfin sous les titres de *Nuits blan-
ches, Horoscopes, Au matin, Hautes solitudes, Encore,* les
images du rêve se développent avec une ivresse que rien
n'apaise et qui manifeste la recherche sans espoir des pensées de la nuit.

La manière dont Léon-Paul Fargue tire de ces thèmes,
par le seul emploi des images, l'enchantement qu'il poursuit n'est pas moins caractéristique que l'obstination avec
laquelle il s'y attache. Ce que l'on connaît le mieux chez
l'auteur d'*Espaces,* c'est la prodigieuse possibilité de créer
des images et le vertige bien réglé avec lequel il s'y abandonne. Son œuvre est toute commandée par les secrètes
lois d'attraction des mots. Il l'a transformée en un théâtre
pur où les métaphores donnent le spectacle du drame de
leur composition, où elles s'appellent et se repoussent sans
souci des objets qu'elles comparent et représentent, où la
vraisemblance dépend de l'enchaînement harmonieux des
mots et non pas de leur signification. Les images lui obéissent, et elles se déroulent comme une succession de formes
rêvées que nulle dialectique secrète n'oriente. On dirait une
conscience singulièrement active qui produit avec jubila-
tion toutes sortes de figures, de paroles, de noms dont aucun ne la remplit et qu'elle tire d'elle-même par une substitution infinie. Les mots affirment dans l'ouragan joyeux
où ils se rencontrent leur pouvoir créateur, ne dirigeant
pas seulement la composition de chaque récit, mais s'en-
gendrant eux-mêmes selon des lois qu'ils semblent seuls
connaître. Certaines pièces dépendent d'un instinct verbal
extravagant et mystérieux dont l'exercice est la seule justification et qui donne l'impression de ne jamais réussir
à se libérer complètement. L'image unique qui pourrait
vraiment délivrer cet instinct est le fantôme qu'il poursuit
vainement.

Toutes ces conditions paraissent la marque d'une création mythique pure. Absence d'objet anecdotique, animation persévérante des thèmes du rêve, ivresse métaphorique qui se donne à la fois comme la méthode et la fin de l'art, ces signes semblent indiquer que les œuvres de Léon-Paul Fargue, comme celles des grands poètes symboliques, cherchent à s'ouvrir la voie d'un univers chargé de mythes. On croit voir dans les moyens purs et téméraires de cette poésie les travaux d'approche d'un esprit qui attend de se révéler dans la nuit bouleversante qu'il se construit. Or il n'y a presque rien de tel dans *Hautes Solitudes, Vulturne* ou *Epaisseurs*. Au lieu d'aboutir à une invention magique, à une connaissance nocturne, à l'expérience désespérée d'un monde nouveau, ces chemins finissent par revenir à la réalité pittoresque où nous vivons. L'irréalisme ne sert pas de tremplin à un mouvement vertigineux vers l'absolu, il permet tout au plus un divertissement forcené autour du monde qu'il ne quitte que pour le mieux goûter. De même, l'orgie du rêve n'est qu'un moyen de passer en revue les images du jour, de les regrouper selon un impressionnisme raffiné. Elle emprunte à la nuit le trouble des regards et le caprice des démarches et elle se sert de ces yeux obscurcis et de ces pas égarés pour une promenade sentimentale à travers les paysages les plus habituels. Enfin, le déchaînement foisonnant des mots se repose dans une invention pittoresque et cocasse qui est satisfaite par la bonhomie de sa virtuosité. Nulle figure finale n'en vient couronner l'abondance.

Ces caractères marquent les limites de l'œuvre de Léon-Paul Fargue. Mais ils en montrent aussi l'originalité et le charme. Il y a dans toutes ces pages une combinaison de pure pensée et d'impertinence, d'abstraction fulgurante et de familiarité qui est extrêmement précieuse. Si les grands mythes n'apparaissent pas, on va si loin dans l'égarement qu'apporte l'usage des mots et des images qu'on leur préfère l'absence de but et l'on s'abandonne à la poursuite de ces spectres qui ne viennent pas d'un autre monde, de ces visages troublés qui ne sont pas les masques de figures invisibles, de cette musique des sphères qui naît de fins du monde artificielles et de catastrophes auxquelles on ne croit pas. On finit par être dépaysé bien que le paysage soit toujours le même. Et l'on est heureux du jeu auquel

on doit ce dépaysement et dont on est dupe parce qu'il est
toute franchise et toute impudence.

Le talent supérieur de Léon-Paul Fargue reste dans le
maniement admirable des mots et du langage. Il est un des
rares écrivains français qui, aujourd'hui, dans cette langue
rigide, préservée par la perfection et défendue par l'orgueil de la pauvreté, réussissent à former des mots nouveaux et les enchâssent sans malaise et sans contrainte dans
la suite habituelle du vocabulaire. Il y a en lui un pouvoir
de rajustement des mots qui permet de le comparer à un
créateur comme James Joyce. Chez ces deux écrivains, les
jeux du langage font briller les noms d'une manière toute
familière et nouvelle, comme si les mots se découvraient
soudain des relations originales et inconnues, des manières
imprévisibles de se nouer, des rapports de famille ignorés
et légitimes. Les expressions inédites rejoignent par une
parenté mystérieuse les expressions traditionnelles. On ne
sait plus les distinguer les unes des autres. On les accepte
et on les comprend également. On en jouit non pas à cause
de l'harmonie ou de la rareté de leurs consonances, mais
pour le sens parfaitement perceptible qu'elles apportent et
pour l'air d'ancienneté sous lequel elles se dérobent. Ces
néologismes sont produits, exprimés, dévorés, digérés par
la phrase qu'ils illustrent et qui les perd habilement parmi
les mots du langage ordinaire. Ils apparaissent, puis ils
s'évanouissent, sortes de plaques tournantes du vocabulaire, sur lesquelles passent et repassent tous les caprices
de l'instinct verbal et les fantômes d'une curieuse mythologie.

XI

SITUATION DE LAMARTINE

La situation de Lamartine, depuis le début du siècle, n'est pas dépourvue d'ambiguïté. Il semble qu'elle ait changé plusieurs fois sans que ces changements aient eu un sens très distinct ou marqué une tendance bien définie. Après l'extraordinaire gloire, faite autant d'amour que d'enthousiasme, qui illumine son art de 1820 à 1848, il tombe dans une rapide défaveur dont Leconte de Lisle souligne les premières approches. Les nouveaux poètes n'osent porter atteinte à Victor Hugo, mais tendent à voir en Lamartine le symbole de la facilité passionnée, de l'inconsistance du style, des débordements du cœur auxquels eux-mêmes cherchent à s'opposer. Lamartine est le romantisme que l'on condamne, alors que le romantisme de Hugo, à cause de son rayonnement et de sa gloire technique, échappe au moins en apparence à une contestation sérieuse. Cette réaction antilamartinienne dure jusqu'à la fin du xixᵉ siècle. Elle cesse alors autant pour les raisons qui soumettent le romantisme à une critique implacable que par ce retour d'amitié qui salue, inévitablement, une génération après leur mort, les poètes de leur vivant universellement aimés. Les esprits qui poursuivent avec intransigeance l'examen des erreurs romantiques éprouvent pour Lamartine une indulgence secrète. Ils le sauvent d'une condamnation théorique et lui accordent la pureté de très beaux vers. La sincérité et l'ingénuité triomphent. Si personne ne peut devenir aveugle à ses faiblesses, personne ne croit qu'elles soient la marque d'une volonté poétique définitivement dépravée.

Depuis 1920, il n'est pas sûr que des sentiments encore plus complexes ne soient venus nuancer cet attachement à un grand poète en ruine. D'abord reste le public qui accepte tout héritage de tendresse et d'amour poétiques : qu'on lise encore quatre pièces des *Méditations*, un poème des *Harmonies*, *Raphaël* peut-être, *Graziella* sûrement, c'est là le signe d'une survivance d'où la vie n'est pas absente. Reste aussi la dévotion des lettrés, des amateurs de Lamartine qui l'aiment moins pour son œuvre que pour sa personne et qui continuent à perpétuer son culte avec une chaleur de jeunesse dont les admirateurs de Hugo n'ont jamais donné l'exemple. Mais la poésie de Lamartine elle-même, quel sort lui fait le destin de la poésie au moment où celle-ci se partage entre l'absolue rigueur et l'absolue spontanéité ? Quel sens garde-t-elle auprès de ces recherches ténébreuses et violentes qui ne tendent plus à condamner le romantisme français parce que romantique, comme on l'a fait au début du siècle, mais parce que non-romantique ? Les mouvements du ciel qui font briller d'un extrême éclat les astres de Nerval, de Mallarmé, de Rimbaud, qui attirent les regards vers Novalis et Hölderlin et unissent dans une même apothéose les feux ennemis de Paul Valéry et des surréalistes, laissent-ils encore une possibilité de présence, d'action réelle, d'existence autre que scolaire à l'œuvre d'un poète sans artifice et pourtant conventionnel, pur mais d'une pureté qui trouve dans la rhétorique ses ressources et son libre jeu ?

Si l'on passait Lamartine au crible des raisons qui font mettre à dates fixes le romantisme français en accusation, on ne saurait le préserver d'une déchéance presque complète. Il est abondant et faible, avide de mots et peu varié dans son langage, sincère et presque toujours altéré, abandonné à la molle dérive d'un flux qui se perd et tout de même s'écoule indéfiniment. Aucune conscience critique dans cette suite de lumières d'intensité toujours égale, dans cet enchaînement de figures et d'images transparentes. Aucun pressentiment des réalités nocturnes dans son automatisme. Il est clair dans sa rigueur, inconscient sans existence souterraine. Comme Hugo, il pèche contre le choix, le naturel, la pureté du goût ; mais, au contraire de Hugo, il est monotone, incapable de virtuosité, privé du savoir technique qui lui assurerait les effets impurs d'un continuel renouvellement. Ce n'est pas l'usage surabondant de moyens trop variés qui l'entraîne aux excès et le perd dans des oraisons infinies, ce n'est pas l'excès de la technique, mêlé à une richesse intérieure insuffisante, qui le conduit à la verbosité et à l'incohérence. Il succombe à une facilité qui souvent ne lui permet que d'être naïf, lâche et interminable.

Tout cela, il n'est que d'en chercher les preuves pour voir que Lamartine qui ne devrait pas y survivre n'en est cependant pas mortellement atteint. La réalité de pareils défauts laisse à la poésie de Lamartine une certaine authenticité, faite d'actes qui les effacent sans cesse. Son impureté ne l'empêche pas de maintenir un mouvement d'innocence où est sensible une secrète et lointaine aimantation. Ses vers, presque tous gâtés de faiblesses, restent, par ce que leur aisance a d'inimitable, le reflet d'une poésie d'avant le langage qu'ils capturent en multipliant les chances d'une prosodie qui coule sans fin. La facilité est sa principale rigueur. Les huit mille vers de *Jocelyn*, les douze mille vers de *La Chute d'un ange* offrent à l'opération créatrice, grâce aux occasions indéfiniment renouvelées que lui apporte une telle durée, les mêmes heureux hasards qu'une vigilance ascétique, une application volontaire de l'esprit. Sa méthode, son unique méthode, consiste à se mettre à même de cueillir par l'abondance d'un mouvement extraordinairement naturel, véritable emploi du calcul des probabilités, les combinaisons d'harmonie, de profondeur et d'étrangeté que seules font généralement naître la recherche délibérée des ressources émotives du langage et la mise en action des puissances de mouvement et d'enchantement. Par cet usage de sa facilité, qui se transforme ainsi en un système de volonté et en une méthode, il n'utilise pas seulement jusqu'à l'extrême les dispositions naturelles d'une culture et d'un langage, il impose aussi le sentiment d'une présence poétique dont aucun vers, à lui seul, ne peut être le miroir fidèle mais qui s'accumule dans un flux et un reflux de vers imparfaits, dans une forêt liquide qu'on peut apercevoir dans son ampleur à condition de ne regarder aucun arbre. L'hindouisme de Lamartine, qu'on a relevé parfois dans ses croyances, est beaucoup plus frappant dans sa conception poétique. Il explique ces poèmes qui, même de dimensions modestes, semblent prendre leur élan pour des milliers de strophes et qui, dans un même recueil, passent des uns aux autres comme une suite hallucinante à laquelle rien ne viendra mettre fin. Aussi est-il contraire à l'esprit poétique de Lamartine d'isoler dans une pièce quelques vers et dans un recueil quelques poèmes; les pièces où les défaillances sont par trop visibles sont « indispensables » à celles où ces défauts s'évanouissent. Le poète disait de *La Chute d'un ange :* « C'est détestable, mais indispensable à mon œuvre future. » De même, dans les *Méditations,* les vingt-quatre poèmes dont la qualité n'est pas toujours exquise, forment l'architecture sonore nécessaire pour que les quatre voix plus pures de l'*Isolement,* du *Vallon,* du *Lac* et de l'*Automne* ne soient pas étouffées par leur propre ténuité. C'est à propos des *Harmonies* que Lamartine disait encore : « J'en ai écrit quelques-unes en vers, d'autres en prose, des milliers d'autres n'ont jamais retenti que dans mon sein. » Telle est l'impression que laisse la poésie lamartinienne, d'être elle-même peu de chose par rapport à un possible poétique, de n'être qu'une immense allusion non à la poésie réalisée dans un acte, mais à un moment encore indéterminé de la poésie, à une nébuleuse imprécise, sans contour, qui attend, pour éclairer les hommes, d'être changée en étoiles.

L'on comprend que l'art de Lamartine n'aurait pu que souffrir d'ajouter à ses défauts propres les qualités d'une technique trop brillante. Il lui est nécessaire d'être monotone, d'ébranler l'attention par la répétition des effets et la banalité des figures. Ni les beautés de détail, ni les images inattendues, ni les effets de choc et de contraste ne lui sont permis. Chaque vers doit imiter d'une certaine façon le vers qui l'a précédé et préfigurer le vers qui va le suivre. Les lieux communs qui abondent ont pour principal résultat de ne pas interrompre le mouvement continu, ce charme qui parfois fait de tout un poème lamartinien l'équivalent d'un vers de Racine. A cet égard, il n'est pas indifférent que Lamartine soit le poète romantique dont la rhétorique reste la plus proche de la tradition, celui qui ait le moins innové et qui surtout se soit le mieux passé de tout appareil de provocation. Ses attaches avec le XVIIIᵉ siècle sont connues. Il avait le sentiment instinctif qu'il ne pourrait garder à l'inspiration sentimentale son aspect originel qu'en la coulant dans les formes déjà éprouvées par l'usage et qu'il ne ferait de la poésie une *nature* que dans la mesure où il l'incorporerait à l'*art* le moins visible, c'est-à-dire le plus conventionnel, le plus conforme aux antiques habitudes littéraires. De là l'apparence classique qu'il conserve et qui n'est pas non plus étrangère à sa survie.

XII

UNE ÉDITION DES « FLEURS DU MAL »

Les lettrés gardent à M. Jacques Crépet un sentiment
de gratitude dont ils ne croyaient pas voir encore grandir
les raisons. La connaissance et le goût des études baude-
lairiennes sont chez M. Crépet une tradition familiale. Il
a hérité, avec ce qu'il aime, les moyens de nous le faire
aimer et de nous le faire connaître mieux que tout autre.
Il a aussi l'instinct qui ne lui permet pas d'être jamais
quitte avec ce qui a une fois occupé sa passion. Il y revient.
Il s'enrichit de scrupules. Il ne cesse de voir ce qui est
imparfait dans son travail pour y appliquer de nouvelles
pensées et en faire le point de départ de nouvelles recherches. Il va au delà de lui-même dans la crainte de n'être
pas égal à un sujet qui est infini.

A son édition annotée des *Fleurs du Mal*, parue en 1922,
il a ajouté une édition critique monumentale qui réunit les
principaux travaux des érudits baudelairiens, tient compte
des plus récentes découvertes et ne laisse inconnue que la
partie inconnaissable de la vie du poète d'où tout poème
tire son origine. Cette publication que M. Jacques Crépet
a menée à bien avec la collaboration de M. Georges Blin,
auteur d'une excellente étude sur Baudelaire, ramène heureusement l'attention sur l'œuvre essentielle du poète. Il y
a toujours un moment dans la vie de gloire d'un grand
écrivain où la recherche des inédits détourne l'admiration
de ce qui seul la justifie. Les plus minces écrits, les vers
supposés de jeunesse, tout cet héritage que le créateur repousse et qui le suit comme son ombre font renaître la
fièvre des critiques qui n'osent plus connaître que ces pré-

cieuses futilités. L'érudition a besoin de temps en temps
de revenir à des sujets plus sérieux où, quelles que soient
ses ressources, elle trouve toujours plus qu'elle n'apporte.

Cette présente publication des *Fleurs du Mal* adopte
comme texte principal celui de l'édition de 1861, le seul qui
ait été certainement revu par Baudelaire, et le fait suivre
des pièces ajoutées de l'édition posthume, ainsi que des
trois projets de préface et de certains textes des *Epaves*.
Outre deux remarquables études, l'une sur la chronologie
de la composition, l'autre sur l'architecture et les thèmes,
l'ouvrage propose au lecteur tous les commentaires qu'une
connaissance complète des circonstances biographiques et,
plus encore, l'usage minutieux des écrivains aimés de Baudelaire suggèrent à l'esprit avide de sources et heureux
d'explications. Il sera naturellement toujours possible de
reprocher à M. Crépet et à M. Georges Blin leur projet
même qui les oblige à réfléchir sur des anecdotes et la
bibliothèque du poète autant que sur les poèmes dont ils
nous permettent d'écouter à nouveau le chant solitaire.
Une édition critique se fonde sur d'autres partis pris que
ceux d'un art pur et elle a besoin de croire à l'existence de
l'homme dont elle étudie les œuvres. Son mythe est de
chercher à faire coïncider le dehors et le dedans, les détails
véritables de la biographie avec les formes d'un travail tout
intérieur et presque sans écho. Mais l'hypothèse qui sépare
définitivement l'homme et l'auteur et ne laisse à celui qui
veut jouir d'un poème que son texte nu, pour plus proche
qu'elle soit de la vérité poétique, se construit aussi sur
quelques préjugés et fait de la création un absolu prodigieusement à l'abri des hasards et des accidents contre lesquels aucun homme, fût-il divin, n'a jamais été protégé.

La prudence et la modestie des commentaires importent
autant que leur vraisemblance, et l'on est heureux de ne
trouver dans ceux de l'édition critique rien qui les rende
trop satisfaisants ou indispensables. On en profite d'autant
mieux qu'on les sent plus fragiles et qu'on découvre dans
leurs auteurs le souci de les faire s'évanouir dès que le
lecteur reviendra au désir de les oublier pour retrouver le
poème intact. Il s'agit d'un appareil de faits, de textes,
d'observations minutieusement élaboré autour d'un monu-
ment qu'il ne dissimule que pour le restituer bientôt à la
vue, sans autre changement qu'un regard prévenu de ce

qu'il doit voir et illuminé à l'avance par la richesse dont on lui a préparé le contact. L'œuvre reste l'essentiel. Les anecdotes ne sont que le fil, aussi caché que possible, auquel sont suspendus les trésors, et tel qu'on peut toujours les croire, comme ces anges de théâtre promenés au bout d'une corde qu'on ne voit pas, sans attache, sans soutien matériel, mystérieusement en équilibre dans le vide.

D'une certaine manière, M. J. Crépet et M. G. Blin ont donné plus de place dans leurs notes aux ouvrages variés dont le souvenir nous aide, d'après eux, à comprendre la genèse des poèmes qu'aux renseignements sur les états poétiques ou les circonstances autobiographiques qui ont pu être le prétexte de ces poèmes. La richesse des références est parfois si grande qu'il semble que pour chaque vers Baudelaire ait un répondant dans un texte contemporain ou dans un morceau de la littérature universelle. Mille échos s'éveillent, comme si les œuvres d'un poète n'étaient que le séjour momentané d'une voix qui en anime beaucoup d'autres et qu'on ne peut entendre que dans un concert de mélodies analogues. Cela fait parfois un ensemble assez merveilleux. On écoute les harmoniques infinies que constituent, autour d'un mot en apparence singulier, les ouvrages d'autres poètes qui l'ont aussi utilisé avec plus ou moins de bonheur. Et on suit avec un peu d'effroi ces chances diverses du langage, ce destin incessamment renouvelé de la parole, toujours la même, toujours glorifiée et toujours trahie et passant, à la recherche d'on ne sait quel parfait usage qui la fixerait à jamais, de porte-voix en porte-voix, sans pouvoir mettre fin à cette sorte de transmigration, analogue à celle que le bouddhisme se promet d'arrêter. C'est vraiment le chant propre de l'érudition, chant qui, comme celui d'une pure musique, n'a sa beauté que si l'on en jouit en refusant de le faire servir à rien.

En revanche, il est plus dangereux de multiplier les citations pour y trouver les vraies sources de l'inspiration et y voir les solutions vraisemblables du problème des influences. M. Crépet, à la suite de M. Jean Pommier et de plusieurs autres critiques, se laisse tenter par cette illusion qui fait conclure d'une analogie entre deux vers à un échange conscient et à une imitation volontairement recherchée. Naturellement, le problème des origines existe et un historien a le devoir de prétendre réduire le plus possible la part d'indétermination, l'apparence de vague et d'étrangeté qui rend insupportable à l'esprit toute œuvre supposée sans antécédent et sans famille. Mais l'historien qui retrace une histoire des œuvres, des rapprochements qu'elles permettent, des genres et des espèces qu'elles constituent, sans en rien déduire quant à leur genèse réelle, se livre à une tâche tout autre, et plus sûre, que celui qui entend élucider les causes et les influences. Il y a une histoire de la littérature pour laquelle les courants, les filiations, les tendances générales sont objets autorisés de recherche, mais du point de vue de la littérature seule, considérée comme un système profond d'apparences; et il y a une histoire des origines, qui est une enquête sur la génération des œuvres, leur postérité véritable, sur les influences qu'elles ont subies et celles qu'elles ont exercées, sur la manière dont elles sont nées et dont elles en ont appelé à l'existence d'autres qui sans elles ne seraient pas. De ces deux formes de critique qui sont généralement mêlées, alors qu'elles supposent des méthodes et des desseins différents, la première réunit les ouvrages et les auteurs parce qu'ils se ressemblent et parce que cette ressemblance paraît dégager des constantes, peut-être des lois de la littérature tenue pour une expression de l'esprit en général, mais la seconde, allant plus loin que l'apparence, pose et veut résoudre ce que M. Paul Valéry nomme les problèmes de la parthénogenèse intellectuelle.

Il est très raisonnable de penser qu'une œuvre poétique ayant des causes extérieures, elle les trouve au moins autant dans la méditation des œuvres antécédentes que dans des histoires de passion ou des aventures de famille. L'esprit comprend mieux qu'un vers d'Edgar Poe puisse donner naissance à un vers original de Baudelaire qu'il ne comprend la métamorphose d'un défi sentimental en un poème comme *Le Flacon*. S'il s'agit en outre d'un génie de culture, comme Baudelaire, en qui l'intelligence critique infuse et développe, à partir d'autres témoignages poétiques, le feu pur qui ne semble venir de nulle part, les raisons de chercher dans la littérature le prétexte, la cause puis l'explication de la littérature augmentent jusqu'à devenir suffisantes. Enfin, si l'auteur lui-même, comme l'a fait Baudelaire, parle complaisamment de ses plagiats, il n'est plus possible de ne pas se préoccuper de ces poèmes antérieurs d'où sont nés les poèmes nouveaux. Tout devient alors question de mesure. On retiendra, par exemple, comme très probable, la parenté des vers du *Flambeau vivant :*

> *Ils (ces yeux pleins de lumière) conduisent mes pas dans la route du Beau;*
> *Ils sont mes serviteurs et je suis leur esclave.*

et de ceux de l'élégie de Poe :

> *Ils (tes yeux) sont mes serviteurs ; cependant je suis leur esclave.*
> *Ils remplissent mon âme de Beauté* (qui est l'Espérance).

comme possible le rapprochement des vers de l'*Héautontimorouménos :*

> *Je suis de mon cœur le vampire,*
> *— Un de ces grands abandonnés*
> *Au rire éternel condamnés,*
> *Et qui ne peuvent plus sourire!*

avec un passage du *Melmoth* de Martin (« personnage dont la nature de vampire se trahit notamment à ce qu'il ne peut pas sourire »), mais comme vain et presque déplaisant un jeu qui autour du vers :

> *Je veux te raconter, ô molle enchanteresse,*

groupe le vers du *Cénacle* de Sainte-Beuve :

> *Fuyez des longs loisirs la molle enchanteresse*

et celui des *Voix intérieures :*

> *Venez que je vous parle, ô jeune enchanteresse.*

Les auteurs dont Baudelaire a tiré parti, soit par des emprunts presque textuels, soit, ce qui est plus important, en vertu d'une conscience secrète d'analogie, ont été souvent désignés. Il n'est que de rappeler Edgar Poe pour saisir cette part presque magique d'influence. M. Jean Pommier a consacré une étude à rapprocher Baudelaire d'Hoffmann, Baudelaire qui disait de la princesse Brambilla qu'elle lui

avait offert un « catéchisme de haute esthétique ». Et les
œuvres de Thomas de Quincey, de Byron, de Gray, de Longfellow, ont fourni aux *Fleurs du Mal* le point de départ
d'images transposées, le germe déjà visible de beautés toutes
nouvelles. M. Jacques Crépet nomme, souvent et, semble-
t-il, avec beaucoup de raison, le *Melmoth* de Martin, l'*Al-
bum d'un pessimiste* d'A. Rabbe, le *Diable amoureux* de
Cazotte, les ouvrages de Swedenborg et les *Soirées* de Jo-
seph de Maistre. Il insiste aussi très raisonnablement sur
l'influence de Théophile Gautier dont beaucoup de vers,
médiocres ou honnêtes, se lisent en transparence à travers
la splendeur baudelairienne, comme certains fragments de
Nerval, de Pétrus Borel, de Victor Hugo ou de Banville.
Enfin, autour des *Fleurs du Mal* veillent aussi, par des réminiscences, à la fois dissimulées et pressantes, les œuvres
des poètes de la Pléiade, de Ronsard surtout et de certains
précieux, ce qui est fort naturel de la part de celui qui a
écrit : « Le concetto est un chef-d'œuvre. »

Si l'on voulait, comme l'ont tenté certains critiques, étu-
dier ces emprunts et en souligner les formes diverses, on
verrait qu'ils ne sont précis que lorsqu'ils sont faits à la
prose ou à des poèmes étrangers, mais que de la poésie
française Baudelaire ne tire presque rien qu'il ne renouvelle
entièrement. Assez souvent, une œuvre en prose lui fournit
le thème, l'appareil extérieur et même des possibilités de
vocabulaire dont il discerne la mystérieuse vertu poétique.
C'est le cas de *L'Irréparable* qui reprend certaines images
et des formules de la *Belle aux cheveux d'or*, féerie jouée
au théâtre Saint-Martin par Marie Daubrun. C'est également
le cas du court poème *Châtiment d'orgueil*, qui tire sa
substance (comme l'a montré M. Albert-Marie Schmidt)
d'une anecdote racontée par deux moines du XIIIe siècle et
reproduite par Michelet. De même, *Le Vin de l'assassin*
semble avoir été inspiré par une page de *Champavert* de
Pétrus Borel, et *Un Voyage à Cythère* renvoie à une description de Gérard de Nerval. (« Le point de départ de
cette pièce est quelques lignes de Gérard qu'il serait bon
de retrouver », a écrit Baudelaire en marge d'un manus-
crit). Mais *Le Guignon* est l'exemple le plus célèbre d'une
œuvre toute personnelle, faite d'emprunts et presque uniquement traduite : les deux quatrains, on le sait, dérivent
d'une strophe de Longfellow, les deux tercets, d'une stro-

phe de Thomas Gray, et le titre lui-même (d'après R. Vivier) serait pris à Sainte-Beuve. Et *Le Guignon* n'en supporte pas moins la gloire d'une invention poétique complète et d'une combinaison d'effets aussi pure que si deux modèles n'en avaient pas été la cause. C'est à un autre type d'emprunt qu'appartient un poème comme *Le Flambeau vivant*. De l'élégie *A Hélène* d'Edgar Poe, il reproduit non seulement certains vers, mais le sens mystique, le symbole et l'image; il s'en éloigne par la couleur intérieure, solennelle et triomphante chez Baudelaire, plaintive, presque éteinte chez Poe, et cette différence de timbre assure l'originalité, l'usage irremplaçable de chacune des deux formes. Enfin, l'imitation de Virgile dans *Le Cygne*, de Stace dans *L'Invitation au voyage*, ou d'Eschyle dans *Obsession* n'est plus qu'un repère fragile, tel qu'à partir de lui on ne peut remonter à l'œuvre inspiratrice que comme à une source belle de ce qu'elle alimente et riche de ce qui s'est écoulé d'elle.

L'abondance de ces références littéraires, si l'on en approfondissait l'étude, devrait permettre d'entrevoir les opérations propres à l'esprit créateur de Baudelaire. Elle illustre aussi le caractère d'une inspiration qui ne prétend pas sortir de rien, n'avoir besoin que d'elle-même et repousser, comme impures, l'étude et la méditation de formes déjà organisées, par conséquent fortement conventionnelles. On peut remarquer que l'empressement de Baudelaire à dénoncer ses emprunts, à nommer plagiats des imitations aussi innocentes que celles de Stace ou d'Eschyle, témoigne d'une intention qui se retrouve également chez Rimbaud et chez Lautréamont. Ces trois poètes ne sont pas seulement attirés par le désir de scandaliser en se faisant gloire d'une défaillance morale et esthétique. Ils sentent que la poésie peut cesser entièrement d'être nouvelle sans cesser d'être originale, que son efficacité, sa pureté, sa force d'origine ne sont pas nécessairement brisées dans l'étau des réminiscences et sous le poids du déjà dit et qu'un poète réussit parfois à s'exprimer lui-même et d'une manière qui lui est propre en s'exprimant comme un autre. Ce paradoxe a toutes sortes de sens. Mais on a le droit d'y voir aussi un acte de foi dans le langage et dans la rhétorique qui, souvent, de ce qui a vieilli tirent un charme nouveau fait pour **durer éternellement.**

DIGRESSIONS SUR LE ROMAN

I

MALLARMÉ ET L'ART DU ROMAN

Les livres de M. Mondor sur Mallarmé nous ont donné l'occasion de relire l'admirable lettre où s'exprime l'espoir du poète préparant le *Coup de dés*. Cette lettre célèbre, si souvent prise comme sujet d'étude par les commentateurs, rêvée et parfois secrètement refaite par les meilleurs esprits, il semble, lorsque le hasard la restitue à nos souvenirs, qu'elle soit encore toute nouvelle et qu'elle oblige celui qui la lit à la connaître comme un texte préservé qu'aucune méditation n'a jamais approché. Lisons-la donc naïvement. Le plaisir qu'elle donne est fait du plus pur orgueil d'où il est toujours possible de tirer quelque lumière. Ce que rêve Mallarmé ? « Quoi, écrit-il, c'est difficile à dire : un livre tout bonnement, en maints tomes, un livre qui soit un livre, architectural et prémédité, et non un recueil des inspirations de hasard, fussent-elles merveilleuses... j'irai plus loin, je dirai : le Livre, persuadé qu'au fond il n'y en a qu'un, tenté à son insu par quiconque a écrit, même les génies. L'explication orphique de la Terre, qui est le seul devoir du poète et le jeu littéraire par excellence : car le rythme du livre alors impersonnel et vivant, jusque dans sa pagination, se juxtapose aux équations de ce rêve, ou Ode... » Ce passage, on le sait, est suivi d'un autre où Mallarmé se résigne « non pas à faire cet ouvrage dans son ensemble (il faudrait être je ne sais qui pour cela), mais à en montrer un fragment exécuté, à en faire scintiller par un plan l'authenticité glorieuse, en indiquant le reste tout entier auquel ne suffit pas une vie. Prouver par les portions faites que ce livre existe, et que j'ai connu ce que je n'aurais pu accomplir ».

Ce texte a inspiré d'excellentes méditations sur le langage tel que Mallarmé, par une étude minutieuse des mots et de leurs relations, par un effort opiniâtre d'expérimentation sur les figures et l'âme secrète des syllabes, par une volonté toute-puissante d'accroissement et d'illumination, l'a ordonné à un usage que nul autre n'avait encore terni. Cependant, un pareil texte n'est pas seulement admirable par la pureté et la nécessité qu'il impose, dans une union réellement délicieuse, à la poésie désormais séparée de tout hasard; il confesse une audace bien plus grande et il joue, sans mystère, avec le mystère par excellence qu'il pénètre par quelques mots simples, complètement accessibles et même charmants. Simplicité et clarté dont l'innocence finit par ressembler à un piège. On ne sait que penser de cette main qui offre, comme en passant, la clé de toute création. On se demande si elle ne retire pas ce qu'elle donne, en donnant dans sa réserve infiniment plus qu'elle ne promet. Et l'on en vient à croire que ce texte, si mystérieux et si clair, est comme une révélation inabordable, destinée à effacer par sa simplicité radieuse l'importance de ce qu'elle révèle.

Il est curieux qu'aucun romancier n'ait découvert dans les remarques de Mallarmé une définition de l'art du roman et une allusion chargée de gloire à ce qu'il est appelé à faire. Pourtant, il y a, dans cette page, une conception si profonde du langage, une vue tellement étendue de la vocation des mots, une explication si universelle de la littérature que nul genre de création ne peut s'en trouver exclu. L'écrivain qui par une mission inquiétante se voit obligé de construire les rigueurs de la fiction avec les facilités de la prose, n'est pas moins directement interpellé que le poète. De toute évidence, on ne peut séparer l'un de l'autre que si l'un des deux — ce qui, il est vrai, est le sort commun du romancier — se sépare lui-même de ce qu'il est. C'est le même homme qui, avec une différence et une identité complètes de moyens, avec des vertus pareilles et une discipline sans commune mesure, à la fois uni et ennemi dans une rivalité exténuante, produit l'œuvre qui définitivement le divise, poète qui perd tout si la prose le touche, prosateur qui est néant s'il ne peut égaler le poème par un art d'où tout emprunt au poème est éloigné.

C'est donc arbitrairement qu'on peut penser à l'art du roman en réfléchissant sur ce livre auquel Mallarmé rêvait. C'est néanmoins avec raison qu'on doit tenir le romancier pour un auteur possible de ce livre et le prier d'en considérer les admirables conditions. Tout lui sera aisé, s'il veut bien rompre avec la plupart de ses habitudes et accepter un instant d'aller, avec Mallarmé, jusqu'aux principes du langage. Quel était, en effet, le langage pour Mallarmé et comment le langage avait-il pu lui apparaître, non seulement comme le fond de la poésie (ce qui, d'une certaine manière, aurait eu peu de sens), mais comme l'essence du monde? On comprendra qu'une pareille question ne puisse être posée que parce que son ampleur même nous dispense, dans une simple note, de toute réponse ambitieuse. D'abord, ne rappelons pas l'évidence, à savoir que Mallarmé, plus profondément qu'aucun autre, a conçu le langage non pas comme un système d'expression, intermédiaire utile et commode pour l'esprit qui veut comprendre et se faire comprendre, mais comme une puissance de transformation et de création, faite pour créer des énigmes plutôt que pour les éclaircir. Les conséquences de cette pensée ont obligé Mallarmé à aller très loin. Le langage est ce qui fonde la réalité humaine et l'univers. L'homme qui se révèle dans un dialogue où il trouve son événement fondamental, le monde qui se met en paroles par un acte qui est sa profonde origine, expriment la nature et la dignité du langage. L'erreur est de croire que le langage soit un instrument dont l'homme dispose pour agir ou pour se manifester dans le monde; le langage, en réalité, dispose de l'homme en ce qu'il lui garantit l'existence du monde et son existence dans le monde. Nommer les dieux, faire que l'univers devienne discours, cela seul fonde le dialogue authentique qu'est la réalité humaine et cela aussi fournit la trame de ce discours, sa brillante et mystérieuse figure, sa forme et sa constellation, loin des vocables et des règles en usage dans la vie pratique.

Il est indispensable de reconnaître qu'une telle pensée n'a rien à voir avec l'opinion d'après laquelle le fond de notre nature ou de la nature, étant saisissable, peut finalement être exprimé. C'est sur un tout autre chemin que le poète s'engage. Il affirme que notre réalité humaine est poétique en son fond, est le discours qui la met à décou-

vert, mais cela signifie que la poésie et le discours, loin de
constituer des moyens subordonnés, des fonctions très
nobles, mais soumises, sont à leur tour un absolu dont le
langage banal ne peut même apercevoir l'originalité. Que
le langage soit un absolu, la forme même de la transcendance et qu'il puisse néanmoins être accueilli dans une
œuvre humaine, voilà ce que Mallarmé a considéré avec
tranquillité et pour en poursuivre immédiatement les
conséquences littéraires. Il a rêvé, on le sait, et ébauché un
livre qui fût aussi chargé de réalité et de secret, aussi
impénétrable et aussi clair, d'un ordre aussi visible et aussi
ironiquement caché que le monde. Il a pensé à un ouvrage
capable de tenir la place de l'univers et de l'homme dont
il serait issu. Il a vu et formé la page destinée, par un
ensemble de relations réfléchies et par des mots en
somme significatifs, à créer pour l'homme l'équivalent
d'une énigme mortelle et d'un silence désespérant. L'obscur Mallarmé a fait briller, comme quelque chose de sensible et de clair, ce qui ne pouvait être exprimé que dans
une absence totale d'expression. S'il avait mérité d'être
pris comme objet de scandale, il eût dû l'être pour ce qu'il
y avait de trop grande clarté dans son œuvre, là où la
clarté ne pouvait être que le suprême défi et le reflet d'une
ambition démesurée et néanmoins satisfaite.

Le caractère périlleux d'une telle tentative est bien facile à discerner. Mais ce péril en est la principale raison
d'être, et il est dans sa destination de faire apparaître « le
jeu littéraire » (l'expression est dans la lettre de Mallarmé), c'est-à-dire une activité par certains côtés ineffi-
cace, comme l'effort le plus dangereux, comme une tragédie au terme de laquelle l'esprit ne peut que succomber
sous l'inutilité de son triomphe. Cette révélation du plus
grand danger dans l'innocence d'un jeu frivole est parfaitement figurée par quelques-unes des poésies où il semble
que le sujet ne soit qu'un rien, ne soit rien. Elle est fondamentale dans toute l'œuvre de Mallarmé. Elle l'est pour
toute œuvre. Le poème, comme tout ouvrage de l'esprit,
ne peut que dénoncer le péril que le langage représente
pour l'homme; c'est le danger des dangers; c'est l'éclair
qui lui révèle, au risque de l'aveugler et de le foudroyer,
qu'il est perdu dans la banalité des mots usuels, dans la
communauté de la langue sociale, dans la quiétude des

métaphores apprivoisées. Le langage essentiel brille soudain au cœur de la nue, et son éclat attaque, consume, dévore le langage historique qui est compromis, mais non remplacé. Et là est le danger suprême, celui qui pousse au silence, par l'exercice d'une intelligence prise dans des travaux infinis et par la rigueur d'un esprit qui retrouve sans cesse le hasard, le créateur assez familier avec soi pour contrôler tout ce qu'il imagine, assez conscient de ce qu'il veut pour repousser toute forme impure ou inauthentique et assez persévérant pour rencontrer, dans cette poursuite prodigieuse, sous la forme d'un admirable néant, le destin qu'il a mérité. Un tel silence a comme une beauté parfaite. Les images se sont éteintes. Les métaphores se sont dissipées. Les mots sont entr'ouverts. Il n'y a plus, au sein de l'esprit, qu'un poème désormais incorruptible qu'une complète nécessité semble avoir réduit à l'absence et qui, pourtant, se reconnaît dans cette absence comme l'image — dernière image — de la plénitude et de l'absolu.

Ces rêves, douloureux à tout créateur, ne peuvent paraître qu'insensés et même impensables au romancier qu'un si grand orgueil confond. Ce qu'ils ont d'atroce et de dangereux témoigne cependant d'une ambition capitale à laquelle nul art et, moins qu'aucun autre, l'art du roman, ne peut se refuser. Les romanciers qui en mourront ne seront jamais très nombreux. Il n'y a pas à craindre ni, hélas! à espérer, que les lettres soient dépeuplées par le désespoir d'une rigueur trop parfaite et par un effort mortel de conscience. En vérité, on ne voit pas pour quelle raison l'extrême perfection du travail, dont Mallarmé a donné le modèle, ne serait accessible qu'au poète. On discerne mal pourquoi le romancier, par le seul fait qu'il écrit en prose, ne devrait pas protéger ce qu'il crée par les scrupules, les refus et la résistance au facile qui sont, en poésie, la garantie d'une certaine pureté. Le romancier qui réfléchit sur l'œuvre qu'il a à composer, se trouve immédiatement aux prises avec des problèmes si graves et si épuisants qu'ils ne peuvent que lui sembler impossibles. Cette impossibilité doit être l'âme secrète de son travail. Elle lui apporte les exigences auxquelles il se peut qu'il succombe, mais qui, dans sa défaite même, le rendent conscient de ce qu'il désire. Pourquoi n'entendrait-il pas le mot création avec toute la force qu'il doit en obtenir ?

Pourquoi, rejetant l'absence de contraintes qui ne lui permet tout que pour le condamner à ne faire rien, n'aurait-il pas le souci d'une nécessité particulière en dehors de laquelle son œuvre ne peut être qu'un simulacre et une figure de mensonge? Le romancier doit se donner une loi, et la valeur réelle de cette loi, ainsi que la volonté plus ou moins forte de rejeter tout ce qui ne lui est pas conforme, mesureront seules la solidité de son ouvrage. Ne rien écrire et ne rien faire qui ne marque une défaite réfléchie du hasard et, par là aussi, sa victoire, c'est la première pensée que doive avoir un écrivain, s'il veut vraiment être un auteur.

Outre ces règles dont l'utilité lui est secrètement connue, il est presque inconcevable que le romancier n'accepte pas, comme faites pour lui, les considérations sur le langage auxquelles Mallarmé, comme du reste Hölderlin, Novalis et bien d'autres, s'est profondément heurté. Il y a, chez le romancier, un dédain non seulement de la langue qu'il écrit, mais de tous les problèmes formels, qui n'est dépassé que par la naïveté de ses solutions lorsqu'il y devient attentif. Il semble que, pour ce créateur, la prose doive seulement transmettre quelque notion déterminée ; après quoi, elle s'évanouit, ayant expiré dans l'esprit du lecteur où l'idée qu'elle apporte la remplace tout entière. Il est pourtant évident que cette vocation de la prose ne s'applique qu'au langage usuel. Le romancier a un tout autre destin que de se faire comprendre, ou plutôt il a à faire saisir ce qui ne peut être entendu dans le langage inauthentique quotidien. Il se donne pour tâche de faire descendre dans l'univers absolument lié des événements, des images et des mots, le dialogue essentiel qui le constitue. Il va donc, par le même chemin que tout autre artiste, vers ces étranges ténèbres dont le contact lui donne le sentiment de s'éveiller dans le plus grand sommeil, vers cette présence pure où il aperçoit toutes choses si nues et si réduites que nulle image n'est possible, en un mot vers ce spectacle primordial où il ne se lasse pas de contempler ce qu'il ne peut voir que par une totale transformation de lui-même. Lui demander alors que son ouvrage ait en toutes ses parties un sens défini et certain pour un autre que lui, c'est peut-être lui demander ce qu'il fera. Mais c'est un accident qu'il accepte comme une contrainte

extérieure à laquelle il ne sacrifie ni la rigueur générale
de son œuvre, ni son unité, ni la multiplicité de ses expressions, ni même l'absence de sens, si c'est là manquer
de sens que d'obliger l'esprit à être supérieurement pauvre au contact de la plus riche pensée. Son livre, comme
le livre de Mallarmé, doit tendre à être l'absolu qu'il con-
voite. Il existe par lui-même, et cette existence, aussi rigoureuse, aussi nécessaire que possible, est la seule signification qui soit exigible de lui. S'il persiste au delà de la
pensée qu'on en a, il est parfait. Le lecteur se sent désespéré
et ravi par ce livre qui ne dépend pas de lui, mais duquel
il dépend de la manière la plus souveraine, dans une relation qui met son esprit et son être en danger.

L'embarras incompréhensible du romancier vient très
souvent de l'ampleur et de la diversité des solutions que
son art lui propose et de son incapacité à les atteindre
dans leur pureté. Si on lui parle des problèmes formels,
il ne pense qu'à la langue dont il use et à la structure de
la composition. Si on lui remet en esprit que le propre du
roman, c'est d'avoir pour forme son fond même, c'est-à-
dire la fiction dont il vit, il croit devoir réfléchir à un sujet, à une intrigue extérieure, à un monde de personnages
et d'événements en tous points semblable à celui où nous
vivons. Revient-on au langage et l'oblige-t-on à penser
que la langue du roman doit être d'une certaine manière
aussi différente de la langue vulgaire que la langue poétique en est éloignée, le voilà qui s'étonne et se scandalise
de ce qui lui semble être un système de conventions ésotériques. Ces confusions sont si nombreuses qu'on ne saurait
les épuiser. On dirait que l'écrivain en prose n'est attentif
que par accident à ce qu'il écrit. Comment lui faire entendre que cette langue du roman doit être singulière en ce
sens qu'elle dépend uniquement de l'œuvre dont elle apparaît comme l'un des moyens et l'une des fins, mais qu'elle
ne peut en rien être confondue avec la langue littéraire en
général, sorte de langue commune purifiée, cultivée, chargée de figures propices? La vraie langue du roman, si
elle est toujours secrètement commandée par un ordre
d'images et de mots d'une nécessité rigoureuse, peut fort
bien n'apporter au lecteur, comme métaphore, qu'une
absence complète de métaphores, de tours recherchés, de
mots heureux. Elle s'appauvrit et se dessèche. Elle semble

perdre à la fois son corps et son âme. Elle est là, à titre
d'avertissement, pour provoquer le lecteur, grâce à un
pouvoir inanalysable, au sentiment de la fiction tragique
qu'elle effleure. Une langue qui périt peut parfaitement
être un jour reconnue comme nécessaire par un romancier
un peu scrupuleux. C'est une tâche qui demanderait la
connaissance la plus approfondie des moyens de l'art universel, une domination presque absolue de l'univers des
mots, le sens le plus profond de la création des images
et enfin un goût mortel de la perfection. Ce romancier,
pour lequel un écrivain comme Joyce nous offre quelques
traits, se poserait assurément les mêmes problèmes dans
lesquels Mallarmé a épuisé sa vie et, comme Mallarmé, il
serait heureux de vivre pour effectuer en soi des transformations singulières et pour tirer de la parole le silence
où il doit mourir.

II

LAUTRÉAMONT

Il est singulier qu'on ait généralement négligé de voir
dans les *Chants de Maldoror* ce qui, d'après Lautréamont
lui-même, en était la justification. Au début du sixième
chant, il écrit : « Espérant voir promptement, un jour ou
l'autre, la consécration de mes théories acceptée par telle
ou telle forme littéraire, je crois avoir enfin trouvé, après
quelques tâtonnements, une formule définitive. C'est la
meilleure : puisque c'est le roman ! » Il y a sans doute
un peu de puérilité à tirer d'une œuvre presque indéfinissable des remarques qui puissent servir à la définition ou
à la considération d'une forme littéraire précise. Cependant,
l'une des plus grandes beautés de *Maldoror* vient de cet
effort caché vers une sorte de livre pur, de roman idéal
et modèle, d'œuvre digne du nom de roman et pourtant
privée de toutes les conventions ordinaires et de toutes les
facilités de la tradition. De chant en chant, le lecteur voit
naître et mourir un récit qui cherche en vain à triompher
de la nécessité de l'expression. Il assiste à une poursuite
tourmentée où l'échec de la fiction fait partie de la fiction même. Il est pris passionnément par cette intrigue
d'un genre supérieur dont les principaux épisodes sont
faits de la destruction imparfaite de l'intrigue. De chant
en chant, alors que le grand fleuve des phrases emporte
l'attention dans un mouvement où elle se sent inutile,
alors que les formes successives des images se dissipent,
on voit apparaître soudain, dans une lumière redoutable,
des événements bizarrement agencés et d'une vraisemblance
impérieuse, qui sont comme la brusque irruption d'une

histoire sortie du sommeil de l'auteur et appelée à s'évanouir sans laisser de traces. A chaque page tout commence,
et tout semble détruit, et tout recommence jusqu'à ce que
le sixième chant révèle, dans un paroxysme de circonstances nues et d'anecdotes, le triomphe définitif de la fiction
et la fin de l'ouvrage dès que ce triomphe est assuré. Il
y a des raisons sérieuses pour voir dans les *Chants de
Maldoror* un roman dont le principal sujet est sa création
en tant que roman.

Considéré ainsi, le livre de Lautréamont montre des qualités qui manquent singulièrement à la littérature romanesque d'aujourd'hui, du moins en France, et qui ne pourront
continuer à lui faire défaut que dans le plus fâcheux déclin. Nous ne pouvons que signaler ici quelques-uns de
ces caractères de rupture.

Il y a chez Lautréamont une horreur profondément ressentie qui l'éloigne sans cesse du cours naturel des choses.
Son art frappe de mort toute œuvre qui se contente de
l'imitation de la réalité. Elle interdit tranquillement au
romancier le plaisir du récit. Elle supprime la plupart des
problèmes qui le préoccupent et qui viennent du choix
d'un sujet, de la considération des mœurs, de l'approfondissement d'une vaine psychologie. Tout ce qui constitue
la matière du romancier est aboli par l'action purifiante
de Lautréamont. C'est en dehors de toute histoire à proprement parler, de tout recours à des personnages, de tout
acquiescement à la vie, que le roman fixe son domaine.
C'est dans un mépris absolu de la vraisemblance et même
de la vérité psychologique qu'il cherche sa substance et
sa profondeur. Le refus de la psychologie est chez Lautréamont en tous points remarquable. Peu d'écrivains ont
réussi comme lui à aborder ce qu'il y a de stupéfiant et
d'inassimilable dans les grands sentiments, non seulement
en les contemplant dans des formes extravagantes et fantastiques, mais en les désignant avec une ironie ambiguë
dans leurs expressions les plus banales et les plus superficielles. Le caractère factice des émotions humaines apparaît avec une telle absence de sérieux que la vérité en est
détruite jusqu'au fond et que la tragédie éclate au cœur
de cette frivolité épouvantable. Désormais, tout ce qui est
ressenti ne peut l'être que dans l'angoisse étouffante de
son absurdité et de sa corruption.

Ces diverses singularités de *Maldoror* sont surtout négatives. Ce qui reste et suffit à fonder l'œuvre comme roman est un effort pour concevoir et produire le temps d'une manière qui ne ressemble à aucune autre. Le roman de *Maldoror* est en effet le roman d'un temps qui n'est pas le temps où les hommes vivent, ni le temps où ils pensent et sentent, mais le temps d'une action supérieure où la création s'accomplit dans des conditions d'efficacité et de promptitude dont nul exemple humain ne peut donner l'équivalent. M. Gaston Bachelard, dans une suite d'analyses pleines d'intérêt, a montré que « la poésie de Lautréamont était une poésie de l'excitation, de l'impulsion musculaire », la poésie de l'acte vigoureux qui trouve son complet épanouissement dans l'attaque, la violence, le déchirement des conditions vitales au profit d'une décision fulgurante. Le temps de *Maldoror* serait-il, dans ces conditions, le temps de l'agression? Il semble qu'il soit plus encore. C'est une durée d'un rythme nouveau, où l'existence se consume sans déchets, où elle se détruit tout entière et se produit tout entière, où la création se manifeste non seulement par sa réalisation à partir de rien, mais par la facilité avec laquelle elle tire rien de quelque chose. C'est une « accumulation d'instants décisifs », comme dit M. Bachelard, mais c'est aussi une puissance d'un caractère original qui exclut par sa discontinuité toute référence à la conscience, dont le cours est imprévisible, plus parce qu'elle peut s'anéantir elle-même que parce qu'elle peut tout créer et qui aboutit, dans son anéantissement comme dans sa frénésie de production, à une ivresse d'exaltation totale.

C'est dans cette durée que *Maldoror* prend forme. Ce héros imaginaire, victorieux jusque dans sa défaite et riche de forces toujours renaissantes, toujours supérieures ou égales à celles d'un invisible adversaire, apporte à l'ouvrage son second thème, d'un caractère plus traditionnel, mais accepté et même choisi comme le reflet d'une tradition puérile, celui de la cruauté et du mal. Maldoror, on le sait, est l'âme des puissances obscures. Il est la présence sans visage, le regard qui au lieu de voir les choses les altère, la puissance indéfinissable attachée à toute mauvaise pensée. Il est l'être sublime, jadis bon, aujourd'hui corrompu, dont le caractère maléfique vient de la

bonté même et autour de qui flotte une apparence ingénue
comme l'ombre redoutable et perverse de la pureté. Tous
ces traits sont connus et n'appartiennent pas plus en propre à Lautréamont que les figures fugitives et angéliques,
voyageurs mystérieux, êtres de pensée, qui apparaissent
un instant à l'horizon dans son œuvre et qui succombent
sans qu'on ait pu même discerner leur visage. Maldoror
est le mal dans l'attente pure, en éternel suspens, menace qui peut tout atteindre et qui frappe toute chose par
sa réserve qui la rend insaisissable, éclair qui brûle et qui
consume parce qu'il ne jaillit pas des nuages. Comment
Maldoror, symbole des forces vagues et ténébreuses, peut-il
se former et exister dans le temps plein de merveilles où
tout est mouvement, action délirante et décisive? Nous
touchons là, semble-t-il, au caractère fondamental et tragiquement singulier des *Chants de Maldoror*. Deux thèmes
contraires y luttent, ou plus exactement cette lutte même
est dédaignée par l'auteur qui accepte dans une harmonie
insupportable, dans une concorde paradoxale, deux aspirations brutalement opposées. Il en résulte que le mal,
seul sujet visible de l'œuvre, cette obscurité qui naît de
la mort et du désespoir, cette détérioration irrémédiable
de toute chose dont les métamorphoses animales sont la
profonde image, au lieu de se réaliser dans un temps déjà
à demi détruit, laissant entrevoir la déchéance de l'au-
delà, s'associe à la réalité d'une durée prodigieuse, d'un
temps d'exaltation, de force, de création qui est comme
un excès du réel. Le thème du mal suppose une sorte de
transcendance désolante dont le néant serait la limite de
rupture. Le thème du temps abolit toute transcendance et
absorbe dans la furie d'un instant illimité toute possibilité
de vie ou de mort. Le mal se confond avec la nuit où tout
tombe, se détruit et meurt. Et cette destruction et cette
mort s'accomplissent au sein d'une puissance de joie sans
égale, par des métamorphoses qui se déroulent dans une
accélération incroyable d'actes, au sein d'un temps avide
qui est le temps exaltant de la création. Nous sommes donc
en présence d'un monde que nulle expérience habituelle
ne nous permet d'approcher, un monde dont la bizarrerie
vient beaucoup moins des formes surprenantes qui s'y
montrent que de l'âme admirablement divisée, de la conception impertinente et secrètement destinée à nous sé-

parer du possible, au-dessus de laquelle plane une force
ironique, sorte de destruction qui crée, démiurge qui n'est
qu'un problème et dont toute la puissance, toute la vie
joyeuse et néfaste, naît de ce caractère problématique.

Le sens et la singulière allure de *Maldoror* se montrent
dans le heurt et la rencontre de deux univers absolument
contraires et cependant identiques. Le lecteur, même prévenu, avance à travers un malaise qui grandit jusqu'à devenir insupportable et dont la naissance, le lent envahis-
sement, est l'un des effets les plus volontairement calculés
du livre. Ce malaise, loin de le détourner de l'œuvre, l'y
attache par un véritable dégoût dont la pensée jouit comme
de quelque chose qu'elle désire plus que tout, au cœur
même de la nausée. S'en arracher, c'est s'arracher à la
nécessité. Y poursuivre son chemin, c'est continuer dans
l'impossible. Comment ne pas goûter cette contrainte supérieure imposée à l'âme qui ne peut ni se fixer ni se
refuser et qui parvient ainsi, sous le choc le plus grossier,
au sentiment insolite de ce qu'elle est? L'une des plus rares
qualités de Lautréamont est dans ce caractère d'assujettissement qu'il a su donner à la succession la plus arbitraire et la plus fortuite par la vertu d'une forme minutieusement liée et souvent parfaite. Cette forme pose par
rapport au sens de l'œuvre divers problèmes pour lesquels
une longue étude serait utile. Le style de *Maldoror,* d'une
étrange solennité, d'une lenteur sans cesse retardée par
un enchaînement de digressions qui semblent n'aboutir
nulle part et qui conduisent cependant l'esprit avec une
assurance supérieure, fait le plus singulier contraste avec
la rapidité du temps dont il est l'expression. C'est à travers toutes sortes de sauts et d'escalades et en même
temps dans le rythme le plus uni, le plus solennellement
développé, que la marche atteint son point extrême de
promptitude et de violence. De plus, l'apparente discontinuité du texte, qui l'a fait prendre bien à tort pour un
produit de l'écriture automatique, vient presque toujours
du caractère extrêmement lié de la prose, de l'enchaînement indubitable du discours, que la syntaxe dirige par la
distribution de ses mouvements dans une progression que
le sens n'oublie jamais de suivre, mais à quelque distance
seulement, avec un retard ironique. Enfin, pour la première
fois, apparaît dans notre littérature romanesque ce qui

semble devoir en être le principal ressort d'invention. Pour
la première fois, la recherche des métaphores aboutit à la
production de métamorphoses dont l'étrangeté s'explique
par la destruction de toute image de passage, de tout intermédiaire, par le saut brusque de la pensée ou du sentiment
le plus simple dans une réalité stupéfiante qui en est le
lointain aboutissement. C'est là l'un des grands mérites
de Lautréamont. Il a su, avec une extraordinaire puissance, suivre le cheminement de l'image, la pousser le plus
loin d'elle-même, et, parvenu au terme, produire pour le
lecteur épouvanté la réalisation terrifiante où elle se fixe.
Entre le point de départ et le point d'arrivée, plus rien,
plus rien qu'un abîme qui semble infranchissable et par-
dessus lequel Lautréamont est cependant passé dans un
mouvement logique et cohérent, par une démarche sûre
dont la rapidité est liée à sa conception même du temps.
Si singulier que cela paraisse, il n'y a rien dans ce mouvement qui doive être regardé comme l'exigence personnelle
d'un auteur trop original. Nous retrouvons la même progression chez presque tous les écrivains qui ont le sens
de la création romanesque et de la forme qui lui convient,
chez un Jean-Paul comme chez Jean Giraudoux. La seule
différence est chez ces derniers dans l'harmonie de la dialectique, dans le développement conscient des images, dans
le mouvement qui ne néglige aucun intermédiaire et qui
nous fait passer insensiblement, avec une autorité douce
et terrible, par un progrès dont nous nous apercevons à
peine, de la simple allégorie au symbole paradoxal et irrécusable qui se brise devant la réalité où il nous a amenés.
Cette distribution d'attentes et de puissances prochaines
manque à Lautréamont. Il a préféré un mouvement plus
prompt et plus hardi. Il s'est jeté au plus loin de lui-même.
Et dans son avance foudroyante il lui est arrivé de s'arracher à sa propre forme et de se perdre dans une colère
illusoire, dans une vaine et fatale insurrection.

III

L'ART DU ROMAN CHEZ BALZAC

M. Maurice Bardèche a publié une thèse sur Balzac où l'œuvre du romancier est étudiée sous un point de vue qu'on avait négligé jusqu'ici (*Balzac romancier*). C'est un fait remarquable que, parmi toutes les études consacrées à l'un des maîtres du roman français, aucune, avant le travail de M. Bardèche, ne se soit attachée à l'art même du roman. De nombreux livres avaient dégagé la personnalité de Balzac et défini l'esprit de son œuvre. Nul critique n'avait cherché, pour comprendre cette œuvre, à en retrouver les moyens techniques, à discerner les calculs, les opérations conscientes, les échanges heureux entre la conception et les actes qui ont rendu cette œuvre possible. En d'autres termes, aucun critique ne s'était donné pour objet ce qui est la tâche même de la critique : la recherche des actions distinctes qui permettent à un artiste de sortir de la confusion de ses projets pour atteindre, par un effort conscient, à la création qu'il médite.

Le livre de M. Bardèche est donc nouveau par le problème qu'il étudie. Son dessein a été de suivre chez Balzac la formation de l'art du roman. Il s'est demandé comment Balzac avait appris son métier de romancier, comment il s'était dégagé des expériences de l'apprenti et quelles découvertes l'avaient conduit à approfondir les premières formes de son invention pour faire d'elles les éléments originaux de ses grandes œuvres. L'analyse de M. Bardèche part des premiers manuscrits de Balzac et s'arrête au *Père Goriot*. Elle apporte sur cette période, pendant laquelle Balzac est devenu « maître de son art comme roman-

cier », « maître de son œuvre comme créateur », tous les
éclaircissements qu'on pouvait attendre d'une enquête
conduite avec beaucoup de rigueur et une parfaite intelligence critique.

La méthode qu'a suivie M. Bardèche lui était imposée
par le caractère de son travail. Analyse des ouvrages, recherche des procédés, étude des problèmes qui se sont peu à
peu imposés à Balzac, il n'a négligé aucun des moyens que
lui donnaient l'examen méthodique de l'œuvre et une étude
objective des sources. Il n'y avait probablement pas d'autre méthode possible. Un effort tout différent et peut-être
assez aventureux aurait consisté à rechercher les lois de
l'esprit chez un créateur comme Balzac, à imaginer et à
retrouver les mouvements nécessaires de son invention tels
qu'ils apparaissent dans les exigences de ses ouvrages, à
discerner d'après les formes de la construction les habitudes
et les structures de l'esprit qui a construit. C'est là un travail auquel on peut rêver. On aimerait voir en l'auteur de
la « Comédie Humaine » le personnage privilégié d'une
autre comédie, celle de l'intelligence, où les drames, les intrigues, les péripéties sont d'ordre mental et ne mettent
en cause que les efforts de la pensée. Comment ne pas chercher à imaginer les aventures d'un esprit lorsqu'il est aux
prises avec une création considérable et qu'il tire de ses
propres hasards intellectuels un ordre nécessaire et fécond?
Ce projet étant irréalisable est merveilleusement excitant.
Et l'un des grands mérites du livre de M. Bardèche est de
n'en avoir pas détourné ses lecteurs mais au contraire
d'avoir accru la tentation de le réaliser en apportant pour
l'exécuter les matériaux les plus précieux.

On peut toujours chercher chez un grand écrivain l'attitude centrale à partir de laquelle son œuvre est devenue
possible. Lorsqu'on passe par les chemins qu'a dégagés
M. Bardèche, lorsqu'on essaye de comprendre avec lui le
mécanisme du travail balzacien, on s'aperçoit que l'un des
traits profonds de Balzac a été la nature abstraite de son
imagination et le caractère de fatalité logique avec lequel
il a conçu la nécessité. Il n'est pas besoin de préciser aujourd'hui que Balzac n'a rien de commun avec les romanciers réalistes dont pendant longtemps, par un malentendu
ridicule, on a voulu voir en lui le modèle. Il est clair que
peu d'écrivains ont moins que lui obéi au goût de l'obser-

vation, au souci de la vraisemblance, aux soins de l'analyse psychologique. Et presque aucun n'a suivi plus fortement les exigences dramatiques de l'invention et déroulé avec plus de suite les conséquences d'une conception tout intérieure. L'œuvre de Balzac a été faite pour conquérir à l'égard du monde habituel une indépendance complète. Elle n'est ni le décalque ni la caricature de la réalité. Elle prétend à exister par elle-même. Son ambition est d'attirer le lecteur, de le retenir en lui rendant inhabitable l'univers réel et de lui fermer toute issue pour qu'il ne puisse plus imaginer d'autre manière de vivre que celle de la « Comédie Humaine ».

Il n'y a donc pas à revenir sur l'étendue de la création balzacienne où l'imagination se substitue à la réalité. Ce qui apparaît en outre et ce qui permet de saisir l'un des ressorts de cette imagination, c'est qu'à certains égards cette création est purement intellectuelle, qu'elle est tout entière fondée sur la puissance d'expansion des idées. M. Bardèche a très bien mis en lumière les grands moments de la vie créatrice de Balzac qui sont les moments où celui-ci a pris conscience de la force abstraite de son imagination et où il a découvert la fécondité de certains symboles. Par exemple, en concevant *La Peau de Chagrin*, il éprouve le sentiment triomphal de fonder toute son œuvre, d'en ouvrir toutes les voies, de tenir tous les fils qui en composeront la trame. Pourquoi? Parce qu'il vient de découvrir cette idée tout abstraite et générale : la puissance destructrice de la pensée. Dans cette idée il voit déjà les personnages qui l'illustreront, les situations qui en exprimeront la richesse, tout un monde prodigieux de drames et d'existences tirés d'une seule hypothèse. De même, avec *Le Père Goriot*, il découvre que la société, par le mouvement implacable qui l'entraîne vers l'or et le plaisir, contient en elle un germe de mort, et cette pensée nouvelle lui apporte les mille sujets tragiques dont l'organisation constituera, dans un va-et-vient extraordinaire, par une circulation ininterrompue de personnages, la forme de la « Comédie Humaine ».

Il apparaît donc que Balzac n'a pu atteindre le monde de sa fiction qu'en le pensant, qu'il a trouvé dans des idées générales le principe d'animation d'une œuvre essentiellement concrète. C'est là un fait auquel on ne saurait trop réfléchir. Il est extraordinaire de voir comment certains personnages de Balzac, en obéissant de la manière la plus stricte à la loi abstraite qu'ils portent en eux, expriment une existence d'une fureur et d'une puissance extrêmes. La passion mécanique qui les mène ne cesse de dépendre de la forme qu'elle traduit, mais cette passion crée le monde contre lequel elle se heurte et, bien que tout y soit calculé, que les autres passions contre lesquelles elle lutte manifestent la même rigueur de fatalité mécanique, c'est un champ illimité de hasards tragiques et de péripéties imprévisibles qui s'impose à l'esprit qui le contemple.

Il y a, dans chaque personnage de Balzac et dans chaque œuvre où ces personnages se rencontrent, et dans l'ensemble de la « Comédie Humaine » où toutes ces œuvres prennent rang, un entre-croisement d'idées, une combinaison de formules, une liaison de mouvements intellectuels dont la complexité et la vigueur logique sont poussées si loin qu'elles atteignent une force et une violence presque inhumaines. L'idée fixe qui est la marque de tant de héros balzaciens est, dans un certain sens, la marque de la création balzacienne. L'idée s'empare de cette immense possibilité d'expressions qu'est l'esprit de Balzac; elle leur impose ses exigences inépuisables; elle tire d'elles une suite de conséquences qui, se développant sans fin, avec un mouvement de plus en plus contrarié par l'enchevêtrement même de ses propres déductions, finissent par éclater dans un drame d'une puissance effrayante où ne subsiste que la conception hallucinatoire d'un esprit qui impose son rêve comme la seule réalité authentique.

Balzac a eu, à un degré très grand, le sens de la nécessité dans l'œuvre romanesque. Cette nécessité ne s'exprime pas seulement par la fatalité abstraite, qui est le profond destin de ses héros, elle n'est pas seulement la raison des méthodes de composition dont il s'est servi avec un art médité. Elle explique aussi le caractère vertigineux que prend, à certains moments, la vie de ses héros ou la forme de ses récits. M. Bardèche a analysé les scènes célèbres où les personnages encore durs et rigides de l'avare, de la coquette, entrent par le mouvement impitoyable de leurs passions dans un monde d'une étrange spontanéité. Gobseck devant les diamants de la comtesse de Restaud éprouve un ravissement, une illumination de joie, qui le rend à une

sorte de vie où l'avarice perd son sens. Le père Goriot, lorsqu'il peut admirer ses filles au milieu de leur luxe, ressent
une joie délirante où le caractère de son amour paternel
disparaît. Le déroulement rigoureux de la passion produit
un dépassement de cette passion et aboutit à un délire verbal où le désordre, l'incohérence, l'ordonnance fortuite sont
à ce moment justifiés. C'est l'instant où le hasard dans
toute sa beauté et sa grandeur concrète prend en charge la
loi de la nécessité, la représente complètement, où ce qui
est vraiment sans cause est aussi vraiment nécessaire.

On peut faire des remarques analogues en ce qui concerne la conduite du récit. Il y a souvent chez Balzac, dit
M. Bardèche, un moment où il feint que le récit lui échappe.
En réalité, à force de suivre les événements dont le mouvement l'entraîne, il ne peut pas souffrir l'attente générale
et régulière qu'il a suscitée. Il est contraint de devancer
son propre mouvement et, à cause même de l'élan logique
qu'il s'est donné, il manque à la logique en se perdant dans
une sorte d'ivresse et de vertige. Dans ce délire, il devient
impuissant à exprimer le rythme des faits, mais cette impuissance est justement la seule manière de les exprimer,
de se soumettre à l'enchaînement fatal qui les unit les uns
aux autres et dont, dans le silence saccadé de l'écrivain, on
entend l'effrayante cadence abstraite. Comme tout à l'heure
l'idée qui animait les personnages, l'idée qui est scandée
par le déroulement des faits est plus forte que l'esprit qui
l'a conçue. Elle impose une réalité imaginaire, d'autant
plus puissante, que cette réalité est le développement inéluctable et forcené d'un calcul mental. Le vide du récit marque la région où l'esprit se perd à force de logique et de
cohérence, conduit par lui-même au delà de lui-même dans
des ténèbres redoutables dont le créateur ne sait rien.

Cette dialectique de la composition a pris les formes les
plus diverses. Il arrive que le langage y participe, l'idée
fixe prenant possession des mots et tirant d'eux une progression d'images qui aboutit à une véritable danse hallucinatoire. Il s'agit, dans ce cas, de développer une comparaison pour épuiser tout ce qu'elle contient. Les exemples
de cette contamination abondent. Si Balzac écrit, comme
dans *César Birotteau*, que M. Molineux est un petit rentier
grotesque qui n'existe qu'à Paris comme un certain lichen
ne croît qu'en Islande, ce seul mot de lichen suffit pour

mettre en branle une implacable machination verbale aux termes de laquelle le rentier devient une véritable plante humaine à casquette tubulée et à racine bulbeuse. Dans *La Peau de Chagrin*, le rapprochement du mot dettes et du mot insecte provoque dans l'esprit de Raphaël une avalanche imaginaire : « Mes dettes jaillirent de partout comme des sauterelles : elles étaient dans une pendule, sur un fauteuil, incrustées dans les meubles desquels je me servais avec le plus de plaisir. » La description est emportée par une loi mécanique qui la rend déformante et irréelle à cause de sa fidélité logique. Elle se répète indéfiniment jusqu'à ce que l'invraisemblance ne puisse plus être endiguée. Elle ne se règle que sur elle-même, souverainement indifférente à la réalité qu'elle décrit et atteignant sans risque les métamorphoses les plus bouleversantes.

Cette nécessité, qui est la grande loi romanesque, Balzac a quelquefois donné l'impression qu'il s'y soustrayait parce qu'il a livré ses romans à une masse incroyable de détails. Il est à peine besoin de dire que cette quantité de traits infimes n'est pas là pour transcrire et imiter la réalité extérieure. Elle a un tout autre objet. Elle sert à donner aux grandes scènes auxquelles aboutit le déroulement paroxystique des idées-personnages et des idées-situations une signification, une puissance d'évocation surprenantes. Ces détails doivent préparer la sensibilité pour qu'au moment voulu le drame soit entendu et saisi dans toute son ampleur. Il faut qu'à cet instant les moindres mots aient des ramifications auprès de toutes les parties du drame, qu'ils appellent et convoquent les mille petites indications précédentes, faisant peser grâce à cet attrait toute la masse du roman sur sa conclusion, entraînant la totalité des éléments dispersés, des scènes fragmentaires, des petits épisodes vers la scène décisive où le hasard devient fatalité et le détail insignifiant, symbole. Telle est la nécessité dans l'art du roman balzacien. L'apparence de « vie » et de « vérité » n'a dans ce système pur qu'une importance secondaire. Ce qui compte, c'est une conception extraordinaire du monde transformé par un esprit qui le soumet sans le détruire et qui conduit jusqu'à ses dernières conséquences, mort et folie, les pensées qu'il a conçues.

IV

LE JEUNE ROMAN

Il est trop sûr que le roman français subit une sorte de crise. Malgré des œuvres d'un intérêt souvent vif, malgré des auteurs pleins d'heureux dons, on n'a pas assisté ces dernières années à un effort de renouvellement qui puisse se comparer aux tentatives de certaines littératures étrangères. Mis à part quelques ouvrages, les romans d'hier ont été remarquables par leur fidélité à une tradition tranquille et médiocre, qui n'exprimait elle-même que l'agréable survie d'erreurs peu fructueuses. Aucune inquiétude chez ces écrivains qui semblaient avoir pour seule ambition de recommencer leurs devanciers. Aucun écart dans ces livres doucement chargés de se relier à la société banale et au monde habituel des choses. Tout romancier naissant croyait se trouver inéluctablement devant la tâche de se raconter lui-même ou de raconter l'histoire d'un personnage emprunté à la vie courante. Peu d'invention, nulle audace, et presque aucune originalité, même conventionnelle. On pouvait se demander si le roman qui absorbait tant de talents et tenait une si grande place dans les lettres était encore un genre littéraire ou ne se réduisait pas plutôt à une entreprise souvent malheureuse pour divertir quelques lecteurs.

Les causes de cette décadence sont nombreuses. On ne peut penser à les rechercher en quelques lignes, ni même à y faire allusion. Tout ce que l'on peut dire, c'est que le roman semble s'être perdu par un goût puéril de réalisme, par un souci exclusif de fidélité à une observation extérieure, par la recherche d'une analyse toute superficielle et facile. On comprend très bien comment le roman français est devenu un simple décalque d'une réalité sociale et psychologique de convention. D'abord, des notions fausses sur une prétendue tradition romanesque, attachée à la peinture des mœurs ou à la description des conflits humains, ont encouragé le romancier à faire le sacrifice de toute force d'imagination et de toute volonté de création extravagantes. On sacrifie heureusement ce qui vous fait assez cruellement défaut. En second lieu, l'imitation de la société ou, comme l'on dit, de la vie a constitué pour le romancier un excellent moyen d'introduire une certaine nécessité dans une œuvre de fiction. Comment sauver du hasard un ouvrage dont les phrases se suivent sans rigueur, où presque tous les mots pourraient être remplacés par d'autres sans dommage, qui n'est qu'une combinaison de détails et d'épisodes assemblés fortuitement? Il n'est que trop naturel que l'écrivain se donne à lui-même cette réponse : mon roman qui est fait d'une suite aléatoire de mots et d'un enchaînement problématique de faits, où par conséquent rien ne semble justifié, a tout de même la justification que lui donne l'image de la vie; il bénéficie d'une certaine nécessité dans la mesure où il apparaît comme le récit d'événements qui ont eu lieu ou qui auraient pu avoir lieu. Il emprunte à la vérité extérieure la vraisemblance qui lui compose une liaison et un enchaînement.

Cette réponse pourrait être revendiquée par un grand nombre de romanciers. On en voit facilement les périls. La solution qu'elle propose consiste à faire dépendre la nécessité de l'œuvre de son objet plutôt que de l'œuvre elle-même. Elle tend à ne rien demander à l'art et tout à ce qui en est l'informe et vague matière. Il suffit que le lecteur retrouve à peu près, dans le livre qu'il parcourt, la vie qu'il a observée pour que cette impression grossière et irrégulière donne à un recueil de phrases qui ne s'appellent pas et qui même s'ignorent une unité et une légitimité complètes. Chose bizarre, on invoque pour rendre le roman nécessaire le fait qu'il reproduit des événements, eux-mêmes sans nécessité, système confus et impénétrable de chances et de hasards. Alors que le propre de l'œuvre véritable est de créer un monde où les êtres que nous sommes et les faits qui nous composent atteignent une nécessité et même une fatalité que la vie ne leur donne généralement pas, on prétend que la nécessité du roman réaliste et psychologique vienne de sa fidélité à exprimer les petits hasards de l'existence. On lui prête, pour le justifier, une imitation qui lui ôte toute ombre de causalité propre. Il n'est plus qu'un trompe-l'œil se raccordant tant bien que mal aux choses tangibles.

Une pareille conception a eu des conséquences qu'on pourrait presque déduire abstraitement. Il va de soi que cette imitation de la vie ne pouvait être qu'approximative et arbitraire. Comment imiter, dans une œuvre où quelque souci de composition et une liaison suivie du langage et de l'anecdote sont apparemment indispensables, la trame des choses réelles où il n'y a ni rythme, ni symétrie, ni figure, ni quoi que ce soit qui rappelle une loi littéraire ? Il s'est donc formé des conventions traditionnelles dans lesquelles les romanciers n'ont cessé de puiser et d'où ils ont tiré indéfiniment des personnages, des circonstances, une société, à mi-chemin entre le monde de l'observation extérieure et le monde fermé et pur des lettres. Un à peu près très médiocre les a contentés. Ils ont vécu sur des habitudes facilement reconnaissables d'où les plus hardis ne se sont évadés que par une volonté d'imitation plus minutieuse ou plus désordonnée. Tous, ou presque tous, ont gardé de la conception fondamentale du roman français le besoin de se référer à quelque chose d'extérieur, de chercher au dehors par un parti pris indéniable de vraisemblance l'unité qu'ils n'auraient dû assurer que par une organisation intérieure de leur œuvre. Ils ont, d'une part, conservé à *peu près* le moule habituel de notre roman fait d'un récit extérieurement bien composé avec une intrigue assez claire, des personnages assez significatifs, une société assez ressemblante; d'autre part, ils ont sauvegardé *à peu près* la loi de l'imitation et de la vraisemblance en introduisant un certain nombre d'observations, de détails vrais, d'éléments d'illusion, parfois un certain désordre, une timide incohérence, présentée comme conforme à la vie. La forme du récit empruntée à une tradition assez maladroitement héritée et constituant la part littéraire du roman, le fond du récit emprunté à l'observation nécessairement superficielle et arbitraire de la vie et composant la justification extérieure de l'œuvre, c'est de ces deux ingrédients que sont faits presque tous les livres de fiction. Et ces ingrédients eux-mêmes ne sont que l'endroit et l'envers d'une même convention, la vie telle qu'elle est représentée dans le roman n'étant et ne pouvant être qu'une vue littéraire, justement celle qui cadre avec la forme littéraire traditionnellement choisie.

Il est entendu que plusieurs œuvres ont en apparence rompu avec ce schéma et qu'elles ont cherché un cadre nouveau. Cela n'est pas contestable. Mais il n'en est que plus singulier de retrouver dans ces œuvres, fruits de talents très vigoureux et très hardis, le même esprit d'imitation, le même goût de la vraisemblance extérieure, la même crainte de trop s'éloigner de la vie. Leurs auteurs ont été comme retenus dans leur secret dessein d'invention par un génie traditionnel qui prétendait parler au nom de l'esprit français et qui les invitait à ne pas engendrer des monstres. On a quelquefois l'impression qu'ils ont ébauché en eux-mêmes des ouvrages dont ils ont été effrayés. Au lieu de se tendre pour accommoder leur puissance à l'imagination d'une forme toute nouvelle, ils ont cru bon de travailler à n'être pas si riches ni si audacieux. Ils ont dépensé pour se conformer aux habitudes romanesques autant de force qu'il eût été nécessaire pour en créer d'autres. Ils se sont faits violents contre eux-mêmes et, ayant voulu beaucoup moins qu'ils n'auraient pu, ils ont fini par s'échanger contre des auteurs plus modestes.

Il n'est pas besoin de dire que l'esprit d'invention et l'effort de rupture supposent une recherche terriblement exigeante de la nécessité, un éloignement de tout arbitraire, une conscience implacable, pour rejeter toute image ou toute création non justifiée, en un mot un contrôle et une domination extrêmes. C'est là, semble-t-il, le véritable enseignement de notre tradition. Elle nous permet de rêver à quelque écrivain, symbole de pureté et d'orgueil, qui serait pour le roman ce que Mallarmé a été pour la poésie et d'entrevoir l'œuvre dont celui-ci voulait faire l'équivalent de l'absolu. Mais comment nourrir un tel songe? Les livres ne valent que par le livre supérieur qu'ils nous conduisent à imaginer. Si éloignées que soient de ce roman idéal les œuvres qui paraissent aujourd'hui, on ne peut s'empêcher de regarder dans quelle mesure elles s'en rapprochent et de compter les surprises heureuses qu'elles nous réservent.

V

L'ÉNIGME DU ROMAN

Le petit livre que M. René Lalou a consacré au *Roman français depuis 1900* attire l'attention sur les difficultés qu'il y a à saisir le roman comme genre littéraire et à en discerner les conventions et les lois. Cette petite étude est d'autant plus significative qu'elle prend place dans une collection qui rendait difficile toute considération générale et presque obligatoire une longue énumération de titres, illustrés par de brèves analyses. M. René Lalou, ne pouvant s'attarder à approfondir ses pensées sur le roman, a mis toute son ingéniosité dans des classifications et des jugements elliptiques qui laissent voir d'une manière indirecte sur quelle conception du genre romanesque reposent ses préférences. Il y a dans ces ombres rapides de commentaire quelques postulats où l'on découvre les éléments d'une opinion sérieuse. Ce n'est pas seulement la pensée courante qui transparaît par ces détours, c'est une pensée déjà éprouvée, avide d'une définition exacte et propre à grouper le plus grand nombre possible d'œuvres valables. M. René Lalou nous livre donc par ses silences comme par ses réflexions un schéma de ce que la critique tient pour à peu près évident lorsqu'elle s'essaie à définir le roman comme œuvre d'art.

Il semble d'abord qu'on ne puisse négliger les cadres dans lesquels M. Lalou a choisi de répartir les œuvres des quatre cents romanciers dont il s'occupe. Il les a groupées dans six grands chapitres qu'il intitule romans de l'individu, romans de la province, romans de la société, romans de l'univers, romans d'imagination et romans de la destinée

(titre qui remplace celui de romans-fleuve ou romans-cycle).
Ce choix est remarquable en ce sens qu'il se fonde sur le
caractère des sujets ou la forme de l'anecdote. Ce n'est certainement pas sans raison que le critique range parmi les
romans de la province les œuvres de Georges Bernanos,
celles de Marcel Jouhandeau ou de François Mauriac. C'est
qu'il tend à penser que dans un ouvrage romanesque les
éléments qui peuvent paraître les plus extérieurs restent
des éléments essentiels. Il suffit que les paysages de l'Ar-
tois offrent leur miroir au drame de Mouchette ou du curé
d'Ambricourt pour que les romans de Bernanos demeurent
des romans de la province. Il suffit que le Chaminadour de
Jouhandeau, si important qu'il soit dans la géographie
infernale, apparaisse comme l'image d'une province réelle
pour que cette analogie assigne sa place à une œuvre excen-
trique. En d'autres termes, ce qu'il y a dans un récit de
détails vrais, d'éléments reconnaissables, de traits fournis
par l'observation, fût-ce la forme toute vide d'un lieu, représente l'un des principaux caractères par lesquels un
roman est vraiment un roman. Une œuvre romanesque est
ce qu'elle est par les indications précises qui la rattachent
à quelque chose de connu et de réel. Elle est déterminée
par la part des choses véritables que le lecteur peut personnellement connaître et qui est la garantie de celles qui
sont feintes. Province, société, colonies, lieux exotiques, ce
sont là les facteurs essentiels d'une composition qui ne peut
être imaginaire que dans la mesure où elle offre d'abord
des éléments vérifiables et où elle laisse croire à toute personne réelle qu'elle aurait pu y trouver place.

Le roman porte en lui une certaine tendance à l'objectivité. Soit qu'il apparaisse comme le tableau d'une société,
soit qu'il représente des êtres en qui se joue une action
dramatique humaine, il demande à la fois que la société
ou les personnages figurés soient aussi proches que possible
des modèles que chacun peut s'imaginer reconnaître et
aussi éloignés que possible des singularités de son auteur.
Le romancier, cela est bien connu, ne doit pas se raconter
lui-même, et ce qu'il doit raconter a d'autant plus de
chance de comporter une grande signification que le récit
enveloppe une réalité plus générale et en même temps plus
concrète sans la faire dépendre d'intentions théoriques visibles. Le romancier est un créateur qui est sous le coup de

cette injonction de ne rien imiter pour paraître n'avoir rien inventé. Il a le devoir de ne pas reproduire purement et simplement les particularités de la société qu'il observe et cependant de représenter des particularités qui soient en parfait accord avec cette société. Il doit donner l'impression d'avoir emprunté ce qu'il a créé et d'avoir trouvé en dehors de lui ce qui ne peut venir que de lui-même. Il est prisonnier de sa liberté mais il renie l'instinct qui le fait libre. Il est un homme soumis tout entier à la loi de la vraisemblance.

M. René Lalou, sans se référer d'une manière explicite à cette règle de l'objectivité, rappelle cependant à chaque occasion les devoirs qu'elle impose au romancier et en tire même une certaine structure du roman, les principales lignes entre lesquelles il lui paraît convenable de le circonscrire. C'est à l'objectivité que Paul Bourget manque lorsqu'il charge ses livres d'une thèse qui n'exprime qu'une vue personnelle abstraite. C'est l'objectivité que négligent Maurice Barrès ou Drieu La Rochelle s'ils n'engagent l'un et l'autre que les formes de leur moi. Mauriac, dans la mesure où son œuvre est une reprise constante des mêmes thèmes, un va-et-vient des mêmes images profondes, se voit détourné de la vocation de romancier et promis à celle de poète. Giono, tout abandonné à un lyrisme qu'il suit sans contrôle, se déchire entre l'autobiographie, le poème rustique et l'épopée solennelle. Quant à Bernanos, il lui est fait le double reproche de ne pas dominer ses dons de pamphlétaire et de fonder parfois l'action romanesque sur des postulats invraisemblables. En revanche, ce qui paraît exemplaire dans *La Nausée* de Jean-Paul Sartre, ce n'est pas la vision d'un monde dont l'absurdité écœurante est liée à une fécondité inépuisable, ce n'est pas la tragédie métaphysique qui s'y manifeste, c'est que les personnages et les décors de cette tragédie soient peints avec un réalisme qui rappelle le meilleur Maupassant.

De pareilles remarques, jetées au cours d'énumérations sans parti pris, orientent la pensée vers certains écarts que le roman, d'après M. Lalou, ne saurait commettre sans périr. Ce qui fait qu'un récit mérite le nom d'œuvre romanesque, c'est la part qu'y reçoivent des éléments réels et vrais, assez importante pour que l'ensemble s'impose par son caractère objectif, suffisamment élaborée pour que ne disparaisse pas le sentiment général d'une fiction. Le roman est menacé quand il risque de devenir un documentaire, mais il ne l'est pas moins — et peut-être plus profondément — lorsqu'il devient l'objet d'un art qui se donne à lui-même ses propres règles, lorsque le langage prétend tirer du seul système de ses ornements les formes d'un univers viable, en un mot lorsque le roman prétend trouver sa loi dans une nécessité que ne fonde pas une apparence de « vérité » et de « vie ». C'est au réalisme que le roman, malgré toutes ses métamorphoses, revient comme à la seule convention qui lui appartienne. L'œuvre romanesque, dit finalement M. Lalou, c'est le miroir d'une époque.

Il est impossible que cette convention d'un genre auquel répondent la plupart des œuvres qui le représentent (sauf, à la vérité, ses œuvres les plus expressives) soit entièrement imaginaire. On peut à la rigueur croire qu'elle est fondée sur un malentendu, sur une analyse constamment déformée de certains faits, il paraîtrait surprenant qu'elle ne mît pas en cause, soit à contresens, soit exactement, les ambitions fondamentales du genre ainsi défini. En gros, lorsqu'on tente d'éclaircir les divers éléments de cette définition classique, on s'aperçoit qu'ils se réfèrent à des notions faussement évidentes, dans la mesure où on les tient pour simples, mais cependant authentiques, si l'on cherche à en traduire la complexité. Nous nous garderons d'entreprendre un examen du mot *réel*, tel que le supposent, dans leurs contestations sans fin, les théoriciens du roman. Tout ce qu'il paraît utile de souligner, c'est que, si grands que soient les excès d'imagination dans un roman, il ne peut qu'il ne les présente comme expression d'une réalité, comme fragments d'un monde qui a droit à la subsistance; même si ce monde, totalement irréel par rapport au monde ordinaire, prétend encore se contester lui-même, apparaître manifestement comme impossible, cette dénonciation sous laquelle il se montre, cette irréalité dont il se réclame devient le principal fondement de sa nouvelle réalité et elle lui assure des éléments suffisamment stables pour que tout ce qui s'y passe puisse prendre un certain caractère historique. A l'opposé, il n'y a pas de roman réaliste où le lecteur ne soit sans cesse averti que les gestes des personnages ne se confondent pas avec les gestes que des personnes véritables accompliraient à leur place, et pour cette raison qu'il s'agit d'actes seulement possibles auxquels l'art du romancier pourra donner une forme de nécessité, mais jamais la structure d'actes réels. M. Paul Valéry a écrit qu'il ne doit pas y avoir de différences essentielles entre le roman et le récit naturel des choses que nous avons vues et entendues; il y a tout de même une différence : c'est que le récit se rapporte à des choses qui ont eu lieu et le roman à des choses qui ne se sont jamais passées. Le roman se joue entre « le possible » et « l'impossible » et cherche à les transformer en valeurs « nécessaires ». C'est là ce qu'on appelle « le réel ».

Il serait aisé de trouver dans la loi de la vraisemblance les mêmes imprécisions ambiguës. Si les critiques reviennent si souvent sur cette exigence, c'est qu'ils aperçoivent le monstre que pourrait représenter un récit en prose, composé d'une quantité de détails interchangeables, où nul enchaînement de faits ne saurait être irréversible et dont la forme est toujours capable de maintes transformations. Quelle œuvre étrange que l'œuvre romanesque qui ne semble telle que par hasard et qui est susceptible d'être modifiée sans changement ! C'est pour limiter cette gratuité et donner une garantie à des séquences hasardeuses que les romanciers ont naturellement observé certaines règles et étroitement obéi à l'imitation du monde commun. La loi de la vraisemblance n'est elle-même qu'une traduction réaliste de la loi de l'unité nécessaire à laquelle tout art cherche à se soumettre. Un roman vraisemblable, c'est un roman qui n'est pas tout entier fortuit; il est calculé dans son ensemble pour répondre à une certaine impression et il offre le décalque d'un système qui n'est pas purement conventionnel puisque c'est le système des apparences parmi lesquelles nous vivons. Il faut que le romancier, à défaut de règles qui viendraient de l'art même, en trouve dans ses sujets, dans la manière dont il les traite, dans la fidélité avec laquelle il donne l'impression d'avoir suivi un modèle, dans l'effort par lequel il se sépare de lui-même. S'il est objectif, il est sauvé de l'arbitraire et il restitue au genre romanesque la nécessité d'une forme d'art.

Il y a dans une telle conception un oubli assez curieux. C'est que le roman est un art du langage et qu'il existe comme univers de figures et de mots. Il serait donc peut-être raisonnable de chercher sa nécessité moins dans les rapports extérieurs qu'il entretient avec un modèle ou un lecteur que dans les rapports authentiques du langage et dans la liaison indissoluble d'une forme avec l'objet d'un récit. Lorsque M. Lalou s'inquiète de voir l'œuvre de Giono devenir la proie du lyrisme aux dépens de l'objectivité, c'est comme s'il redoutait qu'une nécessité intérieure profonde ne se substituât à une nécessité imposée du dehors. L'art du roman serait donc menacé par ce fait qu'il devient vraiment un art, et il lui faudrait d'abord périr pour trouver quelque chance de survie. Paradoxe qui laisse voir qu'au fond pour beaucoup de critiques l'art et le roman ne peuvent se rencontrer que pour se perdre.

VI

LA NAISSANCE D'UN MYTHE

Le roman de M. Henri Bosco, *Hyacinthe*, est beau et singulier. Plusieurs pages annoncent une œuvre de premier ordre, et, lorsqu'elle devient plus faible, l'on est encore sensible à la figure qu'elle a montrée d'elle-même à ses meilleurs moments, comme si, laissant toujours voir le reflet de ce qu'elle devrait être, elle permettait à un lecteur idéal de la retrouver tout entière dans le chef-d'œuvre difficile qu'elle suppose.

Ce qui ajoute à l'intérêt du livre, c'est qu'il est l'ébauche d'une forme qui oblige le roman à rompre avec ses conventions. C'est une sorte de roman mythique où tout ce qui peut toucher l'homme, sentiments, réactions mentales, rêves, n'a plus aucun caractère psychologique mais semble le signe de grandes réalités que l'on atteint par un tragique effort contre soi-même. L'homme que nous montre l'écrivain est l'homme que nous ne trouvons pas en nous; et cet homme, différent de ce que nous sommes, nous entraîne sur le chemin des lois que nous ignorons.

Il y a dans le roman de M. Bosco une suite d'événements qui émergent à peine au milieu d'importantes descriptions abstraites et dont un récit simplifié ne peut que trahir la représentation. On n'en voit que les ombres et ces ombres elles-mêmes semblent détachées des apparences qui les projettent, comme si elles n'étaient rien en dehors du monde obscur dont un malheureux hasard a permis de les séparer. L'histoire et la combinaison d'anecdotes ne sont qu'une figure qui doit normalement se dissoudre dans l'absence de toute image. Les yeux, en se fixant sur ce qu'ils voient, cherchent le point où la vue se perd.

Néanmoins, l'histoire ne peut être tout à fait négligée et il est possible que, tout en la cachant, M. Bosco lui ait réservé une certaine importance. L'homme qu'il décrit vit retiré dans une campagne déserte où il habite une maison ancienne, la Commanderie, non loin d'une ferme dont les hôtes restent invisibles. Chaque soir, cet homme voit s'allumer à l'une des fenêtres de la ferme une lampe qui brille toute la nuit et qui l'attire sans qu'il cherche à s'en approcher. Cette lampe n'a rien d'étrange, on devine qu'elle est une simple lampe à huile comme on en utilise encore dans certaines campagnes pour éclairer les nuits d'hiver. Ce qui lui donne un caractère surprenant, c'est qu'elle exprime, avec une force opiniâtre, une fidélité, une attente sans but, à laquelle on ne peut se soustraire. Elle a une vie qui lui appartient, elle a ses nuits d'allégresse et ses nuits de lassitude. Elle oblige celui qui la contemple à chercher lui aussi quelque chose, à vivre dans un état de passion où il essaie en vain de se ressaisir.

Sous cette influence, le solitaire de la Commanderie s'aperçoit peu à peu qu'il fait partie d'un monde où il n'est pas aussi seul qu'il le pensait. Un jour, il découvre que la Commanderie se rattache à certains souvenirs mythiques liés au passage des Templiers. Il apprend que des bohémiens reviennent à date fixe dans ces parages et qu'ils y célèbrent une sorte de rite majestueux et impénétrable. Les bohémiens reviennent en effet, et tandis qu'ils accomplissent la cérémonie dont ils ont le secret, Hyacinthe pénètre dans l'ancienne maison et vient l'habiter quelques jours. Qui est Hyacinthe ? Elle est belle, elle s'est enfuie, elle cherche quelqu'un dont jadis elle a partagé l'enfance. Est-ce le solitaire ? On pourrait le croire. Mais, après un accident qui lui retire pendant plusieurs jours la mémoire et la conscience, celui-ci se retrouve couché dans la ferme d'en face et il comprend que le mystérieux habitant dont la lampe s'allumait chaque soir pour appeler une lointaine figure c'était lui-même, ou un être tout proche de lui dont il essayait en vain d'imiter la fidélité et qui, un soir, découvre la jeune fille et l'emmène. Hyacinthe est donc perdue. C'est inutilement que l'homme seul s'efforce de chercher son souvenir dans le domaine mystérieux où elle a passé son enfance. Dans ce jardin, qui appartient à une sorte de vieux mage et où s'épanouit une étrange innocence végétale, il ne découvre que sa misère sans qu'aucune réminiscence lui fasse sentir le bonheur pur qu'il a voulu atteindre.

Ce récit souligne d'une manière brutale qui est tout à fait étrangère à la forme du livre les éléments dont celui-ci est fait On en voit les différents caractères. Il s'agit d'un mythe dont l'auteur a emprunté le point de départ à une mythologie réelle, telle que l'histoire des Templiers lui en a livré les contours et qui exprime le drame de l'homme en quête de son destin. Ce mythe est transposé dans un monde vraisemblable qui ne se présente pas comme différent du monde réel mais qui en est cependant assez éloigné puisque les événements qui s'y produisent n'ont à aucun degré un caractère banal. D'autre part, ce mythe est l'expression d'un symbole qui ne constitue pas une révélation à proprement parler mais qui est mystérieux par la tension abstraite à laquelle est conduit l'homme qui en subit l'exigence.

C'est certainement ce caractère composite qui empêche l'œuvre de M. Bosco d'avoir toute l'importance qu'elle mériterait. On assiste d'abord à une épreuve d'approfondissement, à un effort de dépouillement intérieur. L'homme seul découvre un jour des étangs cachés au milieu des bois et, à force de vivre auprès d'eux, de les contempler, il pénètre dans un monde fluvial, purement abstrait, avec lequel il n'a aucun contact et qui lui donne, cependant, le sentiment d'une transfiguration pleine de douceur. Un autre jour, pendant un violent orage qui détruit momentanément les apparences habituelles du monde, il fait l'expérience du feu; il est prisonnier de la foudre; il trouve à chacun des états de paroxysme auxquels il assiste un équivalent mental; il nous entraîne dans une sorte de paysage intellectuel où le rêve, la vie, les formes de l'être semblent dominés par une fatalité triste et implacable et qui rend toutes choses merveilleusement claires et totalement insaisissables.

Au lieu de tirer de ces images le mythe qu'il cherchait, M. Bosco a cru devoir y ajouter les mouvements plus précis de l'histoire symbolique que nous avons racontée. Mais cette histoire même, il a hésité à l'inventer lui-même et, pour la soustraire au hasard d'une imagination personnelle, il l'a, en partie, composée avec certains éléments,

empruntés aux révélations magiques de l'Orient et à des
réminiscences de la tradition biblique. Il en résulte une
incertitude dont le récit ne se sauve que difficilement. Le
personnage d'Hyacinthe, celui du vieillard qui commande
aux bohémiens, l'image du jardin qui n'est qu'une image
du paradis terrestre ont une faible réalité. A chaque
instant, la signification qui s'attache à eux les réduit à
l'existence d'une mince figure. Nous avons abandonné
l'univers des formes abstraites où nous avions vraiment
l'impression de toucher l'ordre des choses profondes. Nous
ne sommes pas cependant dans le mystère du monde banal,
puisque la réalité où nous entrons reste lointaine et extraordinaire. Et enfin nous ne pénétrons qu'incomplètement
dans le système magique, tel que l'a défini l'expérience
mythique traditionnelle, l'écrivain n'empruntant que quelques éléments à la tradition et les transformant selon les
caprices de son esprit.

L'œuvre de M. Bosco n'est donc pas achevée mais elle
garde une grande force par l'impression d'initiation intellectuelle qu'elle impose et le caractère de puissance
abstraite qu'elle donne aux paysages et aux êtres. Il semble
qu'une main mystérieuse ait retiré aux arbres, aux mai-
sons, aux marais, l'aspect physique sous lequel nous
avions l'habitude de les voir, et nous les découvre tels
qu'ils sont, sites de l'esprit pur, champs où la lumière est
intelligible, régions bizarrement conscientes du regard qui
les contemple et de la pensée qui les pénètre. L'homme ne
peut s'y avancer sans ressentir l'impression que lui donne-
rait la vie dans un esprit. Il s'y mesure au vide, à l'absence,
à la perpétuelle exhaustion qui est son profond destin. Il
s'y détache sans repos, sans consolation, de tout ce qui
y paraît. Il va au plus intime de soi, n'ayant pour objet
que l'attente et ne trouvant dans cette attente que l'expression d'une fatalité frivole. Tout lui est amer et inexplicable. L'âme qu'il voudrait se donner n'est réelle que
dans un miroir.

Il y aurait beaucoup à dire sur le genre qu'a choisi
M. Bosco et sa tentative de recréer un mythe. Dans un sens,
son effort est par excellence celui du romancier. Tout doit
aboutir à une invention mythique; il n'y a d'œuvre que là
où s'ouvre la source des images révélatrices. Ce qui est
propre à M. Bosco, c'est qu'il a essayé de saisir le mythe

dans sa valeur pure, alors qu'il est encore détaché du monde et qu'il se sert simplement des hommes et des choses comme de figures pour le refléter. Les êtres qui vont et viennent ne sont que des métaphores obéissant aux lois de la connaissance métaphorique. Ils sont à la recherche de l'image unique dont ils sont un reflet lointain. Ils tentent de retrouver par une suite rigoureuse d'expériences le sens rayonnant qui est leur véritable vie. A cet égard, on ne peut dire que M. Bosco ait complètement réussi dans l'entreprise qu'il s'était donnée, car trop de souvenirs, de réminiscences, de desseins à priori l'ont empêché de suivre le cours de l'image et d'avancer par les seuls progrès de la métaphore. Pour s'engager plus profondément dans le chemin qu'il s'était tracé, il lui a manqué le sens des paroles solitaires qui, comme l'a dit Hölderlin, sont le mémorial des légendes sacrées.

VII

ROMANS MYTHOLOGIQUES

Le roman de M. Raymond Queneau, *Les Temps mêlés*, est très propre à rendre sensibles les questions que posent à la littérature le sort du roman français et même l'existence du roman en général. Ce livre qui, en dehors de toutes considérations théoriques, apparaît d'un grand prix, ajoute à cet intérêt celui d'une forme originale, qui non seulement le sépare des ouvrages connus habituellement sous le nom de romans, mais qui met en cause d'une manière profonde le genre auquel il appartient. On s'aperçoit assurément que depuis fort longtemps le roman, en tant qu'œuvre littéraire, subit une crise dont le sens reste obscur. On voit que, dans le temps même où il semble absorber, par son succès, presque toutes les forces littéraires, il paraît aussi devenir de plus en plus étranger aux exigences essentielles de la littérature, c'est-à-dire à la mise en œuvre d'un certain pouvoir créateur et à la reconnaissance d'un certain nombre de conventions et de lois sans lesquelles la création ne peut atteindre à un ordre. Enfin, tout se passe comme si le roman, mélange inextricable d'ambitions et de facilités, était destiné à périr par suite d'une monstrueuse croissance ou à se purifier pour devenir autre qu'il n'est.

Le livre de Raymond Queneau est la suite d'un premier ouvrage, *Gueule de pierre*, dont on ne peut le séparer. Du dehors, ces romans sont tout de suite remarquables par les techniques diverses qu'ils réunissent, techniques qui sont naturellement liées à des intentions dont tout l'ouvrage a à répondre. Ces techniques différentes — poétique, narrative, dramatique — qui se sollicitent les unes les autres pour former un roman unique, ne supportent elles-mêmes aucun mélange et divisent nettement chaque livre en trois parties. Dans *Les Temps mêlés,* une première partie d'où la prose est exclue est constituée d'une douzaine de poèmes qui soutiennent le reste de l'œuvre; elle est suivie d'un monologue qui en est parfaitement distinct et qui met en jeu des sentiments purs dont on ne peut encore reconnaître la signification pour le récit. Mais tout se noue dans la troisième partie qui est dialoguée et qui transforme en événements et en histoire les figures et les passions dont on n'avait pu discerner jusque-là que le sens général.

Ce recours à des techniques différentes, notamment cet usage de la poésie dans un livre de forme romanesque, n'est pas une innovation, et même en serait-il une, il n'aurait aucun intérêt s'il ne réussissait à ouvrir les voies par lesquelles nous pouvons atteindre le monde du roman. La valeur d'une combinaison technique nouvelle vient non seulement de la nécessité par rapport à la fin de l'ouvrage, mais aussi d'un certain malaise dans lequel il est utile qu'elle jette le lecteur. Pourquoi Raymond Queneau n'a-t-il pas voulu exprimer sous la forme directe du récit l'action anecdotique dont il fait la trame de son livre ? Quelles raisons a-t-il eues de confier à des énigmes poétiques la garde d'une histoire dont il éclaire ensuite les mystérieux détails? Pourquoi d'abord ne rien dire clairement quand on est prêt à la fin à tout dire et à tout révéler ? Ce sont les questions que le naïf lecteur se pose et que l'auteur lui fait, par sa technique singulière, une obligation de se poser, l'un des caractères du livre étant de paraître mystérieux, puis de résorber ce mystère afin de laisser voir que le vrai mystère est au delà.

Le monde où nous pénétrons est celui d'une cité dont nous ne connaissons ni la situation ni l'origine mais qui a une réalité très précise. Nous voyons que de vieilles coutumes s'y sont conservées, que par exemple des fêtes auxquelles du dehors on ne peut rien comprendre, constituent pour chaque habitant des événements mémorables; il y a ainsi la fête du Printanier, dont les hommes de la ville parlent avec enthousiasme, au sujet de laquelle ils racontent maintes histoires et dont nous sommes les témoins, sans parvenir à en reconnaître la nature; il y a aussi la fête de la Saint-Glin-Glin, qui est l'occasion pour les prin-

cipaux habitants d'étaler ce qu'ils ont de plus beau en fait
de faïence et de porcelaine; le maire de la ville se ruine
en exposant des milliers de tasses à café, d'assiettes, de
plats de toutes sortes; à la₊fin de la fête, c'est à qui brisera
avec le plus d'adresse le plus grand nombre de pièces de
vaisselle. Quand tout est réduit en poussière, chacun s'en
retourne satisfait.

Ce sont là des coutumes dont le lecteur n'a pas le moyen
de rejeter l'absurdité. Elles s'imposent à son attention et il
est amené à croire qu'elles ont une signification à laquelle
il se soumet docilement. De même, il s'aperçoit que des
légendes mystérieuses ont cours à travers la ville. Dans
cette cité, qu'on appelle la Ville Natale, il ne pleut jamais;
un ciel toujours pur repousse les nuages et le brouillard.
Les touristes pensent naturellement que cette pureté du
ciel est due à une situation géographique privilégiée : les
lois météorologiques expliquent tout. Est-ce bien vrai ?
Dans des temps très anciens, un habitant de la Ville a inventé un chasse-nuage, et chacun reste convaincu que c'est
le chasse-nuage qui sauvegarde le beau temps. On ne peut
rien contre cette croyance. Une autre légende concerne le
croque-mort Etienne. Etienne est veilleur de nuit et chaque soir, au cours d'une ronde fantastique, il ramasse des
morceaux de pierre qu'il casse et enfouit dans un coin
solitaire. D'après l'opinion générale, ces cailloux sont les
restes de la durée qu'il est nécessaire de détruire pour
les soustraire à l'usage immodéré des hommes.

On comprend que les touristes qui viennent séjourner
dans la Ville Natale tournent en dérision ces étranges coutumes et n'aient qu'une pensée : convaincre les habitants
de la sottise de leurs mœurs. Lorsque commencent *Les
Temps mêlés,* le maire de la ville est un jeune homme qui
prépare certaines réformes. Il subit l'influence de théories bizarres que lui a suggérées la contemplation des choses étrangères, et il a commencé d'introduire dans la cité
des coutumes nouvelles qui sont une menace pour les formes de la vie ancestrale. Bientôt, entraîné naïvement par
un savant, il décrète l'abolition des vieux usages, arrête
le chasse-nuage, supprime la recherche du Temps et bou-
leverserait le monde, si la pluie ne se mettait à tomber,
obligeant les citadins à revenir à leur antique croyance. On
chasse le maire. Tout rentre dans l'ordre.

Le caractère symbolique de cette anecdote apparaît dans le livre d'une manière trop nette et trop extérieure pour en épuiser tout le sens. Il en est des fables comme des cyniques qui se confessent; nous savons bien que les uns et les autres ne se dévoilent que pour quelque effet. Le monde de Raymond Queneau, même quand il a pris la forme d'une allégorie, reste mystérieux et caché. Plus il se découvre, mieux il se protège. A mesure que l'histoire émerge des bizarreries du récit, elle devient le centre d'une autre fiction qui se dérobe par l'humour. Ce n'est pas seulement le mythe de l'homme nouveau qui apporte vainement sa vérité dans un monde dont il croit percevoir la sottise parce qu'il le contemple en étranger, c'est une mythologie plus singulière dont nous avons à pénétrer les voies et les abîmes. Chacun peut y chercher sa propre fable. On a le droit de rêver à ce temps dont il est nécessaire d'effacer les traces pour que la mémoire reste vide et que les mythes ne se décomposent pas. On songe aux étranges montagnes qui cernent la cité, à ces collines arides d'où jaillit une source pétrifiante, à ce grand Minéral où l'ancien maire, au cours d'une fuite tragique, est tombé jadis, changé soudain en une pierre monstrueuse, sorte d'idole, pareille au Temps, qui se dresse maintenant au centre de la Grande-Place et que la pluie rendra à la mort. Que signifient ces épisodes dont l'étrangeté n'est à aucun moment une raison de les soustraire à notre croyance et qui, par delà le sens allégorique qu'on peut leur prêter, continuent de solliciter le vague des esprits ? On dirait que de tels mythes sont destinés à nous faire pénétrer les choses, non point en nous introduisant dans leur mystère, mais en nous laissant éternellement au dehors. Ne voir que le dehors des objets, c'est se mettre dans la meilleure condition pour en discerner le secret. Tout rêve profond est fait d'un spectacle vide.

Si Raymond Queneau a d'abord exprimé, sous la forme de poèmes, non seulement les principales légendes qui illustrent la Ville Natale, mais aussi l'histoire qui fait l'objet de son récit, c'est qu'il a voulu donner à ces figures une force et une expression qui fussent capables de résister à tout commentaire. Ces poèmes sont l'âme de l'univers qu'il crée. Ils enferment en eux les apparitions, les conflits, les événements indéfinissables dont nous reconnais-

sons ensuite peu à peu le mouvement et la signification. Ils
tiennent serrés, dans un texte privé de toute explication,
par la force du rythme et la propriété des mots, tous les
éléments dont va se construire le récit, édifices en minia-
ture dont le livre ne sera que l'agrandissement et qui
apportent à l'ensemble leur caractère énigmatique. Car,
lorsque le roman est terminé, on croit que ces poèmes sont
devenus parfaitement clairs; ce qui en eux était allusion
semble s'être changé en paroles complètes; les strophes
de la prophétie révèlent leur message; on les lit comme
un oracle dont l'histoire a livré la clé. Et pourtant, malgré
ce commentaire des événements, ils gardent leur obscurité et leur étrangeté poétiques. Le récit a eu beau les
ouvrir, extraire de leurs ténèbres les images qui y étaient
cachées. On les comprend, mais ils restent impénétrables.
Leur rôle n'est pas de recevoir mais de donner un sens
au roman tout entier.

*\
*

Les Temps mêlés, comme *Gueule de pierre,* réussissent
à exprimer une mythologie, non seulement parce que la
poésie leur apporte sa puissance de transformation mais
aussi parce qu'ils font appel à l'humour. C'est là une condition propre à toute création mythique. On ne donne vie
à l'absurde que dans l'équivoque. On ne fonde la foi dans
l'incroyable qu'en mettant en doute, par la combinaison
insolite du sérieux et du cocasse, les relations stables des
choses et jusqu'aux rapports habituels des mots. Il est
nécessaire que l'auteur, dans la fiction étrange qu'il propose, ne puisse paraître ni dupe ni imposteur. Croit-il à
ce qu'il conte ? Ne joue-t-il pas ? Et ce jeu, n'est-ce pas
une manière qu'il a de se cacher à soi-même son frisson devant l'étrangeté qu'il évoque ? De cet appel à l'humour il
résulte une impression exaltante, d'un grand agrément et
en même temps assez curieuse. S'arrête-t-on à un autre
roman de Raymond Queneau, *Pierrot mon ami,* où la désinvolture va jusqu'à tenter de détruire le livre lui-même,
on en retire le sentiment d'une sorte de vision naturelle
des choses, telles qu'elles sont lorsque le regard humain
ne les a pas encore transformées en puissance de drame
et en éléments significatifs. On voit des événements qui ne

parviennent pas au mystère, auxquels font défaut la composition déterminée, les figures et le rythme nécessaires à leur réalité de choses énigmatiques. L'extraordinaire est à chaque instant dans toute vie, dans tout hasard, dans tout ce qui arrive et n'arrive pas; mais c'est un extraordinaire en puissance qui a besoin pour naître d'un minimum d'artifice et qui s'évanouit, si l'activité capable de le représenter, de le rendre présent, manque ou renonce paresseusement à sa fonction. La banalité est faite d'un mystère qui n'a pas jugé utile de se dénoncer. Elle est une énigme avortée et satisfaite de son avortement.

Ce mode d'existence, qui est celui de l'échec ou plus justement le mode d'une existence sans but, fournit à plusieurs livres de Raymond Queneau leur squelette ou leur structure. Le personnage principal d'*Odile* s'exerce avec une tragique nonchalance dans la volonté de s'amoindrir; il n'est rien du tout et il ne trouve de raison d'être que dans son obstination à n'être rien. Les personnages des *Enfants du limon* se perdent dans une suite de parenthèses qui s'ouvrent sur chacune de leur activité et qui les soustraient insensiblement à la conscience de leur destin. L'un d'eux consacre sa vie à écrire une œuvre extraordinaire qu'il abandonne, une fois faite, comme si elle ne représentait plus qu'un labeur onéreux et ridicule. Le démon lui-même, qui apparaît sous la figure d'un modeste secrétaire, n'aboutit à rien, ne réussit qu'à s'enchaîner, qu'à vivre dans la servitude qu'il aurait voulu imposer aux autres, petit copiste momentanément arraché à des ténèbres dérisoires. Quant à Pierrot, il est l'exemple de cette vie sans cesse esquissée, sans cesse raturée, qui n'est même pas présente à lui sous forme d'absence, dont il ne cherche ni à se plaindre ni à triompher, qui s'écoule sans rien produire à travers la série trop complexe des causes et des effets. Les chances de parvenir à quelque chose ne lui manquent pas, ni celles de recueillir un héritage, de conquérir la femme qu'il aime ou de transformer en une aventure de premier ordre les hasards au milieu desquels il s'agite. Et si tout échoue, il n'a à en accuser personne, il n'est ni sot ni maladroit ni malchanceux; il ne peut pas dire : c'est ma faute ou c'est la fatalité. Mais tout se passe comme si la réussite, comme si le but précis qui seul peut faire d'une suite d'événements un drame ordonné et achevé, n'était pas de l'ordre de l'existence, mais de l'ordre littéraire et n'avait de sens que comme objet des calculs du romancier.

Autre constante qu'on relève dans les romans de Raymond Queneau. Cette ambition retournée, cet exercice d'une activité que n'illustre aucune fin a pour symbole et pour point d'application une forme très spécialisée de la vie ou de la science. C'est sur un horizon de savoir et de recherche sérieuse que s'organise ce jeu autour de rien. Le héros d'*Odile* est un mathématicien qui, avec la conscience que tant de calculs ne sont que construction de sable, s'y attache en se liant à une ombre. Dans *Les Enfants du limon* sont intercalés des fragments étendus d'une œuvre savante, l'*Encyclopédie des sciences inexactes*, où Raymond Queneau a réuni les pages les plus significatives écrites au XIXᵉ siècle par des fous sur la quadrature du cercle, la cosmographie, la physique, le langage et l'histoire. Cette encyclopédie véritable, véritable en ce sens qu'elle est faite de textes authentiques et chargés de beauté, illustre très bien comment la plupart des ouvrages humains n'ont de sens que dans un système éclairé par une finalité. Nous nous trouvons sur la ligne de partage où le « sans but » de la vie rejoint le « sans utilité », le « sans écho » des œuvres pseudo-littéraires écrites par les délirants. Le fait de n'aboutir à rien s'exprime dans ces livres de fou, livres qui pourtant ont été composés, publiés, conservés et qui, absolument sans influence, donnent l'apparence d'être quelque chose, et parfois quelque chose de beau, à ce rien qu'ils sont et ne cesseront d'être.

Mais une pareille vue des choses ne peut nous être communiquée que sous une perspective d'humour et d'ironie. Il y a dans le « sans but » des vies humaines une pente qui ne peut être aperçue que si on ne la cherche pas sur le plan de la tragédie et du sérieux. Si Pierrot devient un malheureux, perdu dans la brume de ses actions inutiles, tourmenté par la nausée de son existence, il prend de ce fait assez de poids, assez de réalité pour recevoir de son malheur le but qu'il ne doit justement pas trouver. Il n'a pas à être malheureux, encore moins à se déchirer dans une conscience tragique; il n'est aux prises avec le destin que par la désinvolture, la légèreté, l'*absence* de ce qu'il serait s'il consentait à méditer sur le sens de son histoire et le vide de son avenir. A peine un rire secret vient-il, tout à la fin, nous avertir qu'il comprend ce qui se passe, qu'il discerne l'illusion du jeu. Mais c'est *l'absence* de réaction qui exprime le mieux le naturel et la vérité qui lui sont propres.

Il faut un art heureux, équilibré et subtil pour trouver par la cocasserie et le détour d'inventions perpétuellement en éveil contre elles-mêmes le chemin d'un intérêt authentique et profond. Les moyens dont se sert M. Raymond Queneau portent particulièrement sur le langage. Il transforme légèrement les mots, dérange un peu la syntaxe et, par ces changements qui ne heurtent en rien l'usage, modifie le degré de réalité et de sérieux qu'il veut prêter à son récit. Cette métamorphose est si efficace, elle est si complète et si mesurée qu'elle nous oblige à faire nôtres tous les écarts d'imagination, en même temps qu'elle nous fait regarder comme des détails fantastiques les épisodes d'une histoire en somme réaliste. C'est une sorte de chant poétique qui, avec les mots les plus communs, mais repassés sur une meule sarcastique, entraîne l'attention, la séduit et la porte dans l'ordre pur des fictions. Il serait intéressant de rechercher comment cet art surmonte le réalisme et, en le serrant au plus près, par un accompagnement légèrement faussé, l'attire dans l'insolite et l'irréel. « Lorsqu'il fait une plaisanterie, dit Gœthe, c'est qu'il y a là un problème caché. » Chacun a présent à l'esprit l'extraordinaire dialogue d'*Ulysse* au cours de la séance dans la maison close de Mrs Belle Cohen. La cocasserie des mots, l'humour insensé d'un vocabulaire qui ne se laisse pas un instant prendre au sérieux imposent plus parfaitement l'impression du fantastique et du bizarre que n'importe quelles extravagances d'imagination. Le rire y détruit l'ordre des règles et des lois. Il déchire les apparences qui résistent à l'éclair. Il laisse se décomposer comme un chaos insignifiant le système des choses vraisemblables au-dessus duquel se montre, objet redoutable du rire, l'absurde, l'étrange, le trop humain.

VIII

ROMAN ET POÉSIE

Il est remarquable que M. Armand Robin ait donné son livre *Le Temps qu'il fait* pour un roman. Beaucoup y verront un grand poème où la prose cherche le vers et s'accomplit souvent dans les conventions d'une prosodie assez stricte. Il y a une alliance constante entre des formes diverses d'expression. Des poèmes, n'obéissant qu'à leurs lois, se font jour presque à toutes les pages et, même parmi les réseaux dont le langage ordinaire constitue la trame, on surprend le frémissement d'un rythme, l'appel d'une cadence qui demande en vain à être libre. Cette exigence poétique, loin de rendre absurde la forme du roman dans laquelle elle se développe, lui impose un caractère d'authenticité qui la sauve de certains doutes. C'est la même remarque que nous avons faite à propos des deux romans de Raymond Queneau, *Gueule de pierre* et *Les Temps mêlés*. La poésie tend à apporter au roman, par ses conventions rigoureuses, ses règles absolues, ses contraintes visibles, la nécessité qui lui manque. Loin de tout réalisme, l'œuvre de fiction cherche dans un art qui a ses nombres obligatoires et ses formes fixes les ressources qui lui permettent d'échapper à l'arbitraire aussi bien qu'à un ordre naturel apparent.

L'instance poétique est chez Armand Robin d'autant plus significative qu'il a publié avant *Le Temps qu'il fait* une suite de poèmes dont quelques-uns annoncent les thèmes de son livre et dont presque tous recherchent les images qui en forment le chœur. Il serait sans doute vain de comparer ces œuvres différentes et de voir comment ont changé, en passant de l'une à l'autre, les rêves qui les animent. D'un premier regard on aperçoit que ce qui dans les poèmes demandait une expression essentielle, privée du temps, formée dans des conditions de simplicité presque abstraite, par l'accord de peu d'images avec une harmonie tout intellectuelle, se développe dans l'œuvre romanesque comme un mythe qui exige la durée, appelle une surabondance de figures, se transmet d'échos en échos, par un mouvement de plus en plus rapide et se déclare dans une matière résistante où la pensée voit plus clairement son chemin. On ne peut pas dire que dans le roman ce soit la nécessité d'une anecdote qui conduise à ces transformations. Car l'anecdote comme telle est indéchiffrable et elle se confond avec les mouvements purs d'une histoire qui est celle du temps, du monde et des graves passions qui s'y lient.

Le Temps qu'il fait se compose de six parties qui, par des moyens sans cesse renouvelés, poussent à leur fin les thèmes que chacune engage dans une durée de plus en plus concrète. Si l'on voulait réduire ce livre à une suite d'épisodes, on s'en ferait à peu près l'idée suivante. Dans un village obscur de Bretagne, une mère, après des années consacrées à l'amour de son mari et de son fils, meurt. Pendant les instants qui suivent sa mort, au cœur d'une tragique tempête, et alors qu'elle n'a pas encore pris conscience de son destin, elle lutte contre les éléments, contre la nuit, contre son absence même, pour revenir auprès de ce triste travail qui l'a consumée, auprès de son mari qui la bat et de son fils qu'agite follement le désir d'apprendre. Cette lutte est affreuse. Elle exprime un tourment sans espoir et sans issue. Elle témoigne, au sein du désordre cosmique, d'une rébellion aveugle et cependant authentique. Elle est un rêve de folie, né du sentiment le plus pur et le plus vrai. Réussit-elle ? Ou la mère comprend-elle lentement quelle épave elle est devenue ? Peu à peu le temps la rend à son sort. Le printemps l'accompagne au delà des cercles pour lesquels sa douleur avait un sens et elle n'est plus que le signe qui hâte la maturation des tragédies d'ici-bas.

Il y a, en effet, dans cette famille un double souci tragique. Le mari, tourmenté par un secret qui l'endurcit, a dressé, pendant toute son existence, contre sa femme et

16

contre son fils, une implacable sévérité. Et l'enfant, ivre
de la volonté d'embrasser le monde des livres, malgré le
travail de la terre, en dépit de la défense paternelle, se
donne à ces puissances dont il reçoit la vie. Il semble que
jamais le père et le fils ne pourront se rejoindre. C'est en
vain qu'ils marchent l'un vers l'autre. C'est sans espoir
que chevaux, oiseaux, forces pensives tentent de les rendre transparents à eux-mêmes. Ils parlent et leur langage
se perd. Il faudra que le secret soit rompu pour que le
dialogue cesse enfin d'être celui de deux hommes, privés
de voix. Quel est donc ce secret ? Il est très simple et très
humain. Aux premiers temps de son mariage, Jouann a
tué son père qui avait maudit et maltraité celle qu'il venait d'épouser. Depuis, la femme qu'il aime n'est plus que
l'image de sa malédiction. Toute l'affection qu'il lui donne
refuse de s'exprimer. Et, sa femme disparue, il porte le
double poids de son ancien crime et de la terrible rigueur
sous laquelle s'est dissimulée sa tendresse. L'aveu même
ne le réconcilie qu'avec son fils et ne rompt pas sa solitude.
Il se sent encore une tâche à remplir. Un désir fiévreux
l'oblige à se hâter. Il va à la ville. Et, suivi de la mort, il
rapporte à son fils, symbole d'un monde inconnu, invention d'une amitié exquise et témoignage de son pardon, un
livre qu'il lui laisse en héritage.

Nous avons voulu traduire l'histoire dont *Le Temps qu'il
fait* organise à peu près dans cet ordre les épisodes, afin
de rechercher comment cette traduction en trahit la nature. Il serait inexact de dire que de tels événements n'y
sont qu'une occasion ou y jouent le même rôle que dans un
poème le contenu anecdotique autour duquel la forme poétique se cristallise. Ces événements existent et ils marquent
par leur chute la durée dont le livre est l'expression. Mais
ils n'existent pas par rapport à un récit; ils ne tendent
point à une narration et n'obéissent qu'à son cours.
Ils ne se racontent pas. Leur sens, c'est de ne pouvoir
être saisis que comme thèmes élémentaires ou comme
fragments d'un mythe, d'autant plus fidèles à leur réalité
d'événements qu'ils figurent aussi des coïncidences de
significations multiples. Il serait assez facile — et probablement aussi faux — de résumer en dehors de toute histoire le roman d'Armand Robin en mettant en valeur les
thèmes qu'une grande richesse d'orchestration y développe

harmonieusement. On reconnaîtrait ainsi le thème des éléments, qui exprime la force nocturne des âmes simples et le déchaînement désespéré que nulle tempête ne peut traduire. On suivrait le thème du livre, du savoir orgueilleux, naïf et sacré, mêlé aux énigmes de l'univers, prémices d'un obscur affranchissement. On trouverait enfin le thème du monde sensible, des buissons, des arbres, des chevaux, des fougères, des fontaines dont la force poétique exprime les grands sentiments humains et en fait des choses visibles.

L'accord entre la fiction et le mythe, entre la réalité et le chant, entre ce qu'il y a d'irréel dans la fiction et d'immédiatement saisissable dans le mythe, imposé par un art à la fois très naïf et infiniment rusé, donne au *Temps qu'il fait* son complet équilibre. Il y a peu d'épisodes plus difficiles à figurer que le malheureux voyage de la mère dans la nuit qui vient de la saisir. L'extrême invraisemblance, unie à une certaine candeur de conception, rend ici l'histoire presque insoutenable. Mais Armand Robin la transforme en une sorte de nuit de Walpurgis où la rapidité des visions, la subtilité des cadences, l'exigence âpre du mouvement attirent et retiennent les symboles. La naïveté se fait virtuose, l'artifice devient simple plainte et dans le labyrinthe d'un art baroque perce la mélodie d'un chant populaire. On peut imaginer à quels pénibles effets un sentiment poétiquement moins sûr aurait fait descendre le dialogue des chevaux ou les paroles prêtées aux brindilles, aux hirondelles, aux prairies. Mais la puissance des mots et des images produit chaque fois qu'il le faut la transfiguration sans laquelle tout cela ne serait que redites, manies, puérilité, et les oiseaux chantent aussi naturellement, avec la même inspiration familière que le vautour royal ou le canard rouge dans le poème thibétain de la *Loi des oiseaux*.

L'art d'Armand Robin pourrait être assez bien exprimé par l'un des plus beaux épisodes du roman. L'enfant, qu'a touché le délire des livres, s'est enfoui dès l'aube au milieu des herbes où il s'efforce de pénétrer les récits d'Homère. Non seulement son ardeur, sa volonté de lire sans céder au sommeil, son ivresse du savoir fascinent et transforment les choses, mais les livres eux-mêmes et les héros qu'ils annoncent sont pris dans le monde où leur puissance s'échange contre tout ce qui se voit, s'entend, se

respire. Le livre apparaît comme l'équivalent de l'univers
illisible. Il est buisson radieux, arbre chargé de feuilles,
horizon constellé. Il célèbre ce qu'il y a de plus simple au
monde par ce qui est le plus subtil : il rassemble l'énigme
et la clarté, le chaos et l'ordre intime, la dispersion des
choses et l'idéal strict. Et les témoins qu'il libère, héros
portés par la plus vieille culture, se confondent naturellement avec la présence d'un vieillard ignorant que tour-
mente une pensée impossible.

Il y a dans l'œuvre d'Armand Robin, dans sa poésie
comme dans ses fictions, une volonté très consciente d'unir
à une certaine forme populaire tous les raffinements de la
technique et même les caprices d'un art précieux. Cette
alliance, assez rare en France et surtout rarement heureuse,
a produit dans d'autres littératures des œuvres parfaites.
L'exemple de Gœthe montre comment une expérience originale réussit à s'exprimer poétiquement au moyen de
vieux chants dont la forme est reprise et transmuée par
une prodigieuse culture personnelle. Certains morceaux du
Temps qu'il fait, comme le récit du père, font directement
appel à cette simplicité et, malgré des images studieuses,
ils en gardent, grâce à un rythme et un accent authentiques, le naturel et le charme. Il nous semble, cependant,
en dépit de ces recherches et de quelques conventions plus
faciles, que c'est comme art savant, parfaitement maître
de ses moyens, soucieux de ses conditions et avide de ses
effets, que la poésie d'Armand Robin retrouve l'efficacité
instinctive des chants les plus simples. Si elle recueille
toute l'allégresse du monde, si elle semble être de pair avec
l'avide apparence des jours, parlant également le langage
des oiseaux et des fleurs, c'est par une entente réfléchie des
images et des mots, telle que le poète le moins primitif
peut la concevoir lorsqu'il provoque son vers à une certaine conjuration magique. Et la preuve, peut-être, qu'il
s'agit là de tout autre chose que d'une œuvre simplement
conduite par une intuition naïve, c'est que l'on n'y voit
guère d'autres défauts que des mièvreries précieuses, des
artifices sans objet, d'inutiles surcharges baroques, témoignages d'un art qui a oublié momentanément de surmonter son effort.

IX

POÉSIE ET ROMAN

Il n'y a pas à revenir sur l'importance d'Audiberti parmi les écrivains d'à présent. *La Race des hommes* et *Des Tonnes de semence* contiennent des poèmes où l'audace du ton, une virtuosité parfaite d'images et de mots, une obéissance libre et hautaine aux anciennes lois, s'accordent pleinement avec le sens de ce qu'il y a d'obscur et de profond dans les choses. Assujettie aux exigences de l'âme et de l'oreille, la poésie y sort de ses ténèbres, en figures de cristal traversées par le soleil et l'ombre, infernale et bonhomme, prolixe et resserrée, réunissant dans une alliance rebelle les qualités contraires dont elle a besoin pour être. Et, de même, la prose d'Audiberti est l'une des plus riches de possibilités que l'on puisse lire aujourd'hui. Son abondance donne au langage toutes ses chances. Elle y noue les images à une certaine dureté abstraite. Elle poursuit l'indicible par des coïncidences extraordinaires de mots, elle le saisit dans le silence qu'elle fait soudain éclater au comble du tumulte, comme si l'avalanche des métaphores n'avait pour fin que l'abîme taciturne qu'elle voudrait creuser. Il est admis qu'il y a dans Audiberti quelque chose d'extraordinaire et de monstrueux qui est un mélange de Victor Hugo et de Mallarmé, la tentation d'être à la fois facilité et rigueur, éloquence et goût, tout le dehors et le dedans de la création littéraire.

Audiberti n'est pas moins romancier que poète. Il a autant besoin de l'indéterminé du roman que des contours plus fermes du poème. *Abraxas, Septième, Urujac* sont des œuvres qui tiennent à son pouvoir de métamorphose sym-

bolique aussi bien qu'à sa capacité d'illusion réaliste. Ce
sont des compositions où le langage impose sa part fantastique sans détruire la trame des détails véritables avec
laquelle il s'arrange une aventure passionnée. Cependant,
si l'on suit la direction de ces tendances et particulièrement le caractère qu'elles reçoivent dans *Carnage,* on voit
que le roman agit sur lui comme un réactif qui laisse apparaître de son talent une image un peu différente de celle
que l'on était prêt à s'en faire, en distribuant autrement
ses qualités et en conduisant les unes à un point de perfection, les autres à des valeurs confuses. Toujours la même
richesse de style. Il n'est pas de page qu'il ne faille admirer pour l'excellence de la forme; la syntaxe, prise de vertige, s'égare dans de savants labyrinthes où elle ne cesse
de retrouver son chemin; les images brillent et s'éteignent
comme des lampes instantanées; les mots sont rendus à
leur usage le plus complet et le plus simple; c'est un soleil
de pierreries, un palais de miroirs où les transpositions se
font en plein jour, dans la gloire d'une somptueuse invention verbale. Mais, cette part accordée à une splendeur formelle sur laquelle il ne peut rien, le roman intervient avec
ses conventions et ses exigences et il jette beaucoup de
lumière et un peu d'ombre sur les deux aspects d'un talent
qu'il voudrait s'approprier tout à fait.

La part de réussite dans *Carnage* saute aux yeux. Audiberti a mis en scène des milieux paysans et populaires
dont la puissance et la réalité font songer à un esprit de
création toujours en éveil. Le roman commence par quelques images d'une bourgade en « pays gaudois », sur les
hauteurs du Jura, d'où un facteur va porter une lettre à
une famille déshéritée. L'impression de bonheur que donnent ces pages vient de leur totale absence de réalisme.
Audiberti n'imite rien, crée tout. On n'a pas ce sentiment
lourd et pénible qui accompagne la description littéraire
d'une certaine espèce sociale. Il n'y a rien ici qui sente le
retour à une réalité observée, puis devenue objet d'art. Le
romancier est aussi près que possible d'une vérité qui semble naturelle, mais il y parvient librement, avec des moyens
qu'il a inventés, par un pittoresque qui est le sien et dont
la valeur dépend de son style. On dirait qu'ayant décidé de
produire un certain effet — impression de vie rurale et
montagnarde — lié à l'observation de la société, il le fait

naître par des détails qu'il tire de lui-même et qui cependant sont plus vrais que ne le serait la reproduction minutieuse de traits imités. Même le patois, le langage populaire qu'il prête à ses habitants de « la duché gaudoise » est un tour de force qui mêle indissolublement matériaux d'emprunt et inventions justes. Il invente — en partie — un langage qui est à l'intérieur d'une œuvre littéraire ce qu'est le patois à l'intérieur du monde habituel des mots. Les écarts sont les mêmes, mais ils ne se produisent pas à partir des mêmes éléments. Il y a une illusion de perspective qui transforme ce qu'on voit de différent en une profonde identité de vue.

Ces qualités sont évidentes — à tel point qu'elles vous gênent — dans une autre partie du livre consacrée à l'évocation d'un lavoir dans un vieux quartier populaire du Paris d'avant 1900. La virtuosité et la vérité se combinent pour donner l'impression d'un morceau d'anthologie, non moins digne de rester célèbre que certaines pages de *Notre-Dame de Paris*. En dehors de ce dessein qu'on croit surprendre dans la pensée de l'auteur — qui à ce moment-là devient auteur — on ne saurait rien objecter à la perfection de ces chapitres où la vie trouve enfin dans un art riche et rusé l'équivalent que ne lui donne aucune imitation directe. La machine du lavoir, les hommes qui la mettent en branle, le linge dans ses métamorphoses de couleur, les femmes du quartier, figures de proue de ce bateau que fait voguer un marécage, tout cela compose une aventure extraordinaire où tout est épisode inattendu, récit au-dessus de la réalité dépeinte, ombres mystérieusement tracées sur un mur instable de mots. Des personnages, populaires eux aussi, sortent de ce concert de figures, de cet angoissant feu d'images et de paroles. Le couleur, celui qui coule le linge, malheureux héros que ses yeux, blancs et noirs, teints d'obscénité, condamnent, parmi la réprobation générale, à un supplice d'invectives et presque à un vrai drame, le chauffeur qui, poursuivi par sa femme, une ogresse de deux mètres, fuit en vain de quartier en quartier, le plus beau bras de France (qui gagne sa vie en cassant des pavés), la grande Zosse, plate, hurlante, qui avec une voix de fillette pousse un cri de sirène frénétique, et enfin Carnage, l'étonnante figure de M. Gomais-Carnage. De Carnage, Audiberti a tracé dans la première partie

du roman, alors qu'il n'est encore qu'un riche paysan,
monstrueux et terrible, un portrait d'une grande force.
Laid, monumental, la bouche fendue par un bec-de-lièvre,
sifflant comme un moustique dans un zonzonnement solitaire de scie, il exerce sur les bêtes et les hommes une
influence terrifiante et, de son bâton, son cassefleur, abat
avec une rapidité de proie bécasses, lapins, chèvres, et
même des loups. Cet homme formidable s'éprend d'une
jeune fille qui, avec un tuteur, homme-enfant, occupé,
comme Audiberti des mots, à tirer des pierreries un arc-
en-ciel de formes colorées, vit dans la familiarité des sa-
pins, des bois et surtout d'un lac dont elle connaît tous les
souterrains, toutes les cavernes. Cette jeune fille oppose à
Carnage un prestige élémentaire, la force d'un regard vert
impénétrable, sous la magie duquel elle l'humilie deux
fois, d'abord en repoussant sa demande en mariage, puis,
lorsqu'elle s'est ravisée, en l'obligeant à un mariage dont
il ne veut plus. De cette double blessure infligée à sa puissance, il prendra sa revanche. Il emmène sa femme à Paris,
loin des bois et du lac qui, présume-t-il, faisaient sa force,
il achète le lavoir et transforme l'ancienne fée en une humble et dévouée ménagère, si complètement perdue dans
l'amour de son mari qu'elle l'aide dans ses aventures sentimentales et va jusqu'au crime pour le garder, tandis que
lui, Carnage, poursuit, énorme et imperturbable, l'exercice
de sa puissance symbolique.

L'art d'Audiberti ne peut qu'il ne pousse son histoire à
une signification où le mythe et la fable devraient trouver
leur compte. Sa poésie connaît à merveille cet horizon. Elle
fait naître de la nuit une figure qu'on ne voit pas, mais
dont l'absence est plus ferme, mieux déterminée que l'ar-
gile. Ses œuvres romanesques la dessinent aussi, mais
avec moins de bonheur. *Carnage* est certainement affaibli
par cette ambition qui ne réussit pas. Le personnage de la
jeune fille, celui de Gomais lui-même sont pris dans des
fantômes de symbole qui les condamnent à des aventures
d'un romanesque artificiel. Ils se dédoublent, étant parfois
toute réalité, parfois vagues et à demi effacés par le halo
de sens qui les baigne. Il semble que le romancier ne se
rappelle que de temps en temps le mythe qu'il les invite à
devenir. Alors, il les projette hors d'eux-mêmes; il les rend
à un autre destin; il les soumet à une pesanteur qui n'est

plus celle du réel et que sa grande habileté verbale mesure hâtivement avec des métaphores et des mots. Est-ce assez? Non, sans doute. L'art du roman demande plus de lenteur et de précautions. Il tend au symbole par une orientation tout intérieure, l'enfermant en lui-même comme sa loi qu'il ignore et qui cependant commande sa croissance, sa tonalité, son dénouement. D'Audiberti, poète en heureux équilibre entre le jour et la nuit, entre le mot et son ombre mystérieuse, les règles de la fiction tirent un romancier capable plutôt de réinventer le réel que de créer un mythe qui en transforme les dimensions.

X

TRADUIT DU SILENCE

Les précédents ouvrages de M. Joë Bousquet, romans dont l'essence est un poème, avaient préparé ses lecteurs à ce qu'il y a de pur et d'atroce dans la pureté de *Traduit du silence*. Mais même ceux qui n'avaient pas su deviner à travers les pages indécises de ses premières fictions le travail dévorant d'un esprit, ceux qui ignoraient les conditions étranges dans lesquelles il a formé son œuvre se sont heurtés avec une violence bouleversante à cet amas de diamant que constituent les feuillets de son journal intime. Si, du point de vue de la connaissance de l'homme, on ne peut éloigner l'image de cet écrivain, frappé grièvement en 1918 aux combats du Kemmel et depuis vingt-trois ans maintenu par ses blessures dans la situation d'un malade, c'est un souvenir qu'on aime mieux écarter du livre sur lequel il jette une trop grande ombre. Un ouvrage comme *Traduit du silence* dresse contre son auteur le désir d'être libre. Il demande à être admiré et aimé pour soi seul. Il prétend repousser hors de lui les circonstances de sa création et les singularités de son histoire. S'il a l'apparence d'un cahier de notes où se trouvent recueillies des confidences au jour le jour, il crée entre l'auteur de ces confidences et lui les mêmes relations qu'entre un récit et un personnage de roman. Il est tout entier l'œuvre d'images et de mots, et le sentiment tragique qu'il impose est si extrême qu'il serait moindre s'il fallait lui restituer une réalité psychologique et les conditions de la vie. La vraie tragédie repousse la vérité d'où elle est née.

Traduit du silence répond aux deux figures sous les-

quelles M. Joë Bousquet voit la poésie. Un bon livre de
poèmes, dit-il, contiendrait à la fois des strophes hardies
et claires, dures comme le cristal, où la vérité intellectuelle ferait la loi, et des pages en couleur, des développements mélodiques qui prendraient la lumière à la surface
des flots. De même, il y a dans son livre le reflet d'une
puissance intellectuelle qui cherche la cohérence et la
clarté, et en même temps un éclat que des flammes vagues,
errantes, mobiles, libres des regards de l'esprit, font briller dans un miroir de rêve. Le lecteur se voit invité à comprendre, puis à saisir ce qu'il a compris. Il suit un double
chemin et reçoit deux fois la chance d'être égal à sa lecture. Un langage, voué à une analyse glacée, se laisse soudain tenter par le chant. Et la plus froide recherche n'a
elle-même de sens que dans le frisson naïf, dans la mélodie précieuse sur lesquels elle prend appui.

Les premières images que le livre apporte par cette double voie, sont très vives et très pâles. Ce sont des souvenirs
inoubliables d'un état qu'on ne réussit pas à se représenter. C'est un témoignage tragiquement expressif de quelque
chose dont le principal caractère est de ne pas supporter
de témoin. Le désordre apparent des notes ajoute à ce déchirement qu'on ressent d'abord comme un malaise, puis
comme le signe d'une aventure toute nouvelle. Ce n'est
pas l'incertitude du langage qui rend insaisissable la matière ou le sujet du livre. Mais il apparaît, parmi ces phrases nettes, d'un sens évident, que l'esprit a à faire face à
une entreprise si dénuée d'espoir qu'il ne peut en donner
une claire image et qu'il se consume lui-même dans des
résonances, des rumeurs et des affres dont est touché le
cœur le moins instruit.

On pourrait donc se contenter de suivre les quelques
thèmes qui, en s'entre-croisant, forment la trame de l'ouvrage, sans rechercher le sens que le mouvement de ces
thèmes élabore, dévoile, puis recouvre dans un travail
inquiet qui ressemble à celui des vagues. Il est même sûr
que tout éclaircissement ne peut être qu'un mensonge,
puisqu'il substitue à une fluctuation sans laquelle il n'y
aurait pas de figure des contours immobiles, un tracé stable qui nie l'édifice de l'eau. En un sens, on ne peut rendre
compte d'une œuvre où la pensée se transforme sans cesse,
est travaillée de loin par les astres et apparaît, non pas

obscure, mais voilée de lumière et parcourue d'une évidence sans image. Il est encore possible de trouver à une œuvre toute d'imagination et de sensibilité un équivalent dans la signification que la pensée y découvre; mais lorsqu'il s'agit d'un ouvrage où la pensée elle-même ne se révèle que dans son mouvement, comme une navigation qui ne peut être interrompue, il y a un abus de langage à vouloir exprimer par l'analyse les effets d'une véritable *irisation* intellectuelle.

Ces notes intimes sont celles d'un écrivain qu'une terrible blessure a rejeté de la vie et qui, bien des années après cette première mort, fait l'expérience d'un amour bouleversant. Que peut être l'amour pour un homme voué à une complète solitude ? Quel rôle est appelé à tenir dans un destin foudroyé un sentiment impossible ? On comprend, par diverses notes, que cet homme a été déjà très loin dans l'absence et le silence. Au lieu de se résigner à sa situation exceptionnelle, plutôt que d'y voir l'effet déplorable d'un accident dont il n'aurait pas été maître, il a cherché à « naturaliser » ses blessures, en devenant lui-même la cause des conséquences qu'elle lui imposait. Tout ce que cet accident comportait de changements pour sa vie intellectuelle et morale, la nécessité de vivre en pensée et de n'avoir pour actions que des mots, il s'est fait une obligation, non seulement de l'accepter et de le vouloir, mais d'être comme s'il en avait été l'unique instigateur, comme s'il s'était lui-même, par une décision personnelle et étrangère au sort, précipité dans un abîme de solitude et d'inertie. Cette volonté de surmonter le hasard, d'enchaîner un malheur fortuit et de rendre vain le pouvoir matériel des choses, marque les premiers degrés d'une pente vertigineuse où l'on retrouve, à chaque moment, l'absence, la solitude, l'indifférence, tous les états qui font espérer en vain à l'esprit sa propre « mise à mort » et le rejettent sans cesse dans une passion dont il ne se délivre pas.

Nous ne pouvons que pressentir les heurts tragiques qu'une telle lutte a rendus inévitables. Si à ce malade, maître de sa maladie, l'immobilité et la passivité naturelles ont épargné les enfantillages de la vie sociale, si la nuit lui a été donnée sans qu'il ait eu à la conquérir, il a eu à combattre la pensée que, loin d'avoir choisi son destin solitaire, il ne faisait que se duper en croyant l'avoir

décidé librement. Il est facile à un homme paralysé de se
dire : ma solitude n'est pas une affaire de circonstances,
elle est en moi, elle tient à ma nature, mais il lui est plus
malaisé d'être sûr, constamment sûr qu'il ne se trompe
pas lui-même alors que sa conviction est tenue à l'écart
de toute preuve. Les souffrances propres à la maladie, les
remèdes par lesquels il faut les combattre, l'opium, la
cocaïne font naître un désordre et un dégoût impurs où
la volonté ne se reconnaît plus. La solitude elle-même semble pervertie et l'absence, cessant d'apparaître comme la
mise à nu de la vie, n'est qu'une pâle et écœurante illusion, substituée à une réalité trop dure. « Dans le noir,
écrit-il, et ma tristesse n'a pas de voix. Ma solitude me
semble incomplète. Je voudrais qu'elle ne soit que la gar-
dienne d'une solitude plus farouche encore et pareille à la
mort. »

L'amour qu'il rencontre et qui dans de pareilles conditions ne peut être que l'expérience de l'impossibilité, la
conscience d'une ambition sans issue et irrémédiable, commence avec une grande douceur : « Le sentiment que je
cache, note-t-il, a droit au grand jour. J'aime vraiment
comme une sœur la jeune femme d'un de mes amis. Elle
répond à mon affection par une espèce d'amitié très solide
et qui est bien tout ce que peut donner à un homme une
femme éprise de son mari. » Une pareille douceur vient
non seulement d'un sentiment pur et heureux, mais de
l'espoir qu'apporte ce sentiment au cœur de la sécheresse
et de l'anxiété. Cette jeune femme n'est-elle pas pour un
homme sans vie le moyen d'entrer dans la vie, pour un
malade tragiquement solitaire l'occasion de rompre avec
la solitude ? C'est là le premier mouvement de la sensibilité et il est naturel que le cœur le plus réfléchi s'y abandonne. Mais ce sentiment fait bientôt place à un autre.
Sans que l'illusion du bonheur disparaisse et au contraire
avec une exaltation qui grandit, le malade replace peu à
peu l'image de la jeune femme dans la ligne de son propre
sort. Elle n'est pas faite, comme il le croyait, pour le sauver de la solitude; elle est plutôt, par sa sérénité, par la
froide douceur qui l'accompagne sans cesse, le reflet d'une
solitude plus profonde, la véritable, la complète essence
de ce qui ne peut être atteint. Ce qu'il y a d'indifférence
fascinante dans son amitié lui semble être le signe de leur

accord. Elle ne cherche pas à lui rendre les choses que le
monde lui a prises, elle lui en apporte l'oubli; elle fait de
sa beauté une image enchantée du renoncement; elle est le
regard qui dissipe, à force de lumière, ce qu'il voit et ce
qui doit être vu.

Il est trop clair que, dès cet instant, a commencé une
lutte nouvelle dont l'enjeu ne peut être qu'un tourment
plein de contradictions. L'esprit qui a atteint un amour
extrême ne peut longtemps poursuivre cet amour comme
le moyen de son détachement et l'occasion d'un suprême
refus. Il exige d'être satisfait. Il interpelle cette personne
glacée dont il ne sait si l'indifférence est le reflet de sa
propre personne détruite et qui lui apporte toutes choses
dans une douceur froide qui les pétrifie. Il la conjure et
lui montre son vertige. Il veut la ramener au monde et y
revenir avec elle. Il la supplie de s'arrêter sur cette voie où
sa froideur ne cesse de grandir. Mais il est naturellement
trop tard. Elle ne comprend rien à cette passion dont elle
a pour destin d'incarner le néant. Elle n'est que la négation de celui qui l'aime; elle est l'absence que l'amour a
désirée et contre laquelle il invective en vain maintenant :
fantôme intérieur, somnambule du néant, tous ces noms
que l'esprit déchiré lui donne, au plus fort de la passion
(« Nous ne devons pas appartenir à la même race, dit-il,
elle a glacé mon cœur. On dirait qu'elle est l'oubli. »), laissent pressentir un échec sans espoir, puisque celui qui a
perdu l'amour perd aussi l'absence dont cet amour était le
gage et qu'il n'a pu supporter.

Il est nécessaire de redire à quel point un tel schéma
réduit un univers glissant et façonné par le mouvement à
un plan linéaire. Cette suite de notes est un entrelacs de
voix, de silences, de songes dont on ne découvre le sens
que si l'on réussit à ne pas le chercher. Comme dans le
labyrinthe où ce qui est difficile ce n'est pas d'en sortir
mais d'y entrer, il ne faut pas regarder les mots comme
les fragments d'une explication, mais comme la clé d'un
chemin où l'explication n'a plus de sens. Il y a toujours
derrière les images une lumière silencieuse qui permet
d'être vu, et non pas de voir, et qui est comme la décomposition de la nuit. Elle vous dévoile plutôt qu'elle ne
vous éclaire, et elle corrompt l'unité solennelle du discours. Aussi serait-il bien vain de prétendre reprocher à

une telle expérience les limites qu'elle a reçues. Si, dans cet effort pour réduire l'homme à rien, pour le mettre en cause et le traquer sans que quoi que ce soit se propose à son salut, si, au regard de cette insatisfaction où l'homme solitaire éprouve insatiablement le désir de se perdre dans sa propre blessure et qui l'oblige à être toujours plus nu, plus consumé, l'œuvre de M. Joë Bousquet apparaît parfois comme trop douce, séduite par les tentations de la beauté ou à la recherche d'étoiles dont l'éclat est artificiel, il ne faut pas oublier que ce livre est fait de mille chemins qui s'égarent, parce qu'il est calqué sur le vagabondage du temps. L'essentiel est qu'il restitue au silence d'où il est tiré sa réalité implacable et qu'il entraîne les esprits vers un gouffre dont seule la chute peut à chacun mesurer la profondeur. Il les force à entendre des paroles négatives. Il les met par les mots les plus simples et les plus purs devant « l'état du manque de mots ». Au lieu de les vouer, comme presque toute œuvre littéraire, à un langage dont s'embarrasse la mémoire, il les prépare à cet autre langage qui rend muet, qui fait apparaître l'inutilité de toutes les paroles. « Contrécrire, dit-il, c'est une opération que je me permets de pratiquer. » Dans la mesure où son art, par cette résorption des mots, rend présents l'indicible et l'ineffable, il attire sur lui le bonheur de ce qui est beau. Mais l'indescriptible n'est pas seulement le lieu d'une jouissance esthétique. Il est l'appât d'une tragédie dont la révélation se fait généralement au milieu du sommeil. Et c'est au cours de ce sommeil où les hommes demeurent volontiers comme des êtres enterrés vivants que M. Joë Bousquet nous conduit, non comme un guide qui a les yeux ouverts dans la nuit, mais comme un homme perdu lui-même, qui marche les yeux fermés dans la peur de son cauchemar.

XI

LE ROMAN DE L'ÉTRANGER

Le Temps qu'il fait de M. Armand Robin et *L'Etranger* de M. Albert Camus, premières œuvres romanesques de deux je̶unes écrivains, témoignent fort bien de la diversité et de l'étendue des valeurs que peut comprendre le genre du roman. Le livre d'Armand Robin touche à la poésie non seulement par la présence d'un chant poétique mais par la transformation du langage que des liaisons rythmiques, un surcroît de figures, un assemblage nouve̶au de mots essaient de faire servir à une vision inexprimable du monde. Le roman de̶ M. Albert Camus est sous l'empire de la prose̶ qui n'accepte ni image ni mélodie ni invention née des paroles. Il repousse toute̶ beauté extérieure, et la seule métaphore dont il admette de s'enrichir est l'histoire̶ même qui offre à une idée invisible la chance d'une expression exacte et émouvante.

Si l'on regarde *L'Etranger* du dehors, il apparaît comme un livre d'où sont écartées toutes le̶s explications psychologiques et où l'on entre dans l'âme des personnages en ignorant la nature de leurs se̶ntiments et la qualité de leurs pensées. C'est un livre qui fait disparaître la notion de sujet. Tout ce qui s'y montre s'y laisse saisir sous la forme obje̶ctive : nous tournons autour des événements, autour du héros central, comme si nous ne pouvions en prendre qu'une vue extérieure, comme si, pour les vraiment connaître̶, il fallait toujours les regarder en spectateur et, de plus, imaginer qu'il n'y a pas d'autre moyen de les atteindre que cette connaissance *étrangère*. Nulle analyse, nul commentaire sur les drames qui se forment et les passions qu'ils provoquent. Essayons de considérer le monde du dehors, de pénétrer les hommes sans rien saisir d'eux que leurs gestes et leur existence. Décrivons ce qu'ils font comme si ce qu'ils faisaient avait plus de valeur significative et même de pouvoir de suggestion que les plus riches évocations sentimentales. Et tentons de rendre la tragédie avec cette ambiguïté nécessaire qui fait que ce qui se passe au dedans semble répondre à ce qui se manifeste au dehors sans que pourtant l'on puisse jamais être sûr de cette fidélité de l'envers à l'endroit. C'est à cette conception dont les lois supposent une vue particulière du monde que tend de lui-même tout récit romanesque.

M. Albert Camus a poussé plus loin le système qu'il a choisi. Non seulement son livre dépeint un homme tel qu'on pourrait le connaître si l'on ne distinguait ce qu'il pense et ce qu'il sent que par ses actes, par conséquent tel qu'un *autre* pourrait le voir, mais c'est le héros lui-même qui se dépeint et se raconte en nous livrant ses gestes, sa conduite, sa manière de faire et non sa manière d'être. Le récit à la première personne qui sert généralement aux confidences, aux monologues intérieurs, aux interminables descriptions par le dedans, sert à M. Albert Camus à écarter toute analyse des états d'âme et toute possibilité de rêverie, et il lui sert plus encore à créer une distance infranchissable entre la réalité humaine et les formes qu'en révèlent les événements et les faits. L'homme qui raconte en disant Je une histoire essentiellement dramatique, la plus dramatique qui puisse se concevoir, l'homme qui rapporte cette histoire sans paraître rien révéler de ses véritables transformations, ou plutôt en révélant des sentiments qui, à force de simplicité, le rejettent plus loin de nous, nous le rendent plus étranger que s'il ne disait rien, tend à une objectivité insurpassable. Il est par rapport à lui-même, comme si un autre le voyait et parlait de lui. Ses actes l'absorbent entièrement. Il est tout à fait en dehors. Il n'a d'autre vie intérieure que les mouvements les plus extérieurs de la sensibilité. Il est d'autant plus soi qu'il semble moins penser, moins sentir, être d'autant moins intime avec soi.

L'art de M. Albert Camus est d'avoir lié cette forme à un mode essentiel de l'être humain et d'en avoir tiré un récit qui nous offre une image de la fatalité. Le petit em-

ployé de bureau qui essaie d'entrer en contact avec nous, a
perdu sa mère. Elle vivait à l'hospice et il n'allait plus
guère la voir. La vieille femme avait l'habitude de la solitude; elle vivait avec les gens de son âge; pourquoi son
fils l'aurait-il gardée avec lui? La veillée mortuaire se passe
dans les conditions de gêne et de malaise qui sont souvent
le propre de ces cérémonies. Le jeune employé a hâte de la
voir prendre fin; il ne sait que faire au milieu des étrangers, il fume, il boit un bol de café, il somnole. Il ne pense
pas beaucoup à sa mère, mais c'est qu'à la vérité il ne
pense pas. Les diverses petites sollicitations de l'instant
suffisent à le retenir. Après l'enterrement, son existence
reprend son cours. Il retourne au bureau; il se baigne à la
piscine; il va voir un film comique; il passe la nuit avec
une nouvelle maîtresse. Il noue des relations avec un voisin de palier. Tout cela, vu du dehors, présente la succession la plus naturelle, la plus proche d'une suite insignifiante de faits. Et c'est cette suite qui, sous l'action d'un
autre événement fortuit, va prendre l'apparence d'un enchaînement fatal et irrémédiable.

Un dimanche, invité par son voisin sur une plage située
près d'Alger, il se trouve mêlé à une querelle. Des coups
sont échangés. Son ami est blessé au bras. L'incident semble sans importance. Le petit employé revient sur la plage
où il se promène, indifférent et tranquille, dominé par le
soleil. Soudain, il aperçoit, étendu dans un creux du rocher, l'Arabe qui a provoqué la dispute; celui-ci tient à la
main son couteau, lui-même a dans sa poche une arme,
le revolver qu'il a enlevé à son ami pour lui épargner un
crime. Le soleil brûle toute cette scène; l'air est feu; la
sueur glisse sur les paupières du jeune homme, lui obscurcit la vue et lui rend insupportable l'éclat du couteau offert
à la lumière. Il tire une fois, puis encore quatre fois sur
le corps déjà inerte. « Et c'était, dit-il, comme quatre coups
brefs que je frappais à la porte du malheur. » Voilà donc
un événement, plus sérieux, plus lourd, qui, né de rien, va
probablement appesantir son sort. Pourtant, à première
vue, cet incident semble plus désagréable que tragique; il
y a eu meurtre, mais meurtre que presque tout semble
excuser; l'issue du procès ne devrait être que banale, insignifiante, comme toute l'histoire. Seulement, voici que par
rapport au procès tous les menus faits des journées pré-

cédentes prennent une signification extraordinaire. L'apparente insensibilité du jeune homme, ses distractions en présence du cadavre de sa mère, sa conduite irréfléchie deviennent, aux yeux d'un juge dont il repousse le système de salut, les preuves d'une culpabilité profonde, l'expression d'un entraînement au crime qui exige le plus grand châtiment. L'avocat le défend mal. Le procureur donne de l'affaire une version si minutieuse, si vraisemblable, que l'accusé lui-même ne peut s'y soustraire. Il est condamné à mort.

Quel est ce petit employé, au comportement si banal et brusquement entraîné par la fatalité de ses actes insignifiants au point d'être livré à un destin épouvantable? Dans une certaine mesure, il est l'image même de la réalité humaine, lorsqu'on la dépouille de toutes les conventions psychologiques, lorsqu'on prétend la saisir par une description faite uniquement du dehors, privée de toutes les fausses explications subjectives. Il est l'absence profonde, l'abîme où il n'y a peut-être rien, où il y a peut-être tout, que suppose tout spectacle humain. Pendant la veillée mortuaire, l'enterrement de sa mère, il ne pleure pas, il ne parle presque pas, il n'exprime aucun sentiment; cela signifie-t-il qu'il est un mauvais fils, qu'il est cynique, sans pudeur, sans sensibilité? Non, mais c'est que son mode profond de sensibilité, c'est de ne pas sentir; c'est qu'il sent avec ce qui est au-dessous de toute sensibilité exprimable et qui en repousse les formes impures, mensongères, adaptées aux usages de la société et de la vie pratique. Au moment où il va tirer sur l'Arabe, il est sans l'ombre d'une idée, sans projet, il est tout à son vide, il n'est en rien relié au passé de cette affaire ou à son avenir possible; il est tout entier dans cette éclatante lumière qui le foudroie, lui fait trouver gênant l'éclair d'une lame au soleil, le fait tirer. « Pourquoi avez-vous tué cet Arabe? » lui demande le tribunal. Et il répond « rapidement, en mêlant un peu les mots et en se rendant compte de son ridicule » que c'est à cause du soleil. Voilà aussi pourquoi la société le condamne. Elle le condamne, non pas à cause de son meurtre qui pourrait être excusé ni même de sa prétendue insensibilité qu'il serait facile de cacher sous des interprétations favorables, mais à cause de l'absence fondamentale qu'il révèle, de sa présence complète à ses gestes les plus simples et les plus élémentaires, de cette absence de pensée et de vie subjective qui fait de lui un étranger. La société n'admet pas qu'on révèle avec tant d'ingénuité, avec une sorte d'inconscience qui la consterne, que le vrai, le constant mode de penser de l'homme, c'est un « Je ne pense pas », « Je n'ai rien à penser », « Je n'ai rien à dire ». Elle ne supporte pas que soit tarie ainsi la source des grands sentiments dont elle s'enchante, la noblesse, la pudeur, l'amour filial, et moins encore qu'on puisse vivre avec une totale indifférence au passé et à l'avenir, sans plan réfléchi, sans attention à l'ordre qu'elle suppose. Etre le jouet du hasard, cela n'est pas possible sans crime, dans la vie en société. Le hasard y devient le destin.

M. Albert Camus ne s'est pas contenté de donner à son histoire cette ombre invisible que le regard devine, il a voulu en exprimer plus clairement, plus directement le sens. Dans la dernière partie de son livre, où le condamné à mort essaie en vain d'échapper à l'irrémédiable, il lui fait découvrir la vérité profonde de cette fatalité, en le mettant en opposition avec un prêtre qui lui apporte inutilement ses consolations. Et, en effet, il n'y a rien de commun entre un système religieux pour lequel l'essentiel est le salut, la vie au delà, l'idéal hors du temps et cette conduite qui est toute dans l'instant, qui est étrangère à toute finalité, qui dans l'action même se refuse au projet. Le condamné, après avoir cru voir s'effondrer sous son tragique châtiment toute la raison de sa vie qui était vivre, aperçoit la vérité de sa condamnation, qui n'est pas différente de celle qui frappe tous les autres. Chacun est condamné, parce que les vies que chacun croit choisir, tous les destins qu'on embrasse ne sont rien au regard du seul destin qui vous choisit. Mais chacun aussi est privilégié, et ce privilège exprime la justification finale qui met chacun en accord avec ce qu'il a fait, qui le récompense de n'avoir rien éludé, rien réservé pour plus tard et qui lui rend sensible sa parenté avec le monde inconnaissable.

Cette conclusion dont le sens est impérieux et qui découvre les vraies perspectives du livre, n'a pour défaut que d'apparaître. Il y a un changement de ton assez gênant entre l'objectivité presque absolue du récit, objectivité qui est sa vérité profonde, et les dernières pages où l'étranger exprime ce qu'il pense et ce qu'il sent en face de la mort et de la vie. Il semblerait que, plus le destin se referme sur lui, plus aussi devrait grandir sa sobriété, son mutisme, son « Je ne pense pas, je ne dis rien ». La fatalité qui l'accable parce qu'il ne peut s'expliquer ne saurait, à mesure qu'elle l'écrase, le séparer de son silence. On se rappelle les admirables scènes de certains livres de William Faulkner, celles de *Sanctuaire* par exemple où la justice est aussi l'instrument d'une effrayante fatalité. Quelle absence! et, chez les victimes comme chez les acteurs du drame, quel laconisme! Les plaintes, les cris de haine, la folie ne sont exprimés que par le fait qu'ils ne s'expriment pas, par un léger tremblement des corps, par un tassement incompréhensible de la pensée. Le malheur fait taire cette voix explicatrice qui met les choses au point et tire de lui une leçon accessible aux paroles. Si l'on voulait éclaircir la gêne qui alourdit la deuxième partie de *L'Etranger,* on verrait peut-être que l'engrenage, la procédure, la mise en scène du procès sont quelquefois factices; la fatalité semble créée de toutes pièces par la société, et la société, assemblage d'hypocrisie et de crainte, composé d'idéal et de commandements, soumet à un jugement arbitraire un certain type d'homme dont l'ingénuité méconnaît son ordre. En réalité, le héros de M. Albert Camus ne signifie pas seulement cette opposition trop facile de la réalité humaine et de la réalité sociale. Son étrangeté n'est pas le propre de l'individu qui se sent étranger aux conventions et aux lois. Elle représente le sens que prend l'existence, lorsqu'elle est saisie en dehors des modes de penser et de sentir que l'usage des paroles explicite. Elle est cette originalité essentielle qui s'affirme entièrement dans le présent et qui, changeant tout hasard en destin, se heurte au monde, aux choses et à la société comme à un je ne sais quoi d'impossible et cependant de naturel et d'inexorable.

XII

L'ANGE DU BIZARRE

C'est avec beaucoup de plaisir qu'on lit le bref essai que M. André Gide a consacré à Henri Michaux et qui a gardé la forme de la conférence qu'il devait d'abord lui consacrer. La conférence n'a pu avoir lieu. La publication demeure. Les circonstances ont conduit à sa véritable destination ce texte que son auteur réservait au plaisir de quelques-uns et de quelques instants et qui, sous cette forme nouvelle, durera malgré lui.

Le titre de cet essai : *Découvrons Henri Michaux*, pourrait être l'occasion d'un malentendu. Henri Michaux est loin d'être ignoré. Si sa réputation n'est pas celle qui se fonde sur la facilité de lecture et le goût du plus grand nombre, elle a depuis plusieurs années la caution de cinq à six ouvrages dont les effets ne dépendent point du consentement d'un vaste public. L'influence d'un art est souvent fort étrangère à la connaissance qu'on en a ou même à l'originalité qu'on lui attribue. Il y a parfois dans une époque quelques vers ou quelques pages ignorées de presque tous qui exercent une action dont personne n'est d'abord conscient. On la subit sans en découvrir l'origine. On la propage, alors qu'on l'ignore. Lorsqu'on en surprend la forme, on est tout prêt à la rejeter; car il semble que d'autres œuvres plus connues ont tous les caractères qu'elle paraît avoir et qu'elle-même en dépend. Mais cette remarque vient trop tard. L'influence persiste. Elle s'accroît au contraire de l'influence exercée par toutes les autres œuvres qui lui ressemblent, qui sont peut-être sa cause et qui sont injustement absorbées par elle.

Il est naturellement impossible de savoir si les ouvrages d'Henri Michaux auront ce sort un jour, recevront d'autres œuvres dont on peut grossièrement les rapprocher, un supplément de renommée, ou au contraire leur apporteront la part de bizarrerie, d'étrange force, de singularité téméraire qui fait leur charme et nourrit leur action. Tout ce qu'on peut rechercher aujourd'hui, c'est le sens d'un art dont le caractère authentique est incontestable et qui est plus connu qu'il ne le paraît. Comme il appartient à ces formes de création qui représentent une rupture, au moins apparente, avec les conventions traditionnelles, le moment semble assez favorable pour en recommander la connaissance et pour démasquer les vérités obscures et les beautés voilées dont il a composé les formules. L'expression de M. André Gide : « Découvrons Henri Michaux », redevient très exacte, s'il s'agit de restituer un art insolite à des valeurs plus communes qui permettront d'en prendre une conscience claire, de le découvrir en lui retirant ce qui le cache et le rend invisible.

D'une manière générale, on peut dire que l'intérêt d'ouvrages comme *La Nuit remue*, *Voyage en Grande Garabagne*, *Plume*, vient d'un certain sens du bizarre, d'une alliance avec les figures singulières, de l'accès qu'ils ouvrent à des mondes qui sont entièrement différents du nôtre. Cette ambition n'est pas nouvelle, elle est à l'origine de la littérature et elle a depuis un siècle donné naissance à quelques chefs-d'œuvre, dont l'influence a bouleversé les perspectives littéraires. On ne saurait suivre les courants qui sont sortis de ces tentatives, ni même citer les noms qui les ont illustrées. Si l'on pouvait se livrer à une pareille étude, on verrait que la plupart des écrivains qui ont poursuivi la recherche de l'étrange ont été avant tout maîtres du naturel. Obsédés par la pensée de rendre commun l'insolite et réel l'imaginaire, ils se sont efforcés, par les moyens les plus variés, de donner un caractère rigoureux de vraisemblance, mieux que cela une véritable force de nécessité à des inventions délirantes ou incroyables. Ils ont recherché comment ce qui ne pouvait susciter par sa propre nature que refus et dégoût de la raison deviendrait grâce aux ressources de l'art un objet d'adhésion. Leurs préoccupations les ont donc portés à réfléchir d'une manière efficace sur le sens que pouvait avoir, en littérature, la loi de la nécessité et ils ont beaucoup contribué à détruire les conventions habituelles qui tendent à faire de l'ordre littéraire un simple décalque de l'ordre apparent des choses.

Alors que les auteurs dont le souci est d'exprimer le monde de tous les jours croient que leurs œuvres deviennent nécessaires dans la mesure où elles imitent minutieusement leur objet, les écrivains pour qui l'objet de leurs écrits est l'incroyable, le saugrenu, le factice, savent que la nécessité, la vraisemblance, le naturel viennent d'une ordonnance tout intérieure, de la mise en œuvre de ressources purement littéraires, d'une création dont les dispositions du langage donnent la clé. Ils ont ainsi aidé à libérer l'art de l'esclavage du naturalisme et de la psychologie, non seulement parce qu'ils se sont appliqués à des objets fort éloignés de l'observation immédiate mais surtout parce qu'ils ont obligé l'œuvre littéraire à se constituer selon ses lois propres, à s'ordonner d'après ses conventions, à demander sa consistance à une forme indestructible.

On sait qu'Edgar Poe a consacré à ce problème de la nécessité en littérature une analyse si complète qu'il a pu en utiliser les résultats aussi bien dans l'ordre poétique que dans l'ordre romanesque et que sa méthode est à l'origine à la fois du conte fantastique et du poème symbolique moderne. On sait aussi que dans sa construction de l'imaginaire il a eu le plus souvent recours à un ordre double de moyens, son souci étant d'une part de trouver à des effets d'une étrangeté complète, d'une invraisemblance insoutenable, des causes toutes naturelles et ordinaires, et d'autre part, par l'usage d'un art verbal extraordinairement efficace, de stupéfier les esprits, de les enchanter, de les soumettre à l'influence d'une conviction incroyable et irrésistible. Il a ainsi, à presque chacune de ses inventions, apporté un double fondement, obligeant le lecteur à l'accepter à la fois parce qu'elles s'expliquaient naturellement et parce qu'elles donnaient à l'esprit frappé de vertige le sentiment de l'exceptionnel. Les contes fantastiques doivent s'imposer comme vrais et comme invraisemblables. Ils obéissent et ils échappent à la loi.

Bien d'autres grands écrivains ont examiné ce problème des rapports entre le naturel et l'incroyable. Les uns ont fait comme s'ils s'attardaient dans la description des choses banales et des événements ordinaires, ils ont habitué l'esprit du lecteur à suivre des chemins tout tracés et des voies sans péril, puis, par une révélation, une promptitude bouleversante, ils lui ont soudain découvert que ce monde si vraisemblable, si calme, si conforme à la règle, était, en réalité, un monde de désespoir, livré au désordre et à l'extravagance. D'autres, entraînant l'imagination dans un monde absolument étranger au nôtre, monde du faux et de l'absurde, ont maintenu le contact avec le naturel en appliquant à ce réseau de hasards les lois de la logique et de la cohérence. Rien ne provoque plus l'esprit au vertige qu'un mélange de méthode et de merveille, une combinaison de rigueur et de bizarrerie, que l'effort suprême de la logique pour porter l'absurde. Le plus haut degré du pathétique est dans ce scandale que l'intelligence s'inflige à elle-même par une imitation aussi fidèle que possible de ses moyens, par une parodie sérieuse de ce qu'elle est et de ce qu'elle peut.

Dans tous ces cas, l'écrivain ne renonce pas à tendre des relations entre l'extraordinaire et la réalité de la vie courante. Nous savons que nous pouvons passer de l'un à l'autre et nous conservons au cœur des ténèbres le souvenir du jour qui semble n'en être que l'aspect propice. Cet univers où nous ne sommes pas, c'est tout de même notre univers. Tout autre est le souci d'Henri Michaux. Dans ses ouvrages les plus significatifs, particulièrement dans *Au pays de la magie* ou *Voyage en Grande Garabagne*, nous nous trouvons en présence d'une volonté complète de dépaysement, d'une invention que ne justifie aucune comparaison, aucune arrière-pensée d'intelligibilité. L'auteur visite des peuples étranges : les Emanglons, les Omobuls, les Ourgouilles dont il décrit avec précision les mœurs, la flore, la faune, et leur étrangeté est absolument gratuite. Comme le remarque M. André Gide, ses voyages sont tout différents de ceux de Swift ou des imaginations de Butler; il ne s'agit, ni de nous instruire, ni de nous édifier, ni même de nous émerveiller; il ne s'agit pas davantage de nous attirer dans un piège où, une fois tombés, nous nous apercevrions avec malaise que nous sommes toujours chez nous. En fait, s'il y a un piège, il est dans l'absence de stratagème; nous sommes dupés par l'apparente signification que ces récits nous

offrent, nous croyons qu'ils sont destinés à éclairer notre
bizarrerie par leur singularité et nous cherchons passionnément à quoi tout cela peut rimer. Mais nous nous inter-
rogeons en vain. La clé de cette étrangeté, c'est qu'elle n'a
pas de sens pour nous, c'est que littéralement elle ne rime
à rien.

Un tel parti pris, contrairement à ce que l'on pourrait
croire, n'apporte à l'auteur qui l'accepte aucune tentation
de facilité. Il suppose un art surveillé, un grand équilibre
d'invention, une imagination qui travaille sans cesse contre
elle-même. Où est la source de cet imaginaire? Quelle idée
directrice peut lui donner une structure et lui imposer une
forme? Comment intéresser le lecteur à un récit où il n'est
pas intéressé? Par quelles ressources éveiller en lui la curiosité ou plus encore l'anxiété et même l'angoisse à propos d'êtres qui ne lui sont rien, où il ne reconnaît rien de
lui-même et dont les sentiments échappent à toute représentation? Nous ne prétendons pas qu'Henri Michaux ait
poussé le paradoxe jusqu'à son terme. Il n'a été que rarement tenté par le mirage de la pure invention et les quelques tentatives qu'il a faites l'ont amené à des essais de
langage entièrement fictifs où il a cherché à exprimer dans
des mots qui ne sont plus à la mesure de l'homme une
histoire qui doit lui rester étrangère. Mais même quand des
êtres assez proches de nous, dont les réactions ne semblent
pas impensables, circulent à travers ses récits, il arrive
presque toujours un moment où ils entrent dans une région
qui échappe à tout intérêt humain, où, happés par une
péripétie, une étrangeté toute gratuite, ils nous font intel-
lectuellement nous heurter au vide, nous donnent le sentiment du néant dont ils sont chargés par hasard de montrer
l'impossible image.

Telle est, semble-t-il, la principale originalité d'Henri
Michaux, qui, soit dans ses poèmes, soit dans de brefs tableaux ou des récits plus étendus, a su mêler, sous toutes
les formes possibles, l'imaginaire et le réel, mais a eu en
outre l'ambition d'isoler l'imaginaire et, en dehors de toute
référence au destin de l'homme, d'en exprimer la poésie
mystérieuse. Il en est résulté des œuvres d'où presque tout
pathétique direct est exclu, mais que déchire un humour
désespéré, une bouffonnerie dont le sens ne peut être découvert. L'emploi d'un langage volontairement banal, la

recherche d'une syntaxe sans beauté propre, retombant sans cesse sous le poids de ses propres inventions, viennent encore accuser le caractère frivole de ces rêveries qu'aucun fil ne relie à une possibilité de justification. Tout, dans ce monde de l'extravagance, est clair. Tout, d'une certaine manière, s'y explique, mais la raison d'être, par rapport à nous-mêmes, en est complètement cachée. Ces fictions que nous comprenons ne sont pas écrites pour nous. Ainsi se forme l'idée d'un mystère totalement dépourvu d'énigme, d'un fantastique nouveau sans finalité, plus capable qu'aucun autre de dépayser l'homme, de lui donner une profonde image du désarroi et du malaise qui le saisirait s'il pouvait soutenir la pensée d'un monde où il ne serait pas.

XIII

CHAMINADOUR

On connaît le caractère des récits de M. Jouhandeau. Qui
entre sans précaution, lecteur sans passeport, dans ces
histoires d'un abord facile ne se doute pas du terrible
voyage qu'il va faire : il découvre une nature simple, toute
fumante de réalité, qu'il croit naïvement reconnaître, il
rencontre des hommes qui lui semblent de son espèce, il
entend le langage le plus chargé de sonorités humaines.
Promenade délicieuse. Qui le retiendrait de suivre en paix
cette douce pente que l'auteur lui a faite? Et voici que l'im-
prudent s'engage plus avant dans un monde redoutable où
il se perd. Voici que ces compagnons qui lui ressemblaient
et qui, chose horrible, continuent à lui ressembler, exhibent
du fond d'eux-mêmes quelque monstruosité à la fois naturelle et incompréhensible. Sans que presque rien soit
changé à l'allure, au décor, à la forme du récit, un sentiment d'égarement fondamental, d'horreur sacrée le jette
avec fureur au milieu des démons et des dieux, d'ailleurs
invisibles. Le symbole longtemps contenu éclate. C'est dans
le même moment une fulgurante lumière et une impénétrable obscurité. Le lecteur sérieux pense qu'il ne lui reste
plus qu'à périr.

Bien que dans la plupart des cas, la comparaison de deux
écrivains ne soit qu'un échange d'énigmes, on ne peut empêcher une telle lecture d'appeler quelques souvenirs d'Edgar Poe. Chez l'un et l'autre, mais plus encore chez
M. Jouhandeau, le trouble qui se propose à l'être paraît
incommensurable aux causes qui le produisent. La peur,
l'effroi ne sont que les faibles noms d'une émotion qui

remet en que'stion l'existence même. Le corps est pris, avant l'âme, par une terreur intellectuelle. Une bizarrerie' inexplicable est poussée, comme un coin, entre notre vie et notre pensée. Que la maison Usher s'effondre après une intrigue où la vie nous apparaît irrémédiableme'nt compromise par la mort dont elle prend l'apparence, que tel pe'rsonnage du *Saladier,* si respe'ctable, si majestueux, se décompose soudain devant nos yeux, se vide de lui-même e't s'anéantisse dans le malentendu immonde qui le guettait, c'est la même tentative pour précipiter le lecteur anxieux du plan des image's inquiétantes dans l'abîme de l'abstraction. De même que l'ombre philosophique de M. Godeau semble sur chaque figure prendre me'sure de sa propre réalité, de même chaque histoire extraordinaire d'Edgar Poe laisse entendre, modulation plus ou moins lointaine, des murmures du colloque entre *Monos et Una.* La poésie et le' drame nous conduisent à la poésie et au drame de' l'Idée.

Tout l'art de M. Jouhandeau est de rendre non pas seulement pathétique, mais parfois asphyxiante, cette montée au symbole. Dans la vie de ses personnages s'insinue, comme une flamme aride, le sens qu'ils doivent révéler. Si simples, si réels d'abord, ils sont brusquement aux prises avec ce mythe' qui s'empare d'eux, leur impose ses altérations et les dévore dans une lutte qui ne finit pas. C'est la plus grande tragédie. On les voit changer d'apparences, change'r d'être et rester eux-mêmes, ainsi que dans le feu un sarment incorruptible. Même devenus tout à fait abstraits, jetés violemment en dehors de toute vraisemblance et comme' placés dramatiquement dans le vide, ils continuent à vivre une vie effrénée. Comme ils échappaient, malgré leurs formes concrètes, à notre regard, ils échappe'nt maintenant à notre esprit qui croit retenir tantôt un monstre, tantôt quelque métamorphose de Die'u et finit .avec horreur par se prendre lui-même. De cercle en cercle, de sphère e'n sphère, la fuite dans l'absolu se poursuit sans qu'on puisse pressentir quelle figure nous restera entre les mains. Chacun garde jusqu'à la fin le secret de son symbole. A l'imitation de l'abbé Divernere'sse qui meurt au moment même où son évêque allait le condamner et que le train conduit, cadavre béat, jusqu'à la ville où il sera vénéré, il n'est personne qui, par une transmutation suprême, ne puisse passer d'une signification à une autre plus incompréhensible et plus vraie.

*
**

Si l'on regarde *L'Arbre de visages* qui est le troisième livre qu'il consacre à Chaminadour, on s'aperçoit qu'il en a écrit bien davantage où Chaminadour et les personnages de Chaminadour tiennent leur place. Presque tous y font allusion. Il y revient sans cesse. Il ne peut se détourner de cette ville de songe telle que la lui proposent sa mémoire, sa familiarité créatrice, ses passions. Le moindre récit, un propos de deux lignes, un roman interminable, tout finit par le ramener dans cette cité, peuplée de ses héros, où il se promène comme dans un royaume et dont les mystères l'inondent de violences voluptueuses, d'innocence impure et de vertu perverse. Il y abrite ses passions, puis il les observe dans ce refuge où elles ne peuvent que grandir et devenir fatales, feignant alors l'effroi, la honte ou l'amour pour lesquels l'objet avait jusqu'à cet instant semblé lui manquer.

Tous les genres sont familiers à M. Jouhandeau. Il a écrit avec M. Godeau un très long roman qui est une œuvre de première importance, roman où l'âme se dévore et se perd parmi des symboles épuisants et qui marque toutes les étapes d'une implacable tragédie spirituelle. Mais quels que soient les genres qu'il choisit, roman, récit, chronique, œuvre abstraite, la forme à laquelle il tend toujours à revenir est un mélange qui semble embrasser tous ces genres et qui, dans un apparent désordre, réussit à imposer la pensée d'un plan insoupçonnable et profondément médité. *L'Arbre de visages* est une collection de petits faits, de silhouettes, de propos en l'air, de fables, ou même de simples plaisanteries. On peut lire la suite de ces paragraphes sans se préoccuper de cette suite qu'ils composent. On tourne les pages et l'on ne voit que la diversité d'un récit sans unité et sans continuité. Les personnages apparaissent et disparaissent. Ils se montrent portés par l'astre qu'ils habitent et qui tourne mystérieusement autour de notre monde. Puis ils s'évanouissent, puis ils reviennent. Ils sont là, on ne sait pourquoi et ils ne sont plus là parce que la

chaîne des planètes les emporte incessamment. On croit
qu'on ne les a jamais vus : erreur, ils ont déjà exprimé les
mêmes propos et leur figure a été décrite. Et, de même, on
pense les reconnaître, alors qu'ils émergent pour la première fois au-dessus de l'horizon, tout imprégnés du mystère que leur donne une fausse similitude cachée profondément par l'analogie qui les révèle. Comment dire que ces
mouvements aussi minutieusement réglés que ceux d'une
horloge n'obéissent qu'au hasard? Comment penser que ce
manège, imitation parfaite du désordre, puisse dépendre
d'un ordre qu'il transcrit.

Il y a donc toujours chez M. Jouhandeau un moment
où le récit trahit les apparences et, après avoir cotoyé la
réalité la plus tranquille et la plus familière, sombre brusquement dans l'abîme. Ses contes, comme ses portraits,
semblent d'abord n'offrir que l'attrait d'un réalisme qui
n'excède pas l'observation. Il ne dit que ce qu'il voit et ce
qu'il voit paraît se confondre avec ce que tous peuvent
observer. Le monde où il nous fait entrer est un monde
où chacun marche de plain-pied. On en discerne les chemins, on y est à l'aise, on s'y meut sûrement. Soudain,
tout change. Les mêmes personnages sont attirés par une
effroyable tragédie où ils se manifestent plus étranges pour
avoir été si proches de nous. Ils sont la proie d'une passion
qui les renouvelle. Ils cèdent à un vertige où ils pénètrent,
repoussés de leurs apparences et cependant exprimés par
elles. On se perd dans ce monde si tranquille où ils vous
avaient entraîné. On en cherche vainement l'issue. On est
assourdi par le vacarme de la catastrophe. On est fasciné
par sa certitude. Comment sortir de ce rêve pervers ? Il
est en nous.

M. Jouhandeau, sous le titre : *On se voit deux fois*,
conte l'histoire de l'organiste Magnanimus qui, pendant les
deux tiers de sa vie, éblouit le monde par son élégance, son
raffinement et le faste de son talent. Un rêve sublime l'en-
vironnait. Il était magnifique et inaccessible. L'humanité
le touchait à peine. Or, dans sa vieillesse, Magnanimus,
tombant au plus bas de la dégradation physique et morale,
finit par apparaître dans un état devant lequel on ne pouvait que frémir de honte et de pitié. « Maintenant, dit
M. Jouhandeau, j'essaie d'imaginer Dieu devant l'âme de
M. Magnin et l'âme de M. Magnin devant l'Eternel. Dieu,

l'Eternel n'a jamais séparé l'Elégance originelle de l'Abjection finale de Magnanimus; ensemble il les envelopp
toujours dans un seul et même regard et l'une éclairan
l'autre, l'une justifiant, expliquant, traduisant l'autre
l'exaltant, à elles deux inséparables elle donnait tout so
prix à l'art de cet homme et tout son sens à lui-même.
Tels sont aussi les personnages de M. Jouhandeau devan
leur auteur. Celui qui les surprend dans une brève scèn
sait qu'ils se voient deux fois et il sait qu'au comble de l
splendeur ils s'aperçoivent eux-mêmes au comble de l
détresse, mettant toute leur perversion à resplendir ave
plus d'éclat dans la misère dont ils sont faits que dans l
magnificence dont ils sont revêtus. Ces misérables, ce
obsédés, ces hommes ravagés par leurs vertus, traversen
les récits qu'ils illustrent dans une transfiguration sublime
escortés d'on ne sait quelle clameur de louanges, comm
s'ils étaient, par la tension tragique où ils vivent, capable
d'une pureté que mesurent aussi bien leurs vices que leur
vertus.

Une des caractéristiques du monde de Chaminadour
c'est que ses habitants sont aussi humbles que ceux d
n'importe quel village, et que cette humilité est le refle
d'une dignité dont le sens est ambigu. Les grands-parent
Binche sont boulangers, Héliodore est boucher. Les Hya
cinthe tiennent un cabaret. Nathalie est lingère. Ces état
n'ont rien de factice. Rarement des personnages ont ét
aussi profondément enfoncés dans la réalité d'un métie
mais plus rarement encore ils ont trouvé dans ce métie
banal le ressort d'étrangeté et de bizarrerie qui les rejett
dans un autre univers. C'est une des ruses de M. Jouhan
deau. Ce qui rapproche le monde de nous, c'est ce qui nou
en éloigne définitivement. La familiarité des états, de
coutumes, des mœurs, est le principe du dépaysement. O
touche à l'extraordinaire par un approfondissement an
goissant de la banalité. De la même façon, les habitant
de Chaminadour font coïncider en eux les formes les plu
simples de la vie et les plus incroyables. Soit par leu
apparence, soit par leurs réflexions, soit par les traits véri
tables de leur caractère, ils appartiennent à un univers qu
n'est pas éclairé par la simple lueur du jour mais par u
soleil splendide et noir qui est fait de la beauté ou de l
laideur de leur âme. Ce mot âme a justement un sens trè

profond pour eux. Il rend compte de ce qu'il y a d'inquiétant
dans leurs vertus, de noble dans leur bassesse. Il les soustrait à la commune mesure des sentiments. Il les fait vivre
non pas dans le climat psychologique pittoresque et mou-
vementé, mais dans la tragique anomalie d'un monde
moral. Chaminadour, c'est la cité de l'âme, de l'âme royale,
fabuleuse, énigmatique, où tous les paysages sont intérieurs, dont les chemins se croisent comme des voies inextricables pour conduire à des perspectives solennelles et
bouleversantes, le lieu unique au monde où « passe l'échelle
de Jacob, en enfer implantée et s'élevant d'astre en astre
jusqu'à l'Eternel ».

Mais c'est peut-être le personnage d'Elise qui nous fait
le mieux concevoir l'étrangeté du regard de M. Jouhandeau. D'un être qui lui est infiniment proche — sa femme
— il semble qu'il ne puisse s'approcher que par l'intermédiaire d'un être de fiction qui lui soit semblable (ou peut-
être dissemblable). Voir est pour lui un acte complexe que
menace son caractère immédiat et direct. Il ne voit bien
ce qui est présent qu'en le rendant absent ou en le saisissant dans une image qui le fait paraître imaginaire. Il
habille d'un vêtement qu'il tisse et décore ceux qu'il a
choisi de regarder et dont ainsi il distingue mieux la
nudité. Il introduit en tiers, dans le couple qu'il forme avec
une autre, un personnage qui, d'abord formé à la ressemblance de celle-ci, s'impose d'autant plus à elle qu'il lui
devient plus étranger et, à mesure qu'il s'éloigne, lui montre la proximité de leur nature et la vérité de leurs rapports. Ainsi, l'être réel se voit invité, dans la vie même, à
devenir le double légendaire qu'il deviendra dans l'œuvre
écrite; et, à son tour, le personnage qui a pris corps dans
un livre doit tenir compte de la métamorphose que sous
son influence subit le modèle dont il est né; ces deux
visages ne cessent de se regarder pour se conformer l'un
à l'autre; même si la figure vivante juge horrible le portrait que lui renvoie ce miroir, elle est attirée par le
secret d'une similitude qu'elle précise en la contestant et,
sous la pression du créateur, la face irréelle et la face véritable se rapprochent jusqu'à se confondre dans une cruelle
identité. « Elle est devenue Véronique, dit M. Godeau,
maintenant plus « elle-même » qu'elle-même. Je lui ai
imposé son âme. » Ce que peuvent dire tous les personna-

ges de leur modèle, et d'abord M. Godeau de M. Jouhandeau lui-même.

On voit que ces rapports du monde et de l'œuvre écrite
nous reportent aux exemples classiques du romantisme
allemand. L'œuvre n'est pas tout à fait indépendante. Elle
ne prend toute sa valeur que parce qu'elle pénètre dans la
réalité qu'elle exprime, la laisse entrer dans ses propres
marges, entretient avec elle des rapports d'un caractère
magique. L'écrivain n'écrit pas d'une manière désintéressée pour enrichir la littérature de portraits remarquables;
du moins, s'il éprouve la nécessité d'écrire, c'est pour
transformer sa vie en donnant à ceux qui en font partie
— et à lui-même — le sens que leur prêtera leur reflet,
leur simulacre littéraire, cette sorte d'étrange faux semblant qui les rend plus vrais qu'ils ne sont. Ecrire est une
méditation, et écrire en formant des personnages d'après
soi est une expérience qui a besoin d'être dangereuse pour
être authentique. Quant à la vérité de ces personnages,
elle est sous un certain rapport inestimable. Elise est-elle
Elise ? Véronique, Véronique ? M. Godeau, M. Jouhandeau ? Est-ce dans un pur mensonge que l'écrivain trouve
sa vérité ? L'écran qu'il se donne lui dérobe-t-il à jamais
ceux que son regard croit apercevoir au travers ou force-
t-il sa vision à une netteté qui l'enrichit de révélations
inattendues ?

A cette question qui ne demande pas qu'on y réponde
mais qui au cœur de la création littéraire introduit une
référence à la vérité et à son sérieux, on peut ajouter ceci :
ces êtres imaginaires que M. Jouhandeau détache des
êtres réels afin de les mieux voir ou de leur échapper, sont,
à ses yeux, leur version mythique; ils représentent leur
part d'inconnu, leur projection dans l'invisible; ils préci-
sent leur secret; ils les interprètent selon le mystère qui
est dans leur nature. Rien de psychologique dans leurs
portraits (du moins, les meilleures pages ignorent-elles
toute vérité d'analyse). Ce n'est pas ce que l'on sait d'eux
qui importe, mais ce qui excède le savoir, ce qui, au delà
du monde visible où ils agissent parfois bizarrement, parfois simplement, fait d'eux les témoins d'un univers énigmatique, les maîtres ignorants d'un empire inconnaissable,
les visiteurs interdits des gouffres. M. Jouhandeau, par
l'interstice qu'il découvre dans les êtres, aperçoit les abî-

mes et les sommets, la gloire et la honte d'un royaume qui
n'est pas tout à fait l'inconnu puisqu'il l'identifie avec
l'enfer, mais l'enfer n'est souvent pour lui que le symbole
de l'extrême, et son admiration du Mal est le dernier relais
pour atteindre les confins que cerne une nuit sans mémoire. Qu'il ait donc peint avec prédilection des êtres qui
à un regard distrait semblent monstrueux, qu'il ait transformé Guéret, sa ville natale, en la cité fabuleuse de Chaminadour où l'existence la plus familière débouche sur
l'horrible, ce n'est pas par la fatalité d'une imagination
assombrie, mais pour avoir cherché le sens des choses dans
l'inconnu auquel elles sont liées. Ces images qu'il jette à
la rencontre des siens, le filet qu'il lance dans l'angoisse et
comme éternellement sûr que la prise en sera le vide, forment le négatif de la réalité ordinaire, ce qu'on en verrait
si on la regardait du point où l'on ne voit rien, ce que, du
fond le plus retiré de son âme, chacun peut pressentir de
soi.

Le portrait d'Elise a la grandeur des figures qui échappent aux mesures communes. Par certains côtés, les deux
volumes des *Chroniques maritales* reproduisent les épisodes d'une tragédie conjugale : l'intimité devenue la plus
grande étrangeté, la communauté changée en divorce,
l'oppression d'une existence par une autre, la lente, terrible
asphyxie d'êtres qui ne vivent ensemble que pour éprouver
qu'ils ne peuvent vivre que seuls, le purgatoire des reproches, l'enfer du silence. Mais de ce réquisitoire sort, comme
une figure splendide, glorieuse, digne du couronnement,
l'image de celle contre laquelle le réquisitoire est dirigé.
Héroïne que l'éblouissement attire, lionne qui dévore ce
qu'elle aime, démon qui ne connaît ni le repos de la pitié
ni le sommeil de la complaisance, elle appartient bien à la
race de ceux que M. Jouhandeau appelle « les Miens »,
intrépide comme eux, prête aux plus étranges défis, capable de devenir atroce pour rester soi, et ajoutant à cette
violence intérieure l'éclat du dehors et l'affectation théâtrale. Sans doute ignorant jusqu'à la folie les penchants
de celui qui l'a épousée, elle règne dans le désordre de sa
maison où elle se croit plus libre qu'au désert, mais ses
excès font partie de sa splendeur et son aveuglement est
le signe d'une âme sans partage. Ainsi, dans ce combat
de Jacob avec l'Ange dont il a voulu décrire toutes les

bassesses, l'art de M. Jouhandeau, même dans l'âpreté de la plainte que sa vie divisée exprime, ne peut s'empêcher de rendre admirable et presque supérieur à lui le tourment qu'il voulait haïr, et en cela ce livre de récriminations conjugales est comme le résumé de toute son œuvre, si c'est la dignité de sa création d'avoir proposé à l'homme un combat, plein d'horreur et de misère, mais où le Mal n'est pas humilié, où le Pire n'est pas discrédité.

XIV

ROMAN ET MORALE

Il y a quelques années, M. Jacques Chardonne avait réuni sous ce titre charmant : *L'Amour, c'est beaucoup plus que l'amour* quelques pensées sur le bonheur. Il a donné une édition nouvelle de ce petit ouvrage, et le soin qu'il y a apporté montre le prix qu'il y attache.

Le dessein de ce livre donne tout de suite à penser : *L'âge venant*, dit M. Jacques Chardonne dans un bref préambule, *un romancier qui a écrit une dizaine de romans commence à comprendre ce qu'il a voulu dire. J'ai réuni ici dans un ordre qui leur donnera plus de sens, et en les modifiant un peu, des phrases détachées de mes livres précédents.* La plupart des textes qui forment ce petit volume sont en effet empruntés à des romans. On y retrouve beaucoup d'observations qui étaient celles de personnages singuliers et qui exprimaient leurs penchants. D'un seul coup, M. Jacques Chardonne s'attribue donc tout ce qu'il avait prêté aux autres et il donne un sens absolu à des pensées qui semblaient l'expression d'un dessein personnel.

Que peut signifier une telle entreprise ? Lorsqu'il s'agit d'un écrivain aussi réfléchi que M. Chardonne, on ne saurait se contenter d'y voir un projet de peu d'ambition. Ce n'est assurément pas pour mettre en valeur quelques heureuses paroles sur l'amour et l'énigme du bonheur humain, qu'il a tiré de ses anciens livres ce nouvel ouvrage qui leur doit tout. Il n'y a nulle apparence d'anthologie dans cette présentation plus méthodique. D'ailleurs, un écrivain ne pourrait qu'être irrité par le projet de faire lui-même des morceaux choisis avec les débris étincelants de son œuvre. Ce travail convient au zèle maladroit des admirateurs.

Ce qui fait réfléchir devant la tentative de M. Jacques Chardonne, c'est que, si on lui reconnaît le sérieux qu'elle mérite, elle ne vise à rien moins qu'à détruire deux ou trois romans de cet auteur. Le fait d'avoir pris à des personnages de roman les pensées qu'ils exprimaient dans des circonstances particulières et de proposer ces pensées comme des vérités générales risque non seulement de rendre inutile la lecture de ces premiers livres, mais d'en rendre l'usage impossible. Il semble que les êtres de fiction auxquels le romancier avait d'abord songé s'effacent devant cet acte qui leur retire ce qu'ils étaient. Les perspectives qui étaient celles de leur vie n'ont plus de signification. Ils cessent de pouvoir parler en leur nom puisqu'ils n'ont pas besoin que l'on croie en eux pour que l'on trouve du sens à leurs paroles. Leur roman est un palimpseste où quelques pensées générales ont consumé l'étrangeté et la singularité de leur vie.

Il y a dans ce travail de destruction, même s'il ne faut pas le transformer en un drame selon l'esprit de Pirandello, quelque chose d'anormal dont M. Chardonne a eu certainement conscience. Il sait très bien qu'en ôtant à ses romans les éclairs abstraits qui les illuminaient, il en a altéré le caractère. Il a fait un partage qui n'était pas de son ressort. Il s'est divisé contre lui-même. Il a pris parti. Désormais, lorsque nous entendrons ses personnages nous parler selon leur vérité propre, il nous sera impossible de ne pas entendre la voix de l'auteur affirmer avec eux : « ceci est vrai », les sacrifiant, au moment même où il les soutient et les chassant de son propre miroir.

Il reste à rechercher quelle est la cause d'une transformation aussi grave. Tout se passe comme si M. Chardonne avait été peu à peu fasciné par sa vocation de moraliste. Dans ses premiers romans, seul son art, d'une étrange douceur abstraite, laisse deviner le goût des vérités idéales. L'analyse reste la méthode d'un romancier traditionnel. Un peu plus tard, les personnages prennent l'habitude de se servir de courtes réflexions morales pour exprimer le drame de leur vie. Ils utilisent des sentences d'une valeur universelle afin de faire entrevoir le caractère incommunicable de leurs pensées. Ils choisissent pour se mentir et se tromper le cadre de vérités incontestables. On dirait que, prévoyant leur destin, ils combattent et tournent secrètement en dérision cette morale qui, quelques années plus tard, va s'émanciper d'eux et leur retirer toute chance de vie personnelle. Ils dénoncent par leur sincérité propre le sentiment de leur universalité. Leurs réflexions, si parfaitement moulées sur le sort qui est le leur, deviennent inutilisables pour l'ensemble des hommes et ne sont générales et communes que pour bafouer cet aspect de vérité qu'elles ont.

Après ces livres, dont la beauté est mystérieuse, on sait que M. Jacques Chardonne a écrit d'autres ouvrages où les souvenirs, les pensées, les commentaires, ont tenu une place de plus en plus grande. *Le Bonheur de Barbezieux*, *L'Amour du prochain*, *Chronique de notre temps* sont des livres qui parlent harmonieusement de beaucoup de choses et où les drames obscurs se sont exténués pour faire place à de tranquilles maximes. M. Chardonne y donne libre cours au désir qu'il a d'exprimer une sorte de sagesse, sagesse mesurée, faite d'amertume et de confiance, de soumission à l'arbitraire et d'aspiration au bon sens. Il y cherche des formules qui paraissent hésiter entre le paradoxe et la vérité de sens commun. Il s'y complaît dans des pensées dont la simplicité est le comble de l'orgueil. On le sent devenu son propre oracle et désireux avant tout de régner sur les violences de son esprit. Le monde où il est n'accepte la présence que du personnage qu'il est devenu.

Ce destin de moraliste qui l'a conduit à sacrifier les événements aux pensées et les personnes à la vérité, on peut en imaginer une explication. Il y a entre un romancier et un moraliste des affinités qu'on a souvent entrevues dans notre littérature. On a dit de La Rochefoucauld qu'il était un auteur de roman déçu, et de Vauvenargues qu'il aurait pu être Henri Beyle. Cela peut se concevoir de plusieurs manières. Ce qui apparaît chez les écrivains qui ont naturellement les dons de perspicacité, d'amertume et de précision propres aux moralistes, c'est qu'ils semblent se sentir plus libres dans le maniement des formes abstraites que dans les observations surveillées de la psychologie. Ils se sont libérés des entraves du monde réel en imaginant les intrigues d'êtres de raison. Ils sont les maîtres d'allégories et, des mots hypocrisie, vanité, bonheur, amour, ils

tirent une tragédie abstraite, où ils expriment sans souci
de vraisemblance leur mépris ou leur goût de la vie. La
morale devient pour eux une mythologie et leur pensée impérieuse y affirme avec un parti pris provocant le désir de
ne voir que ce qu'elle a choisi. Dans ces conditions, on peut
dire qu'un romancier est tenté par les pures abstractions
de la morale dans la mesure où, incapable de créer de vrais
mythes, il ne peut non plus se contenter de la vie telle que
la psychologie l'oblige à la saisir. Il est moraliste parce
qu'il est écrivain d'imagination. Sa revanche sur l'observation et l'analyse, c'est le pouvoir de fiction qu'il se donne
parmi les ombres d'idées dont quelques-unes ont gardé
une puissance mortelle. Chez M. Chardonne, on a souvent
remarqué une hésitation entre son goût pour l'observation
méticuleuse et extérieure des choses et une vue pessimiste
et tout idéale des hommes. Il semble avoir voulu contenter
son souci des choses réelles par le roman et l'inquiétude
de son esprit amer par la morale. Et il a de plus en plus
développé les charades étincelantes de l'abstraction parce
qu'il a cru trouver dans ce jeu plus de liberté, plus de ressorts inattendus et plus d'humanité véritable, par conséquent une projection plus complète de ses rêves que dans
les romans où il n'était maître que de son récit.

Lorsqu'on a lu le petit livre sur l'amour, on ne peut
s'empêcher de relire l'un de ses meilleurs romans, *Eva,* où
l'on retrouve plusieurs des pensées qu'il y a introduites.
Et l'on a tout de suite l'impression que M. Jacques Chardonne s'est peut-être assez gravement trompé sur lui-
même. Le roman a toute la force d'étrangeté, le caractère
dur et énigmatique qui manquent à ses réflexions. Ces
réflexions elles-mêmes, remises à leur place, ne sont plus
seulement d'élégantes formules, mais des éléments d'une
tragédie glacée qu'on approche avec tremblement. Le
roman d'*Eva* est celui d'un homme qui aime sa femme,
qui croit en être aimé et qui médite sur cet amour et sur
ce bonheur. A la fin nous apprenons qu'Eva l'a toujours
haï et qu'elle est un être de folie et de mensonge. Où est
donc la vérité ? Quand cet homme se trompe-t-il ? Que
valent ces pensées si pénétrantes, si assurées et si étrangères au monde ? Que valent les nôtres ? Un drame nouveau se fait jour dans l'esprit du lecteur. Ce n'est pas seulement la tragédie d'un homme qui n'a pas su voir le visage

de son infortune, c'est le drame de la psychologie même, de la vaine perspicacité. Les méditations qui semblaient les plus fines, les plus propres à gagner notre adhésion, sont faites de la trame de l'erreur. Nous croyons spontanément ce qui nous trompe et nous avons raison de le croire. Car il suffit d'un rien pour que l'idée, serrée et pure, tombe en éclats et se perde en une terne poussière.

La morale de M. Chardonne a donc besoin d'être enfermée dans un monde de fictions : elle n'a de sens que dans un roman. Qu'est-ce alors ? Le rêve d'un personnage délirant ou le fruit de pensées réfléchies et authentiques ? Elle est le miroir où l'on ne voit que ce que l'on veut. Le doute lui-même n'est pas absolu. Les hommes vivent dans un monde étouffant, irrespirable et inhumain, où tout semble conforme à la psychologie courante et où en réalité règnent d'inexplicables secrets. Tantôt, nous lisons dans le langage habituel les pensées des hommes et nous croyons que nous les comprenons. Tantôt, le livre est indéchiffrable et c'est pourtant le même livre, ce sont les mêmes pensées et nous croyons aussi les comprendre. La psychologie et la morale finissent par s'effacer dans la conclusion qu'elles ont construite.

« Un roman n'est jamais une peinture des mœurs, dit l'un des personnages d'*Eva*. L'auteur ne connaît pas les hommes, le lecteur non plus. On peut lui raconter tout ce qu'on voudra. » Tant qu'il a été romancier, M. Chardonne ne s'est pas servi de la psychologie pour dépeindre ses personnages mais il a montré comment ses personnages se servaient de la psychologie pour se peindre eux-mêmes, se tromper et tout brouiller selon leurs passions, et il a atteint un monde infiniment plus profond que celui de la psychologie. En renonçant à l'art du romancier, il a renoncé à ces ténèbres cristallisées. Le monde de la féerie abstraite a été détruit et il n'est plus resté que la froide et superficielle analyse. L'auteur est devenu le propre personnage de son œuvre, celui dont les méditations vaines attendent un dénouement tragique pour prendre leur sens et leur profondeur.

XV

LE SECRET DE MELVILLE

La traduction de *Moby Dick* mérite d'illustrer au point
de vue littéraire l'année 1941 qui l'a vue paraître. M. Jean
Giono, à qui l'on doit non seulement cette traduction mais
l'éclat avec lequel elle a été accueillie, a rempli par rapport à ce succès un rôle d'inspirateur dont il serait utile
de préciser le caractère. Son petit livre *Pour saluer Melville*
a d'étranges beautés particulières et, outre qu'il donne un
exemple des vraies exigences de la critique, il laisse entrevoir une des voies de l'écrivain qui, découvrant soudain
un monde prodigieux qui n'est pas le sien, en devient en
quelque sorte l'auteur par la foi avec laquelle il le fait
briller et par le sens qu'il lui donne en lui-même. M. Giono
nous dit qu'avant d'entreprendre la traduction de *Moby
Dick*, il s'est donné pendant cinq ou six ans ce livre comme
compagnon. Le séjour qu'un écrivain est conduit à faire
dans une œuvre qui, par certains côtés, peut lui être assez
étrangère est un phénomène plein d'intérêt. On sent que,
pour M. Giono, c'est le caractère absolu de *Moby Dick* qui
l'a attiré et retenu dans une fascination dont il a souhaité
ensuite que d'autres subissent l'irrésistible puissance.

Il semble en effet que ce qui fait de *Moby Dick* un des
grands livres de la littérature universelle, c'est qu'il cherche
à être un livre total, exprimant non seulement une expérience humaine complète mais se donnant comme l'équivalent écrit de l'univers. C'est, d'une certaine manière, un de
ces livres qui aident à comprendre l'ambition suprême de
Mallarmé lorsqu'il voulait « élever une page à la puissance
du ciel étoilé ». L'impression de défi, lancé à la réalité du
monde par ces œuvres orgueilleuses, ne vient naturellement
pas de leurs dimensions. On éprouve la même impression

devant les contes d'Edgar Poe que devant *Ulysse* de Joyce,
devant les sonnets de' Gérard de Nerval que devant *Maldoror* de Lautréamont. Il s'agit d'un mode d'écrire qui
essaye de rendre au mot création, par une prétention vertigineuse, le sens qu'il peut avoir dans l'expression, la
création du monde. C'est une tentative pour attirer dans la
trame de l'ouvrage, grâce à un emploi rigoureux des valeurs
littéraires, les puissances inconcevables dont nous nous
rapprochons par l'intermédiaire des mythes.

Moby Dick appartient à cette sorte de livres par les rêves
obscurs qui se concentrent en lui et par le secret de sa
composition. Melville a édifié une œuvre qu'on peut tra-
verser à des plans différents et qui, quelle que' soit la profondeur à laquelle on veut la saisir, garde le caractère
ironique d'une énigme et ne se révèle que par l'interrogation qu'elle propose. Il est même possible que l'interprétation la plus simple soit aussi celle qui rende le mieux
compte de ce qu'elle est, à cause de l'humilité de son interprétation et de' l'intervalle qu'elle laisse subsister entre le
livre apparent et le véritable ouvrage. On peut donc très
bien dire que *Moby Dick* est un récit d'aventure, une sim-
pe histoire de chasse à la baleine et qu'il est déraisonnable
d'y chercher autre chose. Cette pensée est une manière probablement légitime d'en discerner le sens. Le livre de Melville a tous les caractères des récits de grande aventure. Il
en offre les points d'attrait, l'intrigue, le' décor, le personnel. Il commence par des mystères de faible profondeur, se
poursuit par des secrets qui ne semblent là que pour provoquer des péripéties et, après les tours et les détours qui
emportent l'attention, se termine par le' drame inévitable
où tout sombre sauf la raison d'être du livre.

Lu sans autre pressentiment que ce plaisir, *Moby Dick*
est un ouvrage auque'l rien ne manque. Le récit de cette
chasse extravagante au cours de laquelle on apprend à
connaître toutes les formes de la pêche à la baleine, se's
usages, les hommes qui s'y consacrent, la passion qu'ils y
apportent, nous entraîne dans une aventure au cœur de
laquelle nous ne perdons pas de vue l'histoire assez singulière et pourtant naturelle qui l'inspire'. Cette histoire est
celle du capitaine du baleinier, Achab, qui pendant une
chasse précédente a eu la jambe coupée par une' baleine
blanche et qui a gardé de son accident un désir impitoya-

ble de vengeance. Il n'a de cesse qu'il n'ait retrouvé et vaincu son adversaire. Cette baleine, que ses dimensions, sa malice, sa couleur, ont rendue célèbre chez les pêcheurs sous le nom de Moby Dick se dérobe à la poursuite; elle est comme un mirage que l'on essaye vainement d'atteindre; elle provoque la lutte qu'elle fuit, jusqu'au moment où, au paroxysme de la colère et du délire, Achab et son équipage engagent le combat perdu d'avance et périssent dans un désastre couronné par la foudre.

Il apparaît bien vite que ce capitaine au nom biblique représente par sa folie et son esprit désespéré un destin dont l'ombre pénètre tout le livre et lui donne sa signification. Même sans suivre très loin la perspective du récit, on n'a aucune peine à voir quelle nuit perverse, quelle sombre maladie de l'âme, ce héros démoniaque emporte avec lui, jetant dans le petit monde où il règne la hantise d'un rêve impossible. Melville, qui se garde bien de jouer à cache-cache avec son lecteur, a eu soin de donner à son personnage tous les traits qui en rendent la figure extraordinaire. Il ne s'est même pas refusé aux simulacres d'horreur, aux stratagèmes de tragédie que la tradition du roman noir avait déjà employés : il y a des scènes de pressentiment, des prophéties spectrales, des cérémonies presque diaboliques dont l'artifice nous touche par sa naïveté historique tout en nous invitant à aller plus loin pour suivre une âme invisible. Mais le cercle de bizarrerie et d'étrangeté qui se ferme autour du capitaine dévoré par sa passion, ne réussit pas à en circonscrire l'action mythique. En dehors de tous les détails mystérieux qui jettent sur le personnage un voile d'impiété, le seul récit de cette chasse suffit à imposer la pensée d'un terrible symbole dont les franges viennent éclairer et obscurcir l'histoire qui l'abrite.

Comme l'écrit Jean Giono, « l'homme a toujours le désir de quelque monstrueux objet. Et sa vie n'a de valeur que s'il la soumet entièrement à cette poursuite ». Ce qui donne une telle grandeur à la chasse de Moby Dick, ce n'est pas la folie d'Achab, son instinct déchirant de vengeance, la fascination qu'il exerce sur les siens, c'est le caractère énigmatique qu'il prête à Moby Dick et qui transforme son dessein en un rêve impossible et fatal. Moby Dick est devenu pour ce héros à demi consumé l'obstacle fondamental de sa vie, l'adversaire géant, contre lequel il sait qu'il se brisera mais qui s'est mis en travers de' son existence, le reflet d'une volonté épouvantable qui le hante, le brûle et qu'il ne touchera que dans l'abîme' de son propre anéantissement. Melville, en parlant de la baleine blanche, parle d'un archange et il explique' longuement que la blancheur est le signe d'une certaine présence mystique. Il n'est donc pas douteux qu'en faisant le récit de' cette chasse légendaire, il a voulu renouveler l'antique récit du combat de Jacob avec l'Ange, se donnant l'objet irréalisable d'attirer Dieu dans son livre, d'exprimer son propre rêve d'écrivain et d'homme qui était de combattre le destin et de le mesurer par une volonté incroyable de défi, persistant dans la défaite' et dans la mort.

L'audace et la beauté d'un tel rêve le rendent insaisissable et c'est pourquoi il est probablement plus conforme au vœu de l'auteur de voir dans le sujet de son livre un simple drame de la mer. Nous sommes dans une certaine mesure vis-à-vis des secrets de Melville comme l'équipage' en face d'Achab, fasciné par sa folie, entraîné à partager furieusement son aventure, menant la même bataille' et périssant de la même fin et cependant tournant en vain autour de sa solitude, incapable de comprendre' la fatalité de son désir, épris d'un monstre interdit. Parfois, ses officiers essayent de le retenir sur la pente où tous se' sentent glisser; ils lui disent : arrêtons-nous, revenons en arrière, mettons fin à cette croisière insensée', et goûtons le repos et les plaisirs de la terre; mais, naturellement, personne' ne croit à ces paroles de la vie banale. Achab n'est plus que le témoin d'un ordre invisible où il subit les commandements d'une chose sans nom, insondable, surnaturelle, du terrible roi sans remords dont il est le misérable et tragique serviteur dans la lutte même qu'il croit lui livrer.

Melville, pour faire rentrer cette' perspective dans son œuvre, lui a donné une structure qui est destinée à transformer en choses visibles l'attente, l'angoisse, les sentiments auxquels peut répondre une telle expérience. Son roman est tout en abîmes, en sommets, en détours, en replis, en espaces que l'on parcourt en vain. D'énormes digressions abstraites viennent brutalement interrompre la course' du récit comme pour interdire au lecteur le tranquille mouvement d'une vie tout unie. Les formes littéraires les

plus différentes servent à élargir ce monde de tempête et
d'écume, à le creuser, à y enfoncer, dans un orage dramatique, la statue épouvantée du héros. Au monologue chargé
de fureurs intérieures succède le va-et-vient des voix qui
heurtent leur langage dans un conflit presque uniquement
physique. L'attention est soulevée et détournée de son objet
par l'irruption d'anecdotes interminables au-dessus desquelles surgit de temps en temps, comme un nuage, la réminiscence d'un dessein éternel. Il semble que Melville veuille
nous faire entendre que, quel que soit le chemin où il s'engage, il ne peut s'égarer. Il ne peut rompre le lien tragique
qui unit ses héros à leur fin; son livre a le caractère désor-
donné, libre, soustrait à l'unité, des existences fatales,
comme si la liberté et les impulsions personnelles, beaucoup plus que le mouvement d'un mécanisme inéluctable,
étaient les vraies voies de la fatalité.

Techniquement, *Moby Dick* a donc toutes les apparences
d'une œuvre qui essaie de rivaliser avec les forces univer-
selles, qui cherche par sa dispersion fulgurante, sa composition en torrent, par ses obscurités et ses raccourcis à
reproduire l'effet d'un monde, aux prises avec la foudre.
Tel est le véritable réalisme. Il n'imite pas ce qui est mais
il prétend, dans un ordre et avec des moyens littéraires, donner la même impression, accumuler au cœur des êtres la
même épouvante et la même flamme qui pourraient leur
venir du spectacle des créations ou des destructions cos-
miques. Il y a peu d'œuvres — il faut pourtant songer à
l'exception de *Maldoror* — où comme dans *Moby Dick* le
langage exerce sur le lecteur une action aussi complète et
aussi singulière. La phrase entraîne celui qui s'y laisse
prendre sans qu'il sache où il va et où il se perd. Elle
transporte des images étincelantes qui retombent avec une
violence voluptueuse, n'ayant rien éclairci, laissant le paysage qu'elles ont éclairé plus sombre du feu qu'elles lui
ont jeté en vain. Elle attire l'attention dans son sillage
sinueux, elle l'oblige à une complète obéissance, elle lui
rend familière une navigation sans espoir et sans issue, et
le naufrage lui-même n'est plus qu'un accident insignifiant
au prix de cette folie cruelle du langage qui dit tout et qui
ne dit rien, condamné finalement au silence, après ces dé-
bauches de cris et d'images, par la simplicité de son mystère.

LE MONOLOGUE INTÉRIEUR

Le roman, assez oublié, d'Ettore Settani, *Les Hommes gris,* nous donne un bon exemple du monologue intérieur. Dans cet ouvrage, une pareille méthode est visiblement destinée à saisir la continuité du temps dans la discontinuité des existences, à montrer comment la vie la plus unie se nourrit d'une étrange discordance de pensées et d'instincts. Les êtres surgissent les uns après les autres comme sur un théâtre où ils se montrent sans s'expliquer. Une brève lumière les découvre jusqu'au fond d'eux-mêmes avec leurs réflexions, leur langage mental et des allusions indéchiffrables à des événements ignorés. Au lieu d'être des passants inconnus que nous apercevons dans la rue sans rien savoir d'eux, ils nous apparaissent comme de vrais inconnus parce que nous les connaissons complètement dans l'instant. Dans la seconde où ils sont visibles, ils sont tout à fait transparents. Autant dire qu'ils sont tout à fait opaques. Ils sont, par une clarté sans pareille, contemplés dans ce qu'ils ont de plus obscur et rendus impénétrables par cet effort extrême pour les pénétrer. Ainsi ils se suivent, se rencontrent, s'interpellent. Nous passons d'un abîme à un autre abîme. Nous écoutons leur dialogue impersonnel qui est dévoré par le langage profond, écho de leur moi incompréhensible.

Ce rythme saccadé, cette cadence aveuglante d'ombres et de lumières cessent lorsque l'auteur décide de nous livrer plus complètement l'un des personnages. C'est alors que triomphe l'emploi du monologue intérieur. Le personnage vomit le flot d'images indistinctes qui expriment sa profonde matière. Il se laisse aller à un délire de mots où roulent ce qu'il y a de' plus faux, de plus véritable en lui, le permanent, l'instantané, l'éphémère ancré dans l'éternel, carnaval interminable. Le plus souvent, une suite insignifiante d'idées nous montre de quels hasards se nourrit le mystère de notre substance. Mais parfois les images associées réussissent à faire toucher la complexité qui les noue. L'être apparaît comme divisé, multiplié entre des plans d'existence où il partage son entente. Les souvenirs introduisent dans le système de pensées et de' sensations une absence créatrice qui porte à son comble l'originalité personnelle. Des actions inimaginable's se dessinent et se rêvent. Des instincts se composent une biographie. Puis, enfin, naissent de vrais actes. Dénouement qui rétablit les relations ordinaires avec le monde. La tragédie est finie.

Ce qui apparaît tout de suite dans l'usage du monologue intérieur, c'est qu'il peut donner à l'auteur qui y recourt l'illusion de se tenir au plus près de la réalité. Celui-ci pense atteindre un degré surprenant de vérité. Il croit vraiment reproduire le mécanisme mental, les rapports incessants, les échanges inattendus qui constituent l'arcane intérieur. Il devient alors une' sorte de héros du naturalisme, convaincu d'exhiber sans retouches, dans sa pureté originelle, dans ses ruses et ses repentirs, le travail même' de l'âme. Il est tout près de considérer ses analyses comme' des documents scientifiques qui peuvent se séparer de son œuvre' comme un objet d'étude et de réflexions. Tel est le péril d'une extrême subtilité qui est celui d'une extrême candeur. Il est visible que de tels écrivains se bercent d'une image. Si l'on examine, par exemple, le's divers monologues des *Hommes gris*, on s'aperçoit très vite qu'ils sont d'autant plus inacceptables qu'ils paraissent davantage forgés pour donner une idée' exacte de ce qui se passe. Ils sont à la fois invraisemblables et insuffisants. Leur complexité semble puérile. Leur puérilité paraît infiniment trop complexe. Là où la plupart du temps le sile'nce conviendrait, ils poussent une mer de paroles élaborées et parfaites. Leur extravagance même ne nous touche pas. En revanche, ces monologues, qui sont beaucoup trop loin de la réalité pour en paraître une imitation convenable, sont beaucoup trop soucieux d'imiter cette réalité inimitable' pour pouvoir la suggérer par un jeu approprié de symboles. Ils sont séparés de la vérité par une sorte d'obsession du vraisemblable. Ils abusent du possible. Ils finissent par travestir leur objet par une indigence trop complète de travestissement. Pour donner une impression d'étrangeté, pour aboutir à une vision prodigieuse de la vie la plus simple, pour prendre dans des réseaux mystérieux les événements ordinaires, l'auteur est obligé de revenir au récit dont la cadence singulière lui permet une création fantastique. Nous retombons dans une sorte de surréalisme. Et il n'est pas niable que nous nous y trouvions mieux.

L'insuffisance de la technique n'enlève pas cependant tout mérite au roman de M. Ettore Settani. Le sujet même s'en accommode. *Les Hommes gris* sont des habitants d'une petite ville italienne qui sont destinés à nous paraître étranges parce qu'ils sont médiocres. Ces êtres si profonds, d'abord si insaisissables, offerts dans des rencontres occultes où ils semblent être le centre de l'imprévu, sont la proie de destinées insignifiantes. Leur vie, également nulle, tombe dans le plus morne avenir. L'un perd sa place, l'autre se fait une existence avec les querelles de son ménage, le troisième se dispute une passion qu'il fait et défait, tous semblent formés de peu et promis à rien. Bien plus, ces êtres modiques ne sont pas chargés de montrer qu'il y a dans l'existence la moins importante une extraordinaire richesse invisible. M. Ettore Settani se refuse avec soin ce lieu commun. Au contraire, on voit ses personnages agir. Puis, on les voit se forger des fantômes. On les suit dans les gouffres de leur solitude. On les surprend au plus bel instant de leurs rêveries et de leurs puissances intérieures. Il semble alors qu'on soit passé d'un monde sans intérêt — celui de leur action — à un monde infiniment riche et surprenant — celui de leur distraction solitaire. Pure apparence. C'est toujours la même médiocrité. Leur profondeur, leur féerie mentale, les merveilles de leurs abîmes ne laissent comme essence dans l'alambic que la plus absente fumée.

Un tel ouvrage finit par dégager une impression authentique de désespoir. Ces hommes gris qui sont les êtres de la foule apparaissent comme vidés d'eux-mêmes par un auteur inexorable dont les maladresses réussissent d'une certaine manière à le servir. Ils sont épuisés par l'analyse complète qui est faite d'eux. Ils sont présentés nus dans leur plus grande richesse, réduits à rien dans leur totalité.

Chacun est évidemment trompé par ses passions qui ne
cessent de le faire naître de la bassesse et mourir dans une
illusion misérable. Mais chacun est trompé bien davantage
par l'aventure de son propre esprit sur lequel il bâtit l'espérance d'une réelle grandeur et qui l'ensevelit dans une
nullité indubitable. Qu'espérer encore, que rêver? Il n'y a
plus pour les hommes gris de destin possible, puisqu'il n'y
a plus en eux d'arrière-fond, de trésors sans cesse enfouis
au delà d'eux-mêmes, de Pénates, leur asile inviolable. Ils
n'ont plus qu'à s'unir au temps dans une histoire qui ne les
changera pas. Maintenant qu'ils habitent tout entiers leur
miroir, ils redeviennent des héros ordinaires, plus présents
dans leurs démarches et leur existence extérieures que
dans leur conscience épuisée. Le dernier chapitre du roman
porte en épigraphe cette indication : « Un peu de la véritable histoire de tous les personnages. » Tel est le dénouement. Les personnages rejoignent enfin leur histoire qui,
d'ailleurs, ne nous révèle rien sur eux. Longtemps circons-
crits à leur confusion primordiale, ils font à nouveau coïncider leurs anamorphoses et leur vrai visage. Ils superpo-
sent ce qu'ils apparaissent, ce qu'ils sont, ce qu'ils font.
Ils renoncent à leur nuit, ils tuent ces mille personnages
qu'ils avaient épousés, ils détruisent ce théâtre où leur moi
indigent leur jouait la comédie de la richesse. Et enfin, tout
à fait semblables à eux-mêmes, ils se confondent avec leur
basse existence où ils s'absorbent par une sorte de mort
beaucoup plus essentielle que la mort véritable.

XVII

LE TEMPS ET LE ROMAN

Les œuvres de Virginia Woolf, qui apparaissent comme
l'une des rares créations de notre temps, se recommandent d'abord par leur extrême résistance aux conventions habituelles de la littérature. Ses récits ont rejeté les
règles communes, et découvert de nouvelles nécessités. Ils
sont libres des anciennes coutumes et dociles à des commandements dont l'exigence est d'autant plus grande
qu'elle ne doit rien à l'arbitraire de la tradition. Virginia
Woolf a écrit des romans sans histoire, sans anecdotes, et,
presque, sans personnages. Elle est restée parfaitement
indifférente à tout ce qu'on demande ordinairement au
roman. Ceux qui estiment que la littérature romanesque
doit ses mérites à l'agrément du sujet, à la vraisemblance
des caractères, à l'abondance des hasards, tous ceux pour
qui il n'y a de roman que dans un système où l'imaginaire
aboutit au trompe-l'œil, seront toujours déçus par ses ouvrages. Ils manifesteront leur dédain en les admirant comme
des poèmes. Ils leur accorderont cette étrange compensation
qui consiste à voir une œuvre d'excellente poésie dans un
roman manqué.

Rarement une œuvre aussi étrangère à la forme ordinaire du roman n'en a en même temps touché de plus près
l'essentiel. Dans un de ses plus beaux livres, *Les Vagues,*
Virginia Woolf a composé un roman non pas avec ce qui
est accidentel dans un roman, les détails de la durée, les
événements et les feintes de la vie, mais avec la substance
même du roman, avec le temps. Et cela ne lui a pas suffi.
Elle ne s'est pas contentée de faire de ce qui est générale-

ment la matière de tout récit le sujet propre de son récit, d'écrire un drame sur le ressort caché de tout drame, elle s'est ingéniée à considérer le plus directement possible ce héros pur, en le dépouillant du vêtement des mythes, en le retirant aussi des formes trop facilement pathétiques sous lesquelles il apparaît à la conscience de l'homme. Le temps, tel qu'il se désigne, personnage unique, personnage absolu, n'est pas seulement le temps qui se montre à la conscience humaine, mais le temps qui fonde toute conscience, non pas le temps qui s'exprime dans l'histoire, mais le temps où se fait l'histoire. Il se présente dans sa nudité métaphysique, dans cet état suprême d'orgueil où il peut être pris tour à tour comme un simple rebut d'abstraction et comme l'acte même de la création. On comprend qu'un ouvrage qui a réussi à se forger quelque existence et même quelque intrigue et même quelques fantômes avec ce qui n'est concevable que comme la condition de toute existence et de toute intrigue puisse se passer d'anecdotes. La profonde cause du roman est venue habiter le roman et est le roman même.

Cette extraordinaire aventure n'a été possible que parce que Virginia Woolf a imaginé une fiction d'où toute psychologie est exclue. Les impressions qu'elle recueille, les apparences où vient s'écouler ce qui change, ces instants fortuits, infiniment muables et passagers, qui sont la trame de son roman, nous jettent au plus profond de l'être. C'est une admirable invention. Dans chaque moment, elle choisit ce qui résiste à l'affaiblissement des souvenirs; dans la sensation la plus superficielle, ce qui résiste à la dissipation des sens; dans l'idée la plus faible, ce qui résiste à l'entrain du moi. Parmi le carnaval de musique, de parfums, d'images, de réflexions où se disperse l'âme, elle désigne l'instant insignifiant, parfois le plus vide de tous, presque intime au néant, où justement s'exprime l'âme, où elle dure et s'avoue. Tout l'être vient s'y appuyer, tout le mouvant de la vie s'y recueille. L'existence s'y unit à ce qui semble l'abolir pour trouver sa plus complète réalité. « *Tous*, écrit-elle de ses personnages, *ont leurs moments d'extase, leur sens secret de la mort, quelque chose enfin qui les soutient.* » C'est avec ces seuls moments, moments purs, qu'elle compose la durée de ses personnages.

C'est d'eux qu'elle tire les monologues intérieurs où cha-

cun se révèle, se chérit et se conduit au drame. On devine
que ces monologues sont très différents de ceux que M.
Ettore Settani prête à ses « hommes gris ». Pour celui-ci,
il ne s'agit que d'exprimer dans sa naïveté tout ce que l'un
des héros peut penser et improviser de pensées dans une
situation définie. Pour Virginia Woolf, il s'agit d'exprimer
non pas ce que cette personne a réellement pensé, mais ce
qu'elle doit penser pour être réellement, non pas de livrer
au jour, de vomir par une opération inédite le moi le plus
profond, le plus nu et le plus ignoré, mais de supposer à
l'humaine statue les seules impressions, les seules images
qui puissent donner le sentiment d'une existence authentique.

C'est grâce à cette technique contraire au réalisme que
les six personnages des *Vagues* parviennent à supporter à
la fois le poids d'une réalité véritable et le poids énorme
d'un symbole où ils devraient s'abîmer. Chacun d'eux
apparaît comme une image du temps. Bernard, par exemple, le plus vivant et le plus perceptible, nous est représenté comme ayant le don de former avec des mots des
histoires, de perfectionner chaque sensation en faisant
d'elle l'épisode d'une intrigue. Le temps personnel avec lui
se donne une forme extérieure, il aspire à quelque modulation plastique, il s'engendre et prolifère au contact des
autres, il penche vers l'anecdote. C'est le temps-histoire, le
temps du roman habituel. Tout au contraire, Rhoda, pâle
et mystérieuse figure, qui vit dans une sorte d'inconscience,
qui se tient au seuil des choses, qui est comme une somnambule de l'épouvante, s'approche au plus près du temps
pur, de ce temps vide qui est la plus grande réalité du
temps, de ce temps hors du monde, hors des choses, temps
de la solitude, temps de l'abîme que nous ne pouvons nous
figurer, lorsqu'il échappe à sa notion abstraite, que par
l'angoisse même du temps.

Entre ces deux pôles les autres êtres viennent chercher
leur place. Suzanne s'achemine auprès de Bernard. Elle
seule, femme robuste, tout imprégnée des choses, mariée à
la campagne, aimant ses enfants, vit d'un temps vraiment
concret; son existence a le rythme des saisons, elle périt
et renaît comme la semence, elle est le temps de la terre,
le temps de Cérès. Neville et surtout Louis cherchent de leur
côté leur chemin vers Rhoda. Tous deux prétendent à ce

temps infini où se meut l'intellect et qui est l'imitation la plus subtile du temps pur. Tous deux échouent. Louis est sensible à l'agitation du monde. Neville se laisse détourner par le sixième personnage, par Jenny, coquette, amoureuse de l'amour, pour qui le temps est l'instant, le temps du corps qui s'écoule, le temps du plaisir qui périt.

Au cercle de ces six êtres dont les monologues se suivent, se répondent, s'unissent en une admirable harmonie comme les thèmes divers d'une profonde musique, vient s'ajouter une dernière figure, celle de Perceval qui demeure dans la pénombre du roman et qui en est l'âme obscure. Qu'est-ce donc que ce jeune homme, leur compagnon à l'Université, qui est simple, naturel, vivant, et qui s'en va mourir aux Indes d'un accident, d'un hasard? C'est le symbole de l'être réel et complet dont tous les autres ne sont que des fragments. C'est l'homme même où chacun se rassemble et devient une personne. C'est l'être vrai, le seul aussi qui puisse succomber fortuitement, d'autre chose que de son essence. Lui disparu, les six personnages se voient obligés de choisir leur destin et d'exister d'une manière personnelle. Le possible est mort avec leur ami.

Mais là n'est pas pour eux le vrai drame. Le drame, c'est que chacun de ces êtres qui vivent d'une forme particulière du temps finit par se heurter au temps lui-même, à la durée, à l'écoulement des choses, à leur inéluctable procession vers rien. Le temps aussi s'écoule, il s'égoutte, il laisse peu à peu au fond de l'âme un dépôt. Ainsi se forme l'habitude, ainsi vient ce qu'on appelle la vieillesse, ainsi dans les réflexes où elle perd sa conscience se prépare l'agonie de l'âme. Cette tragédie, il est normal que ce soit Bernard, justement dans la mesure où il vit le plus près du temps extérieur, qui en soit le plus éprouvé.

L'histoire s'efforce de le prendre à ses histoires. Il arrive même que le moi s'arrête en lui, que soit submergée sous la démence des sensations cette nudité parfaite qui est son signe plus par lequel il s'ajoute sans cesse à lui-même. Alors tout pour lui devient instants qui se dissipent, changements qui changent, successions qui se succèdent, le vrai, le seul néant. Mais ce n'est là qu'une défaite momentanée. Bientôt il retrouve ces « moments d'extase » qui composent sa véritable durée, où il exprime son moi profond, où il fait coïncider l'éphémère et le perdurable. Qu'importe alors que

le dénouement approche! Qu'importe que vienne la mort!
Chaque moment qui est un pas vers la fin de l'être est aussi
un moment où s'affirme l'être, chaque moment qui est un
progrès vers la mort est un moment sauvé de la mort. A
l'instant de sa destruction, Bernard peut trouver en soi le
cri de son triomphe : *Invaincu, incapable de demander
grâce, c'est contre toi que je m'élance, ô Mort.*

XVIII

UNE ŒUVRE D'ERNST JÜNGER

L'importance d'Ernst Jünger et l'intérêt de son livre le plus récent, *Sur les falaises de marbre*, font aux critiques un devoir de ne pas laisser se perdre cet ouvrage parmi ceux dont on leur propose généralement la traduction. Il est même nécessaire de considérer l'œuvre de Jünger, écrivain encore jeune, comme l'une des plus remarquables de notre époque. Elle a une violence de sens et une puissance artistique qui la rendent souvent exemplaire. On souhaite que les jeunes romanciers français apprennent à la connaître et voient en elle, comme dans les chefs-d'œuvre de la littérature américaine et anglaise contemporaine, le sort qu'un art, conscient de ses lois, peut donner au genre romanesque.

D'après quelques commentateurs, *Sur les falaises de marbre* ne serait pas un roman. C'est là une contestation de pure forme. Le livre qui est court (cent cinquante pages dans l'édition allemande) est un récit dont toute la structure exprime le travail de l'imagination. Il met en scène des personnages fortement caractérisés et constitue une histoire qui se déroule selon de clairs enchaînements. Un horizon de montagne, de forêt, de ville lui sert de cadre, et on peut le lire sans voir autre chose que les détails tragiques et poétiques qui lui donnent un caractère réel. Que lui manquerait-il pour être un vrai roman? Rien sans doute; si l'on cherche à le ranger parmi d'autres genres, c'est parce qu'il offre cette originalité de prétendre aussi avoir un sens. Il laisse l'impression de mettre en cause, non seulement des hommes, mais des forces et il abandonne le lecteur dans une

étrange atmosphère intellectuelle. Un roman qui, sous prétexte d'aventures véritables, entraîne l'intelligence dans un
labyrinthe symbolique, voilà ce qui heurte les usages d'une
tradition plus stricte que rigoureuse et toujours inquiète
des formes qu'elle ne peut reconnaître.

En apparence, il est assez facile de résumer un récit qui
se développe en quelques épisodes simples. En réalité, le
mouvement de la fiction est si subtilement agencé que
toute analyse en trouble la perspective. Le charme et l'intention s'y perdent. C'est dans un pays imaginaire, enrichi
de quelques allusions à des contrées plus réelles, que vont
habiter les deux témoins du drame. Cette région a une magnificence mystérieuse qui vient de beautés parfaitement
décrites et cependant insaisissables comme le serait une
terre d'énigmes. Du haut de l'ermitage où ils se sont retirés
pour poursuivre l'étude des plantes, les deux solitaires voient
s'étendre le territoire de la Marina, riche plaine de vigno-
bles, habitée par une population paisible et heureuse,
qu'une longue étendue de prairies et de marécages sépare
des grandes forêts. Par delà la mer parsemée d'îles étin-
cellent les sommets de l'Alta Plana. Dans cette contrée
brille encore une ancienne civilisation où, selon les régions,
transparaissent les traits d'un christianisme primitif ou les
usages d'antiques traditions païennes. Entre la plaine de
la Marina, dont la richesse a permis l'élaboration d'une
œuvre de culture presque parfaite, et les obscures tribus des
hautes forêts que dirige l'Oberförster, le grand forestier,
la menace d'une lutte décisive fait naître de graves pressentiments. Les deux ermites, isolés par leurs travaux et
leur retraite, voient s'amonceler les nuées sur le vieux
monde. Le grand forestier, avec les hors la loi auxquels il
accorde l'asile, avec sa sinistre engeance de démons et de
lémures, exerce contre le peuple des bergers une tyranni-
que oppression. Le désordre gagne la ville. L'Oberförster a
partout des alliés ou des complices. Il organise des troubles
qu'il réprime lui-même. Il répand l'anarchie en jouant le
rôle d'une puissance d'ordre. Il a à sa solde aussi bien les
magistrats qui devraient poursuivre ses crimes que les
mercenaires chargés d'en écarter la menace. Le vieux
monde se laisse aller à son déclin dans l'indifférence du
demi-sommeil.

Quand éclate ouvertement la lutte, les deux solitaires

qui connaissent la faiblesse de cette civilisation promise à
la ruine, mais qui sont trop attachés à ses profonds trésors
pour ne pas tenter de les défendre, ne restent pas à l'écart.
Ils ont reçu la visite du prince de Sunmyra et de Braquemart, tous deux représentants et gardiens de l'ancienne
culture, l'un par sa noblesse qu'un vieux sang rejette déjà
dans le monde des morts, l'autre comme théoricien de la
violence, plus habile à proposer à sa volonté un idéal nihiliste qu'à trouver les moyens concrets de combattre une
anarchie sans frein. Ces derniers témoins de la puissance
d'hier vont provoquer dans son domaine le grand forestier,
et celui-ci, conduisant ses bandes lugubres, environné des
chiens qu'il a disciplinés pour le carnage, sort des bois et
pousse sa conquête à travers les villages et les villes où
périssent, dans l'effondrement de tout un monde, les richesses supérieures qui s'y étaient lentement accumulées.
Tandis que l'incendie consume la paix, le bonheur, la perfection, les deux solitaires, après avoir livré au feu d'un
miroir magique les fruits de leur travail, gagnent le large,
emportant avec eux, dernier vestige de cette culture anéan-
tie, la tête du noble prince de Sunmyra, massacré par les
légions barbares.

De cette histoire il faut tout de suite détourner l'esprit
qui voudrait y reconnaître les caractères d'une interprétation allégorique trop simple. C'est là que se montre l'originalité d'Ernst Jünger. Dans ce champ de l'imagination
où tout semble préparé pour le symbole, où les grands
traits du récit sont chargés d'une signification clairement
exprimée, où s'entre-croisent de brèves réflexions abstraites, les figures ainsi baignées d'une étrange lumière intellectuelle échappent finalement à l'esprit qui voudrait les
saisir et les interpréter selon ses lois. Si le monde qu'il met
en œuvre ne répond pas à celui que nous sommes habitués
à contempler, si les hommes qui s'y meuvent n'ont point
cette vie naturelle qui leur rend inutile toute signification
symbolique, la réalité dont il apporte l'expression est aussi
toute différente de celle que l'intelligence peut concevoir.
Il s'agit d'un univers qui, intellectuel par certains côtés, est
cependant aussi éloigné du monde de l'esprit que peut
l'être de celui-ci le monde de la vérité banale. On en aurait
peut-être une idée en imaginant une fiction qui serait à la
vie de notre esprit ce qu'est le rêve à la réalité de la veille.

Il y a aussi pour notre intelligence un songe où les notions, les définitions, les méditations ordonnées n'ont plus le sens que leur donnent les lois du jour. La pensée rêve des choses et d'elle-même dans un miroir où les images la représentent telle qu'elle est dans son froid sommeil. Elle se donne un regard qui juxtapose à la chose sa signification et à cette signification une nouvelle réalité qui en est comme le prolongement dans le néant. L'au-delà de l'esprit est figuré par ce monde qui nous est ouvert.

C'est à une telle transposition que l'art de Jünger ne cesse de nous conduire et elle lui donne son orgueilleuse singularité. Le drame de la Marina se déroule dans une région où, si l'on veut, tout est symbole, mais où le symbole lui-même se brise comme figure et appelle, pour le remplacer, des images changeantes qui reflètent l'envers de l'horizon. Les plantes dont les solitaires cherchent les lois éternelles, les serpents fer-de-lance qui, dans le sentier, près de l'ermitage, vivent dans la familiarité des hôtes qui les nourrissent, le miroir du sorcier Nigromontanus où les richesses, brûlées par la flamme, survivent en esprit, au delà de la destruction, dans le néant qu'elle leur a procuré, toutes ces figures qui tendent à se traduire en notions clairement définies chassent finalement la pensée qu'elles appelaient et construisent en dehors d'elle un ordre qui n'a pas besoin d'autre raison d'être.

Il en est de même de l'histoire qui s'accomplit dans le pays imaginaire. A la rigueur, on peut chercher quelle direction marquent les images qui s'y déroulent. Mais la preuve que le récit ne dépend pas d'une interprétation qui le révélerait, c'est que cette interprétation ne fait que répéter le récit lui-même et n'en dissipe pas l'atmosphère de violente et tragique bizarrerie. Il saute aux yeux que la lutte du grand forestier contre l'heureuse et paisible Marina représente l'un de ces moments de crise de l'histoire humaine où l'œuvre de civilisation est menacée par les puissances de l'instinct. Ce vieillard cruel et robuste déteste la charrue et le labeur domestique. Il hait le travail des poètes et le lieu qui l'abrite. Il se sert de toutes les forces déviées et règne au cœur des forêts, dans une âpre demeure où brille une lumière qui n'est pas celle du soleil. Contre cette puissance qui figure manifestement les forces du démoniaque et de l'élémentaire, le narrateur prend parti avec une

hautaine et tranquille tristesse dont l'équivalent ne se
trouve guère que chez Gœthe. Si le vieux monde apparaît
dans la souveraineté déjà compromise que lui apporte la
tentation du déclin, si ses défenseurs sont eux-mêmes voués
à leur fin par l'excès de ce qu'ils sont, le prince de Sunmyra trop noble, trop vieux dans sa jeunesse, Braquemart
trop intelligent pour sauver l'intelligence, c'est cependant,
non comme héros d'une ère condamnée qu'ils périssent,
mais comme témoins d'une vérité qui avec eux est menacée et comme eux risque de périr. Le père Lampros, dernier
rameau de l'arbre religieux, laisse tomber du haut de son
autel une suprême bénédiction sur la tête du malheureux
prince martyr, et cette tête elle-même, enfermée dans une
précieuse amphore, parmi les fleurs et les parfums, échappe
à la destruction, symbole de ce qui peut toujours être
sauvé dans une civilisation qui disparaît, image de l'esprit
qui survit aux œuvres et sur lequel l'avenir se fonde. « Nous
prenions de l'amphore un soin religieux, dit le narrateur.
Le destin de cette tête que nous emportions nous était
encore inconnu. Nous devions plus tard la confier aux
chrétiens, lorsqu'ils relevèrent de ses ruines la grande ca-
thédrale de Marina. Ils l'ensevelirent dans la pierre de ses
fondations. »

Sans doute serait-il absurde, même sur le plan de la fiction intellectuelle, de tenir cette première approximation
de *Sur les falaises de marbre* pour une explication qui en
épuise les thèmes. Le mouvement qui fait de ce livre la
tragédie de l'esprit créateur assistant avec une sereine
angoisse à sa ruine, en approfondit sans cesse la vision.
Ce qui surgit sous notre regard, c'est un monde où tout
ce qui est précieux semble déjà engagé dans la destruction,
où la force barbare brise nécessairement les formes de la
plus belle pensée et où cependant ce néant à travers lequel
s'abîme l'esprit laisse subsister, comme son émanation la
plus vraie, quelque chose que ni les métamorphoses ni la
mort ne peuvent corrompre. L'admirable mythe de Nigromontanus participe à cette orgueilleuse espérance de
l'anéantissement. Héritage d'un vieux maître instruit dans
la magie, ce miroir a la propriété de concentrer sur les
choses des rayons d'une telle ardeur qu'elles s'y consu-
ment en regagnant l'éternel et s'y préservent dans le
domaine de l'invisible. « Nigromontanus disait que chaque

chose qu'on enflammerait à l'aide de ce miroir serait em-
menée par une flamme qui ne montrait ni fumée ni vil rou-
geoiment dans le règne qui est au delà de la destruction.
Il nommait cet état la sécurité dans le néant. » De même,
pour le père Lampros, la destruction n'a rien d'effrayant,
car il est de ces natures qui sont nées pour pénétrer dans
les hautes flammes comme on entre par le portail dans la
maison des pères. Et, ajoute le narrateur, « lui, qui vivait
comme en un rêve derrière les murs du cloître, était peut-
être le seul parmi nous qui fût au cœur du réel ». Ainsi
le livre de Jünger reflète-t-il, dans l'angoisse de l'écroulement général, la tentation du feu où l'esprit sauve, en le
perdant, ce qui lui est essentiel et se délivre par cette ruine
même de l'espoir trop lourd du salut.

Il serait injuste de ne pas donner à la traduction de
M. Henri Thomas les éloges qu'elle mérite par la densité
et le sérieux du langage. La forme d'Ernst Jünger est très
belle. D'une allure lente, presque compassée, enfermant
dans des phrases qui ne cèdent à aucune facilité vulgaire
la révélation hautaine d'un message, elle offre aux mots
toute la force que peut leur donner un choix conforme à
leur vérité intérieure et extérieure, à leur réalité et à leur
apparence, aux sons primordiaux dont ils conservent la
source. Le langage, dans cet art calculé, est un appel aux
puissances que le savoir ne peut découvrir et, comme une
arme qu'ont forgée les incendies, il a l'admirable froideur,
la dignité cruelle qui fait de l'objet le plus riche de souvenirs l'instrument le plus efficace.

DIGRESSIONS SANS SUITE

I

MOLIÈRE

En liant étroitement la vie de Molière à son œuvre, M. Pierre Brisson a posé une fois de plus la question que tous ceux qui aiment Molière, Dante, Shakespeare, se posent avec le sentiment qu'elle écarte toute réponse et qu'ils reprennent cependant infatigablement sans renoncer jamais à y répondre. D'un grand écrivain dont l'existence est connue, on ne se dispensera jamais de tirer une explication de ses œuvres, comme si cette existence ne dépendait pas elle-même de l'explication qu'elle fournit. Mais il est encore plus tentant de vouloir attirer auprès de livres qui subsistent le fantôme ignoré de l'homme qui les a écrits. Les rapports de l'homme et de l'auteur sont imprévisibles. Ils ne sont pas inutilisables pour une connaissance de la vie par l'œuvre, mais ils supposent tant d'hypothèses, une élaboration si complète des textes, un retour si constant à l'ignorance qu'ils nous laissent devant un brouillon d'images où n'apparaît que le dessin d'un être tout théorique.

Ce qui donne au livre de M. Pierre Brisson (*Molière, sa vie dans ses œuvres*) son véritable intérêt, c'est qu'il cherche à connaître Molière dans les joints du caractère avec la puissance créatrice, dans ces tendances où il s'agit moins de particularités psychologiques que du mouvement de l'esprit essayant de produire autre chose que soi. Les classiques ne laissent rien deviner de ce qu'ils sont lorsqu'ils écrivent. Ils ne tolèrent la curiosité ni sur eux-mêmes ni sur les transformations qu'ils subissent en devenant auteurs de fables. Ils ne nous privent pas seulement de confidences, ils suppriment ce que ces confidences, si elles étaient faites, devraient éclairer, faisant de leur ouvrage quelque chose dont on ne peut interroger l'origine, mais seulement considérer le terme. Molière n'est pas moins mystérieux, mais il laisse davantage le regard pénétrer dans l'intimité de son travail. D'abord il est acteur et cet état intermédiaire, qui permet à la Champmeslé d'être pour quelque chose dans la création du personnage de Phèdre, devient, lorsqu'il s'agit du *Misanthrope,* où les principaux rôles sont écrits pour être joués par l'auteur, par sa femme (Armande, Célimène), sa maîtresse (Catherine de Brie, Eliante) et une actrice qui l'a repoussé (la Duparc, Arsinoé), une véritable survie de l'état originel de créateur; il est séduisant de tenir pour une continuité fidèle cette confuse coïncidence entre l'homme qui écrit une pièce et celui qui la joue, entre le caractère qu'il donne à un rôle en le jouant et les raisons qui l'ont amené à s'y intéresser en l'écrivant. En fait, rien n'est expliqué, tout est au contraire plus obscur, mais l'énigme a une matière et reste visible sous une forme qui permet de la mettre à la question. On peut toujours espérer résoudre un problème dont les éléments, même comme inconnus, sont suffisamment nombreux.

Les œuvres de Molière ne sont pas toutes distinctes des circonstances qui les ont provoquées. Beaucoup en sont inséparables et s'expliquent grossièrement par le détail de la commande qui en a été l'occasion. D'autres, comme *La Critique de l'Ecole des femmes* ou *L'Impromptu de Versailles,* naissent dans un réseau d'événements qui ne peut pas être écarté de l'esprit d'un auteur. Enfin, si, comme dans *Le Malade imaginaire,* il lui arrive de se mettre directement et personnellement en cause (on se rappelle la tirade de Béralde sur les médecins : « Ce ne sont point les médecins que Molière joue, mais le ridicule de la médecine... Il ne leur demandera point de secours. Il a ses raisons pour n'en point vouloir... »), on ne peut s'empêcher de voir le point par où les expériences de l'homme pénètrent dans l'œuvre et l'usage que l'écrivain fait de sa vie pour en tirer une valeur théâtrale ou littéraire. S'il se met en cause dans *Le Malade imaginaire,* il a pu se mettre en scène dans *Le Misanthrope* et faire de *L'Ecole des maris* le programme de sa propre bienveillance comme futur époux. En somme, la plupart de ses pièces mêlent aux dialogues des personnages des répliques qui semblent trahir sa voix personnelle, ses réactions devant la vie, une certaine manière d'être qui prouve la connivence de l'homme avec l'homme de métier.

L'un des traits où se rejoignent le mieux le penchant du caractère et l'affirmation créatrice, c'est la prise impatiente, brusque, impérieuse sur les choses. On discerne chez Molière une puissance d'attaque qui ne s'exprime pas seulement par le goût satirique, qui est une disposition beaucoup plus générale, telle qu'aussitôt en rapport avec un sujet, il s'en empare sans hésitation, allant immédiatement à l'essentiel, ne tenant compte ni des préparations ni des dénouements, marquant une sorte de précipitation qui est une des singularités de son pouvoir comique. Il y a dans l'esprit de Molière le même emportement que dans le caractère du Misanthrope. Alceste charge, tête basse, dit M. Pierre Brisson, il bouillonne, gronde, éclate, n'a pas le temps de convaincre, réclame une adhésion soudaine et pousse sans attendre son humeur attaquante. De même, si l'on considère Molière tel qu'il se montre dans *L'Impromptu de Versailles,* parmi sa troupe au travail, il apparaît en homme qui ne peut souffrir les atermoiements, les polémiques indirectes, les tricheries littéraires, qui se jette avec une véritable violence du cœur dans la franchise de son art et a besoin pour vivre de ce feu que lui donne le mouvement du théâtre. Il s'agit d'une nécessité jaillissante, d'une hâte de l'esprit et des sens, d'un instant qui le met face à face avec ce qu'il y a de plus net et de plus simple dans les choses. Il a un don de rapidité, un pouvoir simplificateur qui est l'un de ses privilèges.

M. Ramon Fernandez, dans une ingénieuse étude, a écrit que l'hostilité de Molière à l'égard de la préciosité venait d'une certaine raideur, d'une sorte d'empressement de sa nature, et il justifie sa remarque en notant que la préciosité est l'art du retard, l'art de substituer à une présence trop déterminée des contours moins précis, des allusions immobiles, une absence lente et caressante. Il remarque aussi que l'on peut voir dans la comédie des *Fâcheux* le symbole de toute l'humanité moliéresque. Et il est exact que la lutte avec les dévots, l'effort pour triompher d'une cabale sans cesse renaissante, les ripostes qui après le

retard du *Tartuffe* prennent place à la hâte dans *Don Juan*
ressemblent aux réactions d'un homme importuné, troublé
dans l'exercice convenable de ses dons par des fâcheux de
la sorte la plus dangereuse. Les imprudences qui se font
jour dans *Don Juan* sont comme les mouvements indisci-
plinés provoqués par des importunités trop constantes.
Molière, en essayant de chasser ce bruit de frelons qui l'in-
dispose, s'égare auprès des gouffres interdits. Il va dans
sa course impatiente plus loin qu'il ne l'avait imaginé et il
s'allie, par un jeu contraire à son penchant, à une image
extrême de la rébellion et de l'anticonformisme.

Il est donc juste de ne pas trop retenir comme une explication décisive de Molière les mots de bon sens, raison,
vertu, du moins dans leur sens intellectuel. Est-ce par bon
goût qu'il attaque les modes précieuses, qu'il déchire le
jeu d'incertitudes de Célimène, qu'il brise le miroir aux
vains reflets des coquets et des blondins ? C'est aussi par
une fièvre instinctive, par un besoin avide, par une passion
de l'essentiel dont il sait qu'il ne saurait sans elle créer
des œuvres. Il n'y a dans les grandes pièces de Molière
aucune recherche spéculative des valeurs. Sa morale n'est
pas celle de l'indulgence ou du compromis. Si elle tend à
relâcher les liens, à assouplir les règles, ce n'est pas par
goût pour ce qui est détendu et sans ressort, c'est au contraire par hostilité pour les gênes artificielles, pour ces
limites de convention qui retardent la poussée des vraies
forces et arrêtent les justes décisions de l'impatience. Son
œuvre est littérairement une œuvre offensive, qui ne pouvait se réaliser que dans et par la conquête. Alors que
Racine, lorsqu'il commence d'écrire, n'a pas à se poser la
question du théâtre, qu'il n'a ni à inventer un genre, ni à
réformer une technique, Molière ne peut faire triompher
ses comédies qu'en obtenant droit de cité pour la Comédie ;
il n'a pas seulement à être le premier dans un genre, il lui
faut porter ce genre au premier rang. De là ces luttes qui
mettent en cause à chaque instant les traditions littéraires,
ces batailles dont la stratégie l'oblige à des innovations de
plus en plus hardies et qui ont fait de Molière, pourtant
peu soucieux d'esthétique pure, le conquérant le plus audacieux, l'agent essentiel des révolutions littéraires du
XVIIe siècle.

Ce trait profond qui définit aussi bien sa nature de créa-

teur que sa vigueur personnelle ne se laisse saisir qu'à
travers des nuances qui en varient infiniment l'aspect. Le
vrai caractère de Molière ne peut se déduire de ce penchant
pourtant décisif. La tradition le montre curieux de silence,
aimant la retraite, éloigné de toute verve momentanée,
aimable par goût de la réserve plutôt que par souci spontané d'autrui. On l'a appelé le contemplateur. La fille de
du Croisy note sa démarche grave et parle de sa douceur
et de sa complaisance. Scarron disait : *Molière qui n'est
pas rieur*. Et en même temps, comme le remarque M. Brisson, ses démêlés intimes révèlent en lui une sensibilité
agressive, des sautes d'humeur, des colères déchirantes,
une vivacité qui ne supporte pas les précautions. Ce qu'il
y a de violence dans sa vigueur créatrice, s'exprime à la
fois par la réticence et par la brusquerie, par l'aménité qui
le préserve des sollicitations extérieures et par la véhémence qui le fait se jeter au dehors, et d'une manière générale par une extraordinaire certitude d'esprit qui lui permet de toujours se retrouver et d'aller au plus juste et par
une certaine instabilité d'âme qui, sans le porter au delà
de lui-même, lui fait éprouver comme tragique l'enchaînement trop dur des événements.

II

STENDHAL ET LES AMES SENSIBLES

Chaque nouvel ouvrage de Stendhal, serait-il fait de fragments anciennement connus, donne la joie d'une découverte et le plaisir d'une reconnaissance. On découvre ce qu'on reconnaît et on est devant les pages familières comme devant le tout nouveau. Nul écrivain — tous les stendhaliens le savent — n'a produit avec peu de livres plus de livres et les quatre-vingts volumes restaurés par M. Henri Martineau en supposent beaucoup d'autres, autant qu'il y a eu d'éditions, souvent imparfaites, parfois infidèles, mais encore délicieuses par une certaine perspective et un air agréable d'inachèvement. Qui lit Stendhal le lit en pensant amoureusement qu'il y aura toujours en préparation dans l'avenir une nouvelle œuvre de Stendhal.

Le mérite de M. Boudot-Lamotte en publiant un nouveau choix de lettres de Stendhal, *Aux âmes sensibles*, n'est pas seulement d'avoir resserré en un volume que l'on peut facilement lire et relire l'étendue d'une correspondance où l'on se perd à cause de sa trop grande richesse, où l'on aime d'ailleurs se perdre; il n'est pas uniquement non plus dans l'avant-propos si fin, si juste de ton, qu'il a donné à son travail, ni dans les notes qui rendent clair, sans l'alourdir, ce qui a besoin d'être éclairci. Toutes ces qualités de lettré le cèdent au don de sympathie qui lui a permis d'être fidèle à Stendhal sans obéir au stendhalisme, de faire un choix où ni le caprice, ni la bizarrerie et l'instinct de liberté ne sont séparés de la plus belle inspiration sentimentale, de cette sincérité qu'il est si facile d'évoquer à propos de Beyle et si malaisé de ne pas trahir, et enfin d'avoir indiqué, par un repère, grâce à son titre qui est comme un jugement d'évidence, le trait le plus propre à éclairer le charme particulier de Stendhal : une certaine sensibilité de l'âme.

Cette correspondance donne beaucoup à réfléchir sur le fameux *naturel* dont on recherche en vain le sens dans la vision ou le style du parfait « égotiste ». Quelle est en effet cette nature qui, aussitôt qu'on refuse de la définir abstraitement, par les idées ou par une vague manière de penser, ouvre le chemin à une diversité infinie d'interprétation? On a déjà mille fois fait le tour de cette énigme qui est l'un des miroirs à secret de Stendhal. Il est bien facile d'y voir une réminiscence de Rousseau, une croyance naïve à un je ne sais quoi de plus fondamental que la culture, la civilisation et les mœurs et que celles-ci gâtent par les gênes qu'elles imposent et les facilités qu'elles développent. On sait bien que l'horreur des convenances (« Je trouve que les convenances sont une des plus tristes plaisanteries »), la haine de l'ennui, le goût de la brusquerie et de la spontanéité l'ont souvent amené à confesser la « nature » comme une sorte de système hérité du XVIII° siècle. « La politesse et la civilisation élèvent tous les hommes à la médiocrité, mais gâtent et ravalent ceux qui seraient excellents. » Mais cette morale intime, cette règle de conduite qu'il affirme plutôt qu'il ne la suit, ne contiennent rien qui paraisse être à la source de la disposition qui lui est si nécessaire. Ou elle n'en semble qu'une application tardive, un produit de second ordre qu'il utilise consciemment, avec son léger goût pour la provocation qu'il mêle à toutes choses. Le « naturel » de Stendhal est fort loin du *Moi-naturel* dont Rousseau poursuit l'idolâtrie à travers les réactions les moins primitives et les moins spontanées de son tempérament. Ce qui est sans culture ne lui fait pas moins horreur que ce qui est sans originalité et, admire-t-il le jeune officier russe pour lequel il éprouve les mouvements naissants d'un amour à l'Hermione, il partage ses compliments d'une manière qui ne retire pas tout mérite à la civilisation et à la politesse. « Rien de plus désagréable et de plus grossier qu'un sot officier étranger et sans culture. Mais aussi, en France, quel officier pourra se comparer au mien pour le naturel et la grandeur ! »

Si l'on accepte, par jeu, de chercher dans sa correspondance quel est le caractère de ce naturel insaisissable, l'on sera facilement tenté de le réduire à un certain ton, à une manière d'écrire opposée au développement et au style soutenu, à une vivacité d'expression qui imite la conversation dans ce qu'elle a d'immédiat et s'en écarte par un tour plus individuel et plus spécifique. Il est en tout cas normal que dans ses lettres se montre le naturel dont l'art épistolaire est la technique classique. Une lettre appartient à l'art si elle n'est ni fardée ni sophistiquée. Elle est le mouvement de l'esprit dans sa nudité, avec ses mouvements brusques, ses allusions rapides, sa liberté sans apprêt et sa grâce sans contrainte. Il est essentiel d'atteindre la littérature par une voie qui semble la fuir. Il est également indispensable d'être soi et de ne sembler l'être que pour son unique lecteur. Tout l'esprit qui se dépense et qui va un peu plus loin qu'une simple conversation, les mots trop habilement parés, les récits faits moins pour ce qu'ils racontent que pour le mouvement de la narration, doivent être rachetés par la connivence qu'ils établissent avec le correspondant qu'ils visent et lui seul. L'affectation même est permise si elle est un moyen de sceller une complicité et d'organiser une entente d'où tout autre est supposé exclu.

Les lettres de Stendhal ont en général toutes les qualités que l'on trouve aux meilleurs épistoliers. Elles sont vives, surprenantes, animées d'un feu qui consume toute matière sans fumée, admirablement négligentes et pures de tout « style ». Mais si on les compare à celles des maîtres du genre et, comme le fait remarquer M. Boudot-Lamotte, aux lettres de Mérimée par exemple, on voit qu'il y a dans celles-ci quelque chose de plus agréable, de plus élégant, de plus spirituel qui leur manque et que ce défaut apparaît cependant comme une sorte de qualité positive, comme ce *quelque chose de plus* qu'on évoque toujours lorsqu'on pense à Henri Beyle et qu'on a tant de peine à préciser. L'une des manières dont le charme stendhalien se laisse saisir est en effet dans ce manque qui est une présence, dans cette privation dont on jouit comme d'une présence efficace et peut-être comme du beau lui-même. On peut dire de l'art de Stendhal qu'il n'est pas affecté, qu'il n'est pas éclatant, ni trop pur, trop soigné ou trop vrai, et toutes ces remarques qui portent sur ce qu'il n'est pas, sorte de rhétorique négative, en délimitent l'extrême richesse, la valeur de perfection qui n'est pas fondée sur le sentiment du parfait, mais sur l'impression d'une nécessité qu'on ne peut définir que du dehors — c'est-à-dire négativement — bien qu'on la connaisse par l'âme et qu'on l'aime du dedans.

Il n'est pas même sûr que l'affectation de naturel et de sincérité où M. Paul Valéry a vu la plus remarquable caractéristique de Beyle, réponde toujours à ce que l'on peut entrevoir de son « naturel ». Sa correspondance est pour les trois quarts libre du négligé et de l'impromptu apparent qu'on observe chez beaucoup d'autres épistoliers. Les quelques lettres qui imitent la simplicité et sont un peu trop semblables à ce que l'on sent qu'elles devraient être, rendent un son à part et, soit à cause de leur sujet soit à cause de leur destinataire, mêlent avec trop d'habileté le pittoresque au souci d'être vraies. (Par exemple, le célèbre récit de l'éruption du Vésuve : « Sur le cratère il y a un petit pain de sucre qui jette des pierres rouges toutes les cinq minutes. M. de Jussieu a voulu y aller et s'est joliment écorché les mains et les chevilles en parcourant une plaine composée de filigranes qui se brisent sous les pieds. La montée est abominable », etc.) Dans toutes les autres, le naturel n'est pas l'effet d'une volonté qu'on perçoit ou d'une prétention qu'on devine. Etre simple n'apparaît point comme le résultat du calcul qui chercherait à atteindre la simplicité en montrant ce qu'elle peut être, en l'exhibant comme un personnage de comédie. Qu'on lise la lettre à Giulia Rinieri, jeune personne qu'il avait demandée en mariage et qui venait de lui annoncer ses fiançailles : « J'ai reçu, mon cher ange, votre lettre de Pietra-Santa du 1ᵉʳ avril. Je trouve que vous m'écrivez bien peu. Eh bien, donc nous ne serons qu'amis. » Le « nous ne serons qu'amis » est un admirable trait d'aveu réservé; la réserve ne s'y proclame pas, elle se cache sans dire qu'elle se cache.

On peut chercher le secret de ce naturel du côté de l'intelligence, de la magie de l'esprit qui, par des analyses raffinées, une chimie personnelle, subtile et rare, réussirait à ne donner que des produits presque purs, analogues aux signes mathématiques dont ils imiteraient la rigueur et la précision. Cet « algébrisme » qui tend à définir Stendhal comme un être assez étrange de laboratoire, calculant les hommes et les découvrant, au terme de son calcul, tels qu'ils sont, dans leur nature essentielle, n'est qu'une métaphore où se montre l'un de ses aspects, et non le plus mystérieux. Ce qu'au contraire, à chaque page, sa correspondance nous apprend de lui-même, c'est sa nature d'âme sensible, la qualité de sa sensibilité, ébranlée d'une manière exquise par ce qui lui semble naturel et non convenu, émue profondément de telle sorte qu'en elle s'éveille une sorte de conscience supplémentaire, un discernement qui la fait sentir et lui fait voir ce qu'elle sent. Il y a dans la capacité d'émotion que Beyle attribue « aux âmes sensibles » un ferment intellectuel, un jugement inné qui n'altère pas la pureté de l'émotion profonde ni la délaie en la réfléchissant, mais l'oriente vers sa vérité et sa grâce et la réduit à ses éléments authentiques en la vouant au bonheur d'aimer. Les lettres de jeunesse, celles à Pauline où il se dépeint comme il cherche à se voir, sont toutes pleines de ces analyses qui éclairent le secret de sa nature. Que reproche-t-il à Mme de Staël ? Une sensibilité excessive, une violence exagérée du cœur ? Tout au contraire, une sensibilité trop sèche, aveugle à elle-même. « Mme de Staël n'est pas très sensible et elle s'est crue sensible; elle a voulu être très sensible, elle s'est fait, dans le secret de son cœur, une gloire, un point d'honneur, une excuse d'être très sensible, ensuite elle a mis là-dessus son exagération. » Et qu'aime-t-il en Pauline, en Mélanie, en Mme Rolland ? Une certaine grâce, une tendresse que l'esprit dévoile sans la pervertir, un instable mélange de sentiment et de pudeur consciente. « Elle (Mélanie) est comme toi, écrit-il à sa sœur Pauline, elle n'ose pas dire les choses profondes du sentiment, elles lui semblent ridicules; il faut la prier un quart d'heure pour l'y faire venir; enfin elle a cette extrême délicatesse des âmes d'artiste, cette délicatesse du Tasse. »

Si le naturel apparaît si aisément dans l'expression, c'est que le sentiment est éprouvé dans ce qui le rend naturel et vrai, et si la simplicité ne disparaît pas d'une forme qui unit étroitement une notation intellectuelle et une émotion intime, c'est-à-dire un ensemble fort éloigné d'être simple, c'est que l'émotion dans son origine a déjà les caractères d'une émotion de l'esprit. On a souvent cherché à voir en Stendhal une double nature prise dans le dilemme que lui-même a défini à propos de Brissot. « Brissot me fait penser que les qualités du philosophe, c'est-à-dire de celui qui cherche à connaître les passions, et du poète, ou de celui qui cherche à les peindre pour produire tel effet, sont incompatibles. » Stendhal ainsi serait à la fois voué à la passion qui lui en rendrait la peinture malaisée et destiné à l'observation d'autrui qu'il ne saisirait qu'en oubliant sa vraie nature. Mais ce partage grossier, cette division qui oppose en Stendhal l'observateur dépouillé et l'âme sensible, laisse justement se perdre le naturel qui lui est propre, la sincérité, faite d'un mélange, mais d'un pur mélange, où, dès son commencement, l'émotion se colore d'une certaine qualité de conscience et se double de l'ingénuité d'un esprit contraire au mensonge. La sécheresse même de l'expression stendhalienne n'est en réalité que le chemin le plus court pour atteindre à une extrême richesse d'émotion et les notations de son « algébrisme » sont un appel brusque et bref, destiné à réveiller *le plus cher souvenir*, à réintroduire au milieu des circonstances misérables ou médiocres les vives surprises du cœur, telles qu'elles lui ont été connues une fois dans leur pureté.

Dans une des admirables lettres à Mme Dembowski, où la passion s'exprime sans autre souci que d'émouvoir et de se défendre, Stendhal cherche pourquoi ses actions les plus timides semblent le comble de l'audace; c'est qu'il paraît léger alors qu'il est passionné et que, privées de toute emphase, ses manières d'être donnent aux autres l'impression de l'insolence là où il n'y a que simplicité et naturel. « Le principe des manières parisiennes est de porter de la simplicité dans tout. J'ai vu faire en Russie cinq ou six grandes actions par des Français, et, quoique accoutumé au ton simple de la bonne compagnie de Paris, je fus touché encore de trouver si simples les gestes de ceux qui les faisaient. Eh bien ! je crois, Madame, qu'à vous l'ornement d'un autre climat, ces manières simples auraient semblé légères et peu passionnées. Remarquez que, dans mes belles actions de Russie, il s'agissait de la vie, chose qu'on aime assez, en général, quand on est de sang-froid. » Ne disons point que cette anecdote donne le secret du « naturel », puisqu'en vérité elle n'explique rien, mais voyons-

y un repère de cette simplicité qui aux uns paraît singularité, aux autres affectation et à beaucoup le langage
unique d'une âme sensible, plus proche et enchantée d'elle-
même que la plupart des autres, grâce à une rare combinaison d'ardeur et de clairvoyance.

III

GŒTHE ET ECKERMANN

Les Conversations de Gœthe avec Eckermann restent l'un des livres les plus étranges de la littérature universelle, l'un de ceux qui ne posent pas moins de problèmes par leur existence qu'ils n'en résolvent par leur contenu. Il y a quelque chose d'extraordinaire dans le caractère de vérité que ces mémoires se sont vu conférer alors qu'il y aurait bien des raisons d'en contester l'exactitude et que, comme l'a montré M. J. Petersen, la fiction y joue parfois un rôle important. Mais il est encore plus surprenant que ce portrait inégalable d'un prodigieux esprit, fidèle dans son infidélité, création qui réussit non seulement à donner une image valable d'un grand créateur mais à prendre dans l'ensemble de ses chefs-d'œuvre une place significative, soit l'ouvrage d'un écrivain sans génie, modérément intelligent, parfois assez ridicule, incapable, semble-t-il, de dominer entièrement la matière d'un travail littéraire véritable. Cette réussite qui est d'autant plus extraordinaire que le livre n'a pour ainsi dire pas été retouché par Gœthe et qu'il n'est point fait de la transcription fidèle des conversations recueillies mais au contraire d'une transposition laborieuse où parfois tout est composé, même le laisser aller des entretiens, suppose un phénomène dont on ne peut qu'entrevoir l'origine et la signification.

Le principal intérêt des *Conversations avec Eckermann* vient de ce fait singulier : ce n'est pas le portrait d'un homme qu'elles nous tracent, d'un homme au milieu de ses apparences, avec les bizarreries de son caractère, les mouvements propres de sa démarche vivante; mais elles

nous dépeignent directement le créateur lui-même, l'être
profond qu'exigent ses œuvres et dont l'existence ne peut
être analogue à aucune autre. C'est là un fait tout à fait
rare et qui en tout cas distingue les *Conversations* des mémoires du même genre, en particulier du *Mémorial de
Sainte-Hélène* auquel on les compare généralement. Eckermann n'a pas recueilli des confidences, c'est-à-dire des images capables d'évoquer la vie de l'homme avec qui il s'en-
tretenait; là où la vie intervient dans son livre, elle n'est
que le support léger d'une action plus secrète, le cadre dans
lequel apparaissent les éléments d'une figure qui touche
momentanément à des événements accidentels; mais ce
qu'il exprime, le montrant comme vivant, aux prises avec
la vie, c'est un être déjà mythique, une figure prodigieuse
dont le nom a une valeur créatrice, un héros de la création,
celui-là même qui est dans ses ouvrages, artiste qui n'existe
que dans l'œuvre d'art.

Le mérite d'Eckermann — dans la mesure où il a été
autre chose qu'un écho docile dans cette mystérieuse cap-
tation d'une voix — n'a pas consisté à reproduire Gœthe
tel que sa gloire pouvait le figurer dans l'empire de sa
vieillesse, parmi les circonstances solennelles de son importance sociale. Eckermann n'a pas seulement saisi dans
sa vie même le Gœthe d'or et de marbre que la postérité
allait désormais laisser voir. Il a pu, délaissant les images
de la vie de Gœthe, esquisser les traits du créateur, apercevoir l'être caché tel qu'il existait au moment où il créait,
suivre des yeux la puissance formatrice, le démon à peine
voilé qui modelait les formes et préparait les métamorphoses. On ne saurait assez mettre en valeur ce qu'il y a
d'à part dans ce témoignage. On peut dire que dans une
certaine mesure, grâce à une passivité éminente, mais surtout par une décision délibérée et longtemps préparée de
Gœthe, Eckermann a su être présent dans la solitude de
l'artiste, cherchant à découvrir ce qu'est le créateur lorsqu'il n'est qu'avec soi-même, introduisant la merveille et le
scandale d'un témoin au cœur de l'opération de l'esprit.
Comment admettre dans son profond et utile délaissement
un spectateur qui ne tienne pas en échec le travail du moi
secret, c'est ce que Gœthe a songé et réussi à faire en con-
sentant à penser devant ce disciple, fidèle et naïf, qu'était
Eckermann.

Il apparaît naturellement que par les *Conversations* ce n'est pas avec « l'esprit qui a sa demeure dans la chambre la plus retirée du cœur » selon l'expression de Dante que nous entrons en rapport. Nous ne pouvons par exemple espérer regarder l'esprit tel qu'il se découvre lorsqu'il se transforme en un ouvrage immortel, mais du moins les *Entretiens* nous mettent-ils en contact avec la superficie momentanée du créateur. Il ne s'agit pas, comme il arrive le plus souvent dans ces sortes de livres, de témoignages fortuits sur la nature de l'artiste, par conséquent extérieurs à lui, non seulement incomplets parce que transmis et altérés mais encore fruits de relations morcelées et accidentelles. Il s'agit de quelque chose de bien plus précieux, de la manière dont Gœthe, parvenu au suprême équilibre, à la maîtrise inaltérable de sa vieillesse, se conduisait devant un témoin privilégié, définissant d'une façon essentielle ses relations avec lui-même dans la mesure où, poète promis à l'audience d'un public, il avait à faire entrer en ligne de compte l'existence de ceux qui lisent et qui écoutent. Si l'on veut, les *Conversations* nous apportent un témoignage significatif, non pas sur la manière réelle, c'est-à-dire fortuite et hasardeuse, dont il se conduisait extérieurement avec le public, mais sur la forme essentielle, idéale et inaliénable qu'il donnait en lui-même à ses rapports avec le public. Ce qui veut dire qu'il avait ébauché avec Eckermann une réalisation des rapports exemplaires du poète avec la société de lecteurs que celui-ci est bien obligé de se supposer dans sa solitude même.

D'une manière plus générale, les *Conversations* nous aident à savoir non pas comment Gœthe se comportait en face de tel ou tel homme ou à tel ou tel moment, renseignements qui ne dépasseraient pas l'ordre des faits, mais comment le créateur qu'il était, c'est-à-dire ce qu'il y avait en lui de monumental et d'immuable, se comportait à l'égard de ce qui est passager, fortuit, fugitif, comment, même lorsqu'il se mettait en rapport et tendait à des fins extérieures ou transitoires, il continuait à être objectif, exécuteur précis, conscient et dominateur de cette destinée avec laquelle il s'identifiait au plus haut point en s'exprimant par ses œuvres. De même, son langage quoique marqué par les influences étrangères, commandé du dehors par le caractère de son auditeur, est demeuré dans les *Entretiens*

l'ordre des expressions, le lieu des formes ébauchées qui le
représentaient entièrement dans la sphère la plus intime
de son monde. C'est là l'un des phénomènes les plus grandioses du Gœthe vieillissant. Il y a quelque chose d'angoissant dans ce fait que même à ses moments les moins réflé-
chis et les plus fugitifs, restant, comme le dit Gundolf, sous
le signe de son démon créateur de figures, il était parvenu
à donner à son moi une forme si absolue que pas une de
ses expressions n'était accidentelle. Les paroles de Gœthe
dans les *Entretiens* d'Eckermann ne sont pas un témoignage extérieur de Gœthe sur lui-même, elles sont une des
formes de son art, intérieures à lui et intérieures à sa vie.

Qu'Eckermann ait réussi à écrire un ouvrage où tant d'intentions aussi extraordinaires sont justifiées, c'est ce que
l'on commence à comprendre en voyant la part que Gœthe y a prise et le lent et tranquille travail auquel celui-ci
se livra pour façonner son disciple et le rendre tel qu'il
devait être pour devenir l'auteur d'un tel livre. Car si Gœthe
n'a pas participé directement à la rédaction des *Conversations* — il en a seulement contrôlé une grande partie —,
il a délibérément, avec ce souci d'organisation qui mar-
quait tous ses projets, formé l'esprit de celui qui devait
les écrire, le tenant éloigné des influences étrangères, l'em-
pêchant de poursuivre ses propres caprices, faisant de lui,
de sa mémoire, de son intelligence le réceptacle propice de
l'image auguste qu'il devait ensuite reproduire et propager.
Gœthe a donc eu ce dessein de faire une œuvre par l'intermédiaire d'un autre, de créer en quelque sorte un esprit
pour que cette créature de lui-même, travaillant ensuite
selon ses voies et avec une liberté littéraire apparente, pût,
en se manifestant, manifester le souffle et la vie créatrice
qu'elle avait reçus et dispenser la suprême sagesse dont
elle avait recueilli le rayonnement. Il s'agit d'une expérience analogue à celle d'un créateur qui, au lieu d'apporter
à son lecteur un livre, traiterait le lecteur comme le héros
d'un grand ouvrage, comme le sujet d'une œuvre d'art
monumentale, le chargeant de survivre à son auteur et de
le réaliser, de le rendre réel au moment où il ne sera
plus. Il y a à cet égard entre Gœthe et Eckermann des rapports de dépendance beaucoup plus étroits qu'entre Wagner
et Homonculus. Eckermann n'eut jamais le pouvoir de se
rendre libre et, après la mort du maître dont il recherchait

en vain l'ombre disparue, il ne lui resta comme destin qu'à s'évanouir lentement, avec le reflet qu'il portait sur lui et qui l'avait illuminé, n'étant alors, comme le disent ses biographes, qu'un survivant maussade, une oreille vide de la voix qui l'avait remplie.

IV

ANDRÉ GIDE ET GŒTHE

Les pages que M. André Gide a données comme préface à l'édition du Théâtre de Gœthe, publiée dans la collection de la Pléiade, sont différentes de celles qu'on aurait volontiers supposées. Parmi toutes les images de Gœthe entre lesquelles la critique hésite, parmi tous ces Gœthe possibles dont la variété inépuisable a composé le Gœthe réel, on aurait pu croire que M. André Gide, lui-même si divers quoique si fidèle à soi, refuserait de choisir et retiendrait d'abord la multiplicité des figures, les changements d'orientation, le génie des métamorphoses qui au Protée du Nord a permis de « vivre tant de vies en une seule ». Mais son jugement est tout autre. Ce qu'il voit dans Gœthe, ce n'est pas le devenir infiniment riche d'une existence qui a su être quantité d'êtres tout en étant de plus en plus elle-même, mais ce qu'il y a eu de plus stable, d'un peu guindé dans l'éternel, la figure mythique glorifiée par Eckermann; ce qu'il admire, ce n'est pas le Titan qui cherche à étreindre plus qu'il n'est, qui veut tout sans se perdre, c'est le vieillard solennel des dernières années, devenu le modèle de l'univers et préoccupé de tirer de chaque chose une leçon. Quoiqu'il connaisse les périls et la tension souvent effrayante qu'exprime la sérénité d'une pareille vie, il n'en regarde que la réussite et non les possibilités d'échec, l'équilibre, non la passion qui menace, le bonheur qu'il y a eu dans son renoncement, mais non la souffrance qui, dans ce renoncement, laisse entrevoir que le destin le plus accompli est l'équivalent de la plus grande défaite.

« L'œuvre de Gœthe, de part en part, est enseignement »,

dit André Gide. « De part en part », voilà ce qui ne se laisse
pas admettre si aisément. Il est entendu que cette vocation
d'instructeur (les Allemands ont souvent penché à établir
la gloire de Gœthe sur sa valeur didactique, et par exemple
encore M. Hans Carossa, dans les pages qui servent d'intro-
duction aux *Pages immortelles de Gœthe*) est le trait
dominant du Gœthe qui vieillit. Mais c'est lorsqu'il a pour
lui-même achevé la tâche de sa création, lorsqu'il a affirmé
ce qu'il est sans se soucier des autres, puis travaillé à sa
propre éducation en tenant compte du monde mais sans
encore vouloir agir sur le monde, qu'il pense à sa fonction
magistrale, qu'il se sent obligé d'éduquer aussi le public
et la nation à laquelle il appartient. A quel point cette œuvre pédagogique est étrangère au jeune Gœthe et même au
Gœthe de la première maturité, c'est ce que montre l'influence que Schiller dut exercer sur lui pour lui révéler ses
devoirs et ses prérogatives de maître de la jeunesse allemande. Sans doute, les influences que subit Gœthe ne représentent jamais rien d'étranger; elles font partie de son
destin non seulement parce qu'il se les assimile mais parce
que c'est lui-même qui semble les avoir attirées, tant elles
apportent avec elles de nécessité et de justification. Du
moins, le rôle de Schiller souligne-t-il que le besoin d'instruire autrui était assez extérieur à Gœthe pour n'avoir pu
se déclarer à lui que par cet intermédiaire privilégié. On
peut difficilement confondre les trois âges de Gœthe, celui
où il s'exprime sans la moindre responsabilité ni à son égard
ni à l'égard du monde, l'époque de *Gœtz*, de *Werther*, du
premier *Faust*, tout occupée par des confessions et des ex-
plosions lyriques, puis la période d'*Iphigénie* et du *Tasse*
où il renonce à cette première insouciance pour devenir
responsable de lui-même vis-à-vis de lui-même et, prenant
conscience de ce qu'il est, façonne, mûrit, éduque ce qu'il
doit être; enfin la période des *Années de voyage* où il sent
pleinement sa responsabilité à l'égard des autres et s'affirme
comme un modèle et un exemple. Dans le premier âge,
Gœthe est comme Prométhée, il veut se suffire à lui-même,
il ne distingue d'autre loi que son sentiment créateur et ses
caprices; comme Satyros, il s'abandonne à la force diony-
siaque et comme Faust il agit en surhomme solitaire pour
qui l'existence sociale n'est que « défi, illusion, mensonge
ou corvée ». Dans la deuxième période, la culture du moi

par le monde et dans le monde devient le principal problème, mais ce n'est pas encore la culture du monde par
ce moi exemplaire que devient Gœthe à son apogée de vieillard, par ce moi qui est alors lui-même un monde et qui ne
se reconnaît pas seulement des devoirs envers la société
mais qui a aussi des exigences envers elle, qui est devenue
loi pour elle comme celle-ci a été loi pour lui, et qui est un
éducateur parce qu'il est d'abord une forme légitime du
devenir universel. Ce qui semble enfermer toute l'existence
de Gœthe dans sa vocation pédagogique, c'est la continuité
de ses expériences, la substitution insensible de ses goûts
et de ses pouvoirs, la lenteur et l'unité des métamorphoses.
D'abord, puissance d'explosion et de jaillissement, homme
impatient de vivre, c'est en vivant qu'il parvient à la connaissance du monde, à la reconnaissance de ce qu'il y a
de lois valables dans le monde; ensuite, créateur d'images,
porté par son expérience de la culture à réaliser en lui-
même les lois éternelles de l'univers, il tend par le même
mouvement qui lui a fait reconnaître les lois pour lui à
en devenir le modèle pour les autres, à réduire dans la
société même l'intervalle qu'il a découvert en lui entre
l'humanité réelle et l'humanité exemplaire. Ces expériences
naissent les unes des autres, mais elles sont chaque fois
différentes et chaque fois elles jettent Gœthe dans un conflit qu'il ne surmonte qu'après avoir cru s'y perdre.

M. André Gide insiste sur l'aptitude de Gœthe à tirer
parti de toutes les circonstances : tout lui sert et tout aboutit à une œuvre; tout lui est matière à enseigner et de tout
il sait tirer enseignement. Il résulte de cette aptitude à la
fois une impression de chance et le sentiment d'un véritable opportunisme, au sens juste du terme, la croyance
que s'il a su s'accommoder de tout, c'est que tout lui a
été heureusement accommodé. « Oui, dit André Gide, Gœthe a triomphé de lui-même et de tout, mais on en vient à
se demander si ces triomphes n'étaient point parfois un
peu faciles... » Les rapports de Gœthe et de sa vie, l'unité
profonde qui lui a fait exprimer dans une même poussée
son existence comme forme et son art comme puissance
vivante restent le caractère fondamental de son génie. On
ne saurait y voir une qualité qui nuise à son originalité
et le diminue comme personnalité irréductible. C'est au
contraire dans ce pouvoir qu'apparaît ce qui le met à part

et au-dessus de beaucoup d'autres. Qu'il y ait eu un créateur dont la puissance créatrice a pénétré non seulement
l'œuvre mais la vie, qui a fait des rencontres accidentelles
de son existence une suite significative et nécessaire, et de
ses dispositions instinctives, de ses dons naturels un pouvoir efficace et conscient d'expression, voilà ce qui est propre à Gœthe et ne s'est produit qu'une fois. On peut bien
penser qu'il a tiré parti de tout et que tout ce qu'il a rencontré était d'avance en harmonie avec cet usage qu'il en
a fait, mais c'est parce qu'il y avait en lui cette mystérieuse
faculté plastique, ce pouvoir, dont Gundolf a parlé en termes si heureux, de transformer tout ce qu'il rencontrait en
destin, et le destin lui-même en une réalité d'art. Son
opportunisme est donc le sentiment qu'il a eu d'être un
être « démonique », c'est-à-dire un être à qui il n'arrivait
rien qui ne fût, par rapport à sa vie, le signe d'une loi supérieure, et ce sentiment lui-même, cette complicité avec le
destin, n'a rien signifié d'autre que la conscience de la richesse créatrice, ce fait original que son expérience vécue
et son art appartenaient à la même sphère, n'étaient que
la double manifestation d'une réalité commune. C'est sous
cette lumière que doit être cité le mot si souvent interprété
à tort et à travers : « Toutes mes poésies sont des poésies
de circonstance. » Car, pour un homme comme Gœthe,
toutes les circonstances ont eu leur part de nécessité, « ont
possédé la faculté de servir de centre à toutes les autres »,
se sont présentées comme des moments du destin; ses poésies sont poésies de circonstance parce que les circonstances elles-mêmes ont une valeur poétique et expriment du
point de vue de l'existence ce qui, par l'intervention de
l'imagination et de la culture, doit aussi s'exprimer en
poésie.

Si l'on embrasse d'un seul regard l'ensemble des expériences de Gœthe, on ne peut qu'être sensible à ce qu'ils
révèlent d'harmonie et de chance, et l'on pense, avec Paul
Valéry, que ce grand homme fut « un des coups les plus
heureux que le destin du genre humain ait amenés » ou,
avec André Gide, que ses triomphes furent « un peu faciles ». Mais c'est qu'en réalité on n'aperçoit que la possibilité
qu'il a eue de se surmonter et non les crises répétées et
souvent tragiques qui l'ont livré à cette alternative, se surmonter ou périr. Peu d'hommes, marqués d'un destin aussi

heureux, ont, autant que lui, éprouvé qu'ils étaient à la merci de la plus grande catastrophe, qu'ils pouvaient se perdre dans la tension même par laquelle finalement ils se sont sauvés. Dans son jeune âge, il a dit une fois : « Pour moi, il ne saurait être question de bien finir », mais dans sa vieillesse, alors qu'il semble jouir avec une solennité exaspérante du confort de sa réussite, alors que tout lui est bonheur et facilité définitive, il dit aussi : « Tout est perdu pour moi : je le suis à moi-même » et il se sent jeté, par son amour déçu pour Ulrike de Levetzow, dans une crise où il lui faut lutter entre la vie et la mort. Les expériences de Gœthe l'ont chaque fois, quoique naturellement avec une confiance qui augmente à mesure qu'elles se répètent, exposé à craindre que sa vie, c'est-à-dire le sens de sa vie, ne fût détruite ou diminuée. Il les a abordées comme des carrefours où il lui était donné de choisir la route d'un destin supérieur mais aussi le chemin de sa véritable ruine. Il savait qu'il pouvait sombrer et, comme Hölderlin, comme Kleist, il a connu la suprême décision par laquelle tout se joue, tout se risque et indéfiniment se rejoue et se remet en jeu. C'est cela que signifie sa profonde parole de vieillard : « Qui n'est point capable de désespérer, n'a pas besoin de vivre », cela aussi qu'exprime ce vers où l'on a voulu voir la formule d'une sérénité bienheureuse mais qui est en même temps chargé d'une impassible malédiction : « La vie, quelle qu'elle soit, est bonne. »

On peut donc dans le bonheur de Gœthe discerner le malheur immense qui s'y dérobe, dans la facilité de son triomphe l'effort extrême et désespéré de la conquête, dans l'harmonie le conflit sans issue. Et, de même, « le renoncement » de Gœthe, ce renoncement qui semble souvent être la principale leçon qu'il nous laisse, peut apparaître comme la voie commode de celui qui n'a pu atteindre ce qu'il a voulu et qui échange aisément l'impossible contre le possible, mais c'est aussi l'aveu que ce que l'on a atteint est ressenti douloureusement comme n'étant rien au regard de ce que l'on visait, c'est cette vérité paradoxale que même le dernier Gœthe, lorsqu'il a accompli l'œuvre la plus grande qui se puisse rêver, au sommet de la gloire, de la richesse et de la perfection, ne représente qu'un héros mutilé, une réussite couronnée par l'échec. Gœthe renonce, et cela veut dire qu'il n'a pas franchi toutes limites, qu'il n'a pas poussé l'exercice de ses dons jusqu'à ce point où vaincre c'est se perdre soi-même, mais il renonce, et cela signifie que s'il a pu achever son œuvre en se soustrayant à la catastrophe, il lui a fallu payer cet accomplissement du remords d'avoir manqué à la catastrophe, que, loin d'éprouver de la satisfaction devant son œuvre arrachée au naufrage il a éprouvé le tourment de ne l'avoir sauvée qu'en ayant été infidèle au naufrage et qu'il a dû, ayant renoncé pour son œuvre à la souffrance d'une issue tragique, subir volontairement la souffrance de la renonciation.

La sagesse de Gœthe est celle d'un homme qui a ressenti comme un tourment et comme un manque la nécessité d'écarter la déraison; de même que son caractère humain, sa mesure et sa clarté expriment le vertige d'un être qui connaît les forces obscures, ne les perd jamais de vue et sait ce qu'il abandonne en y renonçant. M. André Gide, interprétant les dernières paroles de Gœthe : *Mehr Licht!* et y voyant le symbole de sa soif de clarté, écrit : « Que l'on me permette de déplorer cette horreur de l'obscurité. Je la tiens pour la plus grande faiblesse-erreur de Gœthe. C'est par là qu'il rejoint Voltaire. » De ce regret, on peut sentir qu'il est pour André Gide lui-même la forme d'un sentiment personnel profond et il est à cet égard chargé de valeurs et de sens. Mais pour Gœthe, il est trop rigoureux ou trop complaisant. Si l'on veut lui comparer Voltaire, il apparaît que tout ce qu'a ignoré l'auteur de *Mahomet*, son traducteur en a eu profondément conscience, qu'en ce sens tout ce dont Voltaire s'est rendu coupable, ses ricanements devant les ombres, son ignorance grossière des dessous du monde, sa méconnaissance de la tragédie, il serait dérisoire de vouloir en faire le reproche au poète qui a eu puissamment « le sens de la valeur du frisson » (comme dit M. Hans Carossa), à celui qui a écrit : « Le frisson sacré est la meilleure part de l'homme. » Mais, dans un autre sens, Gœthe s'est montré plus coupable envers les ténèbres que le clair et léger Voltaire, car Voltaire ne les connaissait pas et ne les pressentait même pas, il ne pouvait donc les trahir, mais Gœthe qui s'était mesuré avec elles, Gœthe qui avait évoqué l'Esprit de la Terre et formé avec Satyros le rêve de s'en emparer par le rire, finit par leur donner congé et par les condamner dans la passion même qui l'avait uni à elles. On est donc justifié d'opposer, comme le fait M. André Gide dans sa conclusion, Gœthe à Nietzsche, Gœthe qui voulut « tout et, de plus, être sauvé » et Nietzsche qui se jeta dans la catastrophe avec la certitude qu'en se perdant il accomplissait son destin. Mais on ne peut, dans cette opposition, oublier que ce Gœthe qu'on dresse en face de lui, Nietzsche l'a admiré et aimé et l'a aimé non seulement comme puissance apollinienne, pour sa sérénité et son impassibilité artiste, mais aussi pour ses rêves dionysiaques, son abandon aux mystères et pour l'humanité intégrale qu'il lui apprit à tenir pour sienne.

Il faut ajouter que la préface de M. André Gide conduit à une édition du Théâtre de Gœthe qui, à côté de bonnes traductions, réunit deux modèles de fidélité et de valeurs poétiques, œuvres rares et pures, *Satyros* qu'a traduit Armand Robin et *Iphigénie en Tauride*, à laquelle le nom de Jean Tardieu sera désormais attaché.

V

LA SOLITUDE DE PÉGUY

Dans son *Charles Péguy et les Cahiers de la quinzaine*, M. Daniel Halévy a mis en valeur l'un des caractères les plus profonds du destin de Péguy qui est sa solitude.

Cette solitude a eu des formes diverses et mystérieuses. Lorsqu'on suit le développement d'une telle existence, on la sent qui s'exprime sur des plans très différents, dans des mondes souvent séparés, comme si chaque épisode pouvait se raconter plusieurs fois, comme s'il s'agissait, ainsi que le dit M. Halévy, d'une feuille ayant un recto et un verso qu'on doit tourner et lire sur ses deux faces. Phénomène déjà remarquable. Mais ce qui est plus singulier, ce qui est vraiment propre à Péguy, c'est que cette existence si complexe a la vigueur d'une existence simple et une. Elle donne l'impression d'être traversée par une intuition pure. Elle est double, sans la moindre trace de duplicité.

La solitude de Péguy peut elle-même être saisie sur plusieurs plans. C'est d'abord la solitude d'un homme qui a eu les amitiés les plus rares et qui s'est cependant retiré avec une brusquerie surprenante de presque tous ses amis. C'est aussi la solitude d'un esprit qui a aimé se confier — du moins à quelques-uns qu'il avait choisis —, qui leur a parlé souvent du plus profond de lui-même et qui, en même temps, leur a dérobé l'essentiel, ne laissant même pas entrevoir la place du secret qu'une lente maturation devait seule porter au jour. C'est encore la solitude d'un homme qui n'a cessé de décider seul, de penser seul, de tirer de l'extrême conscience de lui-même, en dehors de toutes références étrangères, des résolutions certaines qu'il a imposées à tous ceux qui l'ont approché par un jugement sans appel. Le non-conformisme de Péguy est une expression de sa solitude, comme sa solitude a été l'un des signes de sa vocation.

Il est émouvant de voir émerger aux différents moments de sa vie les formes à peine discernables des pensées qui l'occupent. De loin en loin, on recueille une preuve de ce travail qu'il poursuit, qu'il n'a même pas à dissimuler tant il est profond et qui ressemble à la création du temps. On sait qu'un secret existe en lui comme on sait que l'avenir est une forme d'existence du présent et on touche à ce projet par quelques révélations qui se dissipent à peine faites sous le regard qui les a reçues. Il n'y a pas de symbole plus étonnant de ce phénomène que la première édition de sa *Jeanne d'Arc*. On sait que le texte en était comme noyé dans des espaces blancs; une réplique, quelques phrases semblaient perdues dans des pages manuscrites; ce qui était dit paraissait attendre on ne sait quelle parole réservée à plus tard, exprimant déjà par le silence le *Mystère de la charité de Jeanne d'Arc* qui, onze ans après, devait s'ajouter à cette première œuvre.

Cette disposition typographique se retrouve dans un cahier de 1902 où une suite de réflexions sur l'avilissement des mœurs politiques l'avait conduit à citer longuement les *Pensées* de Pascal; la citation était enveloppée d'un vaste blanc; on était invité à voir dans cette absence de texte la présence d'un mystère encore inaccessible, une place laissée vide pour une révélation — le retour à la croyance — dont son ami le plus intime, Lotte, ne sera averti que six ans plus tard, signe extraordinaire jeté au lecteur inattentif. Mais avant cette échéance, on trouve çà et là de nouvelles et impénétrables allusions. M. Daniel Halévy en relève une dans deux lignes de *Notre patrie* parue en 1905 : « C'est le soldat qui mesure la quantité de terre temporelle qui est *la même* que la terre spirituelle et que la terre intellectuelle. » Tels sont exactement l'ordre et le sujet des trois mystères et du poème *Eve* qui seront écrits bien après, référence à des méditations que presque aucun de ses familiers ne devine alors. A la même date, il déclare à André Bourgeois qui lui faisait remarquer le caractère bizarre d'une de ses phrases commençant par les mots : *Veuille l'événement :* « Dans deux ans j'écrirai *Dieu veuille.* »

Ce penchant, expression d'une âme, qui à chaque instant se saisit à travers toute son histoire et qui se garde avec vigilance, est un mouvement dont les formes sont très mystérieuses. Il semble que l'esprit atteigne à une possession entière de soi. Il ne connaît pas ce qu'il pensera, mais il saisit l'exigence par laquelle se compose la pensée dont il sera fait. Il est comme hors de la durée. Il prophétise et il devine l'avenir. Sur le plan de l'existence, ce penchant se traduit par la multiplication des signes et des pressentiments. Péguy a eu de la manière la plus vive le don des signes et il a en particulier deviné le destin qui lui était réservé. M. Daniel Halévy en donne plusieurs preuves frappantes : « Certains jours, écrit-il, probablement dans les premiers mois de 1914, un lecteur enthousiaste entre dans la boutique pour exprimer à Péguy son admiration pour *Eve* : « Quand on a écrit une telle œuvre, déclare-t-il, on « peut mourir. » Péguy courut chez Mme Favre. « On vient « de me dire qu'après avoir écrit *Eve* je n'avais plus qu'à « mourir. C'est grave, c'est très grave. » Mme Favre ne voyait là-dedans qu'un beau compliment bien tourné. « Non, « répétait Péguy, c'est un signe, c'est grave. » Mais il y a une indication encore plus étrange. Dans un de ses derniers écrits, *L'Argent suite*, au cours d'un long développement sur le péché et la grâce, il a subitement employé la formule suivante : « C'est ce que Péguy disait quand il disait que par la création de la liberté de l'homme... » Que signifie ce verbe au passé, cette mystérieuse intervention d'un Péguy déjà impersonnel? On dirait qu'ayant toute sa vie devancé la durée, il a finalement traversé le temps et que, maintenant, près du dénouement, il est obligé de regarder en arrière pour se voir, apercevant l'homme qu'il est encore sous la forme d'un passé qui n'est plus?

Sur le plan de la pensée, le même penchant s'exprime par une attitude intellectuelle qu'on ne semble avoir que pressentie et dont l'étude pourrait donner une idée des profondes patiences de l'intelligence. Péguy a eu, à un degré inégalable, le sens des lentes maturations. Il a nourri ses pensées de l'attente, les laissant se former par le concours du temps, par l'accroissement tranquille et continu qu'elles tiraient des jours. Chez cet homme si impétueux, capable des plus fortes colères, aucune précipitation, nulle course hâtive vers la conclusion du jugement. Il a noué un pacte avec une sorte de sommeil de la durée au cours de laquelle, ainsi qu'il arrive pendant la nuit, naissaient et grandissaient les mouvements de son âme. La plupart des difficultés et des projets qu'il a d'abord entrevus, avec une avance foudroyante sur leur vraie date, il en a confié la solution à l'attente. Lorsqu'il se posa la question du baptême de ses enfants et qu'il se heurta à l'opposition de Mme Péguy, il ne voulut pas, lui si impérieux, imposer une décision, il ne pensa qu'à un seul recours : attendre. Et, lorsqu'il fit l'examen des fautes de Renan, il lui reprocha non pas d'avoir été rebuté par les difficultés de la croyance catholique mais de s'être : « engagé dans des difficultés infiniment plus difficiles... *au lieu d'attendre, de vivre solitaire, de faire n'importe quoi d'autre, de voir venir, de faire venir* ».

Toutes ces expressions ont un sens important. Elles contiennent certainement l'un des secrets de Péguy. Elles donnent une idée de ce travail qui, toute sa vie, fut celui de son esprit et de son âme et où ne cessaient de courir des échéances parfois très longues, de s'ouvrir des perspectives qu'il interrogeait lentement et secrètement dans une véritable contemplation. Son style si déconcertant vient en partie de ce rythme qui régla ses pensées. Ce que l'on appelle répétition n'est que le retour indéfini d'une forme qui cherche à s'accroître par son insistance, par son alliance avec la durée, par le fait qu'elle s'impose et tire de soi à force de patience et de longueur autre chose et plus qu'elle-même. Ces grandes pages où les phrases tournent et retournent autour de quelques mots qu'elles frappent de milliers de coups, ne sont que l'image de cet appel à l'avenir dont il avait fait l'une des lois de son esprit; elles sont toutes pleines d'une attente obstinée et implacable, elles mûrissent en s'avançant dans un temps presque pur; on dirait que la durée a pris en charge ces deux ou trois périodes qui composent parfois l'essentiel d'un long développement, qu'elle a pour mission de les mêler à son mouvement, de les enrichir par la création qu'elle représente, afin d'obtenir d'elles le fruit qu'elles semblaient incapables de porter. « Mots, dit Péguy, je ne vous laisserai pas, mêmes mots et je ne vous tiendrai pas quitte tant que vous aurez encore quelque chose à dire. Nous ne vous laisserons pas, Seigneur, que vous ne nous ayez bénis. »

Il y a dans cette assurance patiente, dans ce sentiment de ce qui sera, dans cette conscience d'un futur auquel il participe, l'expression d'une force pleine d'espérance qui est l'une des raisons d'être de Péguy. Mais il est trop clair que cette même assurance n'a un sens exaltant que si l'on oublie la solitude d'où elle est sortie. M. Daniel Halévy a comparé les épreuves de Péguy à celles de Nietzsche. Tous deux ont éprouvé la cruauté d'un combat solitaire dans lequel ils se sont consumés sans repos. Tous deux ont vécu à l'écart, ne trouvant personne pour se délivrer de la tension tragique à laquelle les exposait le pressentiment de leur destin. Tous deux enfin se sont brûlés dans des passions polémiques dont l'exagération était comme la mesure sainte de leur valeur de héros. Seulement, Péguy a tiré de cette solitude, de ces combats, de ces pressentiments une sorte de tranquillité pure et le souci apaisé de son salut. Sa solitude a été celle d'un homme qui, dès le commencement, connaît sa vocation et, toute sa vie, avec une extraordinaire certitude, répond à ce sentiment et maintient cette fidélité.

VI

LA CRITIQUE D'ALBERT THIBAUDET

Albert Thibaudet, critique d'une ingéniosité extraordinaire et presque créatrice, s'est toujours beaucoup intéressé aux écrits posthumes. « Des papiers posthumes, c'est la saine économie d'une gloire littéraire. » Il écrivait aussi : « Une certaine partie suprême ne se gagne que par l'œuvre posthume... On sait quelle dimension nouvelle acquiert Barrès par la publication des *Cahiers*. Elle rappelle l'accroissement énorme que Flaubert a reçu après sa mort. Et voyez comme Proust, qui s'est étonné de ce qu'il appelait la médiocrité de la correspondance de Flaubert a été diminué par la médiocrité de la sienne ! » On peut se demander si Thibaudet, en s'attachant avec tant de préférence aux écrits posthumes, ne prévoyait pas le sort qui serait le sien. Les ouvrages de lui qu'on publie depuis sa mort ne sont pas à proprement parler posthumes, puisqu'ils sont composés d'études qui ont été publiées de son vivant. Mais en tant qu'ouvrages ils ont une véritable nouveauté; ils dépendent à peine des fragments dont ils sont faits; ils leur apportent l'unité dont ceux-ci étaient avides; ils donnent à ces essais écrits au jour le jour, avec un goût malicieux de l'actualité, la composition durable qui leur était secrètement nécessaire. Grâce à eux, Thibaudet a commencé une existence posthume qui répond de la manière la plus juste à ce qu'il y avait dans son esprit de sens de la vie et de la durée.

Dans ses diverses *Réflexions* on trouve toutes sortes de remarques sur toutes choses, qui donnent l'impression d'une vie indéfiniment renouvelée, comme si le mouvement qui l'inspire était plus important que les pensées que ce mouvement anime. D'un chapitre à l'autre on surprend parfois les mêmes réflexions ou des expressions analogues; on a même le sentiment à cause du remous perpétuel qui trouble l'ordre des études que tel essai n'est que la reprise d'un essai précédent ou plutôt qu'il lui ressemble parce qu'après en avoir bouleversé la composition, changé les perspectives, modifié l'équilibre, donc après avoir accumulé les différences, il en exprime, avec une étrange exactitude, le même climat et la même forme de jugement. Mais ces répétitions n'ont que peu d'importance. Ce qui compte, c'est la rapidité d'investigation, la promptitude avec laquelle l'écrivain, d'un seul regard, fait le tour de tous les auteurs et de tous les livres et choisit, presque au hasard mais par un hasard profond, celui dont il peut tirer des comparaisons profitables. Le jugement triomphe moins par la rigueur de ses remarques que par le rythme de sa démarche et l'ampleur de sa course. Il est partout où il doit être.

La critique d'Albert Thibaudet a un caractère très défini et cependant assez difficile à définir. En gros, il semble qu'elle s'inscrive dans la tradition qui aboutit à Emile Faguet et où une liberté surprenante d'appréciation s'unit à des habitudes de pensée conformes à un héritage universitaire. L'homme, l'œuvre, les circonstances du temps, les liens avec la province, les ascendances, les descendances, tout ce qui vit à l'intérieur, autour et à l'abri d'un ouvrage, reçoit le regard curieux du critique. Il ne néglige rien et le mode même de son esprit l'entraîne à chercher fort loin de l'œuvre les traces ou les images de cette œuvre. Les explications à la Taine ne le gênent que dans la mesure où elles offrent à sa pensée avide de rapports un réseau beaucoup trop limité de chemins. Mais elles ne sont pas en contradiction avec ses propres méthodes. Il était homme à établir des relations authentiques entre n'importe quel hasard de l'existence et le livre autour duquel cette existence s'enroulait mystérieusement.

Il est bien connu qu'il y a deux grandes formes de critique : l'une ne pense qu'à l'œuvre et par une analyse créatrice recherche les opérations qui ont rendu cette œuvre possible. Il s'agit moins de trouver les raisons qui expliquent vraiment la formation d'une œuvre que d'ima-

giner, en partant d'elle, les règles et les lois de l'esprit
créateur. Tout ouvrage, même important, dépend de circonstances frivoles, d'apparences extérieures, d'un schéma
social, d'une somme indéfinie d'événements insignifiants;
mais il dépend aussi d'une nécessité pure et d'actes rigoureux qu'on en peut ensuite déduire. En expliquant par une
véritable mécanique des effets la naissance du *Corbeau*,
Edgar Poe a mis en valeur l'analyse qui rendait le mieux
compte de la conscience et de la volonté créatrices. Il a
montré comment l'esprit aurait dû produire ce poème s'il
avait été affranchi de toute activité désordonnée. Peut-être,
les vraies circonstances de la création ont-elles été tout
autres. Peu importe, dit la critique d'Edgar Poe : ce qui
compte pour moi, c'est de refaire l'œuvre d'après la nécessité que j'y trouve une fois l'œuvre faite, ce n'est pas de
suivre les péripéties de sa fabrication réelle.

Les préoccupations d'Albert Thibaudet sont naturellement assez différentes. Bien qu'il s'intéresse à tout, même
à ce qui semble le contraire de lui-même, il sépare assez
rarement l'œuvre du réseau de phénomènes extérieurs et
intérieurs dont elle est le prix. En réalité, l'œuvre et l'auteur existent moins pour lui dans leur existence séparée
et presque abstraite que la littérature tout entière dont il
a discerné, avec une singulière profondeur, la vie propre,
les courants invisibles, les liaisons indéfinies, comme s'il
s'était agi d'un monde à part dont les lois mystérieuses
répondaient à merveille à ses possibilités et à son savoir.
En ce sens, rien de rigide ou de traditionnel dans la forme
de ses connaissances. La littérature française du XVIᵉ au
XIXᵉ siècle lui est comme une mer à l'intérieur de laquelle
il s'est glissé et qui lui parle par ses profondeurs, ses
marées, la mobilité et la résistance de ses eaux, l'étrange
figure qu'elle compose en sa totalité, plutôt que par sa
faune et sa flore. Ce n'est même pas l'histoire littéraire
proprement dite qui retient vraiment son attention, car il
a été heureusement préservé du goût de l'anecdote et il
n'est pas trop respectueux de l'enchaînement historique
des événements. Ce qu'il sent et ce qu'il décrit, c'est la réalité littéraire, ce monde étrange qui est constitué non seulement par les œuvres, par les écrivains, mais par les
influences qui s'en dégagent, par le système nerveux que
composent ces influences, par des champs de forces bi-

zarres où les sentiments habituels à l'homme sont transformés et se conjuguent dans une forme de durée tout à fait nouvelle. Parmi ces courants, ces remous, ces sites d'une rare fluidité, il fait preuve d'une adresse supérieure; il est maître de la navigation; sa critique est créée et façonnée par la littérature.

Tel est l'objet de ses études, mais la méthode qu'il utilise n'est pas moins remarquable et on lui doit l'aspect si particulier que prend le moindre de ses articles. Albert Thibaudet ne s'approche d'un sujet, d'un fait, d'un homme, de quoi que ce soit, que s'il le compare à autre chose. Les comparaisons lui sont indispensables. Elles sont pour lui aussi importantes que les métaphores pour le poète. Elles ont une sorte de valeur magique. Elles lui ouvrent la voie des correspondances qui lui révéleront les vraies formes du monde où il pénètre. A plusieurs reprises, il a rapporté la célèbre phrase de Roumestan : quand je ne parle pas, je ne pense pas; ainsi pourrait-on lui faire dire : quand je ne compare pas, je ne critique pas. Il a besoin constamment de ces arches qu'il jette de rive en rive, d'objet en objet, et sur lesquelles ensuite son esprit se meut avec une extrême satisfaction, profitant de cette première et fragile jonction pour en tenter d'autres plus hardies, à partir desquelles il cherche de nouveaux états de passage, d'autres points, d'autres circuits, qui, après un système complet de substitutions, le ramènent, non moins ravi que son lecteur, au point de départ.

Ce besoin de comparaison lui est si nécessaire qu'il se garde d'en restreindre l'usage aux seules comparaisons littéraires. Ce n'est pas seulement tous les écrivains et toutes les œuvres importantes de la littérature qu'il entraîne dans une confrontation perpétuelle, dans un incessant et singulier va-et-vient au cours duquel chacun d'eux semble destiné à rencontrer au moins une fois tous les autres, à s'expliquer par rapport à eux, à s'éclairer selon les lumières que cette rencontre fera naître. Ce critique accepte volontiers, comme moyen d'approfondissement et de connaissance, les comparaisons les moins littéraires. Il a rendu célèbres toutes sortes d'analogies empruntées au vin et à la vigne; il s'est amusé un jour à comparer la sincérité de l'écrivain aux dépôts faits dans une banque; il a développé le mot de Montaigne qui ne voyait en son œuvre que

« paroles gelées » et il en est arrivé à des images pleines de saveur sur les neiges éternelles de la littérature. Il y a assurément dans ces figures un certain goût du divertissement. Mais leur emploi méthodique suppose un penchant remarquable, la tendance à remplacer l'argumentation par la mise en valeur des similitudes, la croyance qu'on se retrouve mieux dans les choses littéraires en obéissant aux coups de force des analogies qu'en suivant l'enchaînement de pensées logiques. A ce point de vue, la méthode d'Albert Thibaudet contient en germe de véritables possibilités de création. Expliquer la littérature en lui donnant pour miroir les mystérieuses images dont l'esprit subit les prestiges, c'est un rêve qu'on peut faire. Et on peut de même rêver à une critique où les œuvres ne seraient comparées et mises en rapport que pour donner l'idée d'une métaphore finale particulièrement belle et bouleversante.

Le grand mérite d'Albert Thibaudet reste dans son ingéniosité à découvrir des relations littéraires nouvelles. Il a été un véritable créateur de points de vue et de perspectives, il a su attirer sur la littérature classique des clartés originales en la forçant à refléter les lumières dont elle semblait le plus éloignée. Son art a consisté non seulement à choisir pour le lecteur un théâtre privilégié d'où celui-ci pouvait espérer contempler beaucoup de choses nouvelles, mais à lui donner sur le même spectacle, grâce à un changement constant d'éclairage et d'horizon, des vues incessamment renouvelées. Il semble, lorsqu'on le lit, que toutes les relations à travers lesquelles il nous dirige soient les plus naturelles du monde, les plus connues, les plus conformes à l'usage. Il donne l'impression de nous faire tout découvrir en semblant lui-même ne découvrir rien. C'est son secret et c'est le secret d'un enseignement véritable.

VII

UNE ŒUVRE DE PAUL CLAUDEL

Les œuvres de Paul Claudel ne sont jamais minimes, et même celles qu'il désigne comme le fruit médiocre d'une occasion gardent toute la plénitude d'un ouvrage où il est entièrement. Il se peut, au contraire, que dans ces œuvres dont les ressorts sont simples l'on s'abandonne avec des mouvements de plaisir mieux ordonnés aux grandes voix qui retentissent à travers tout ce qu'il écrit. Il est agréable de se perdre dans un océan, mais aussi de retrouver l'ampleur et la puissance d'une mer auprès d'un mince filet d'eau, comme si une vague en imitait la figure. La possibilité d'un abîme y creuse la tempête sous le calme.

L'Histoire de Tobie et de Sara est une « moralité » en trois actes. Cette désignation est un rappel à la fantaisie qui ne doit y chercher rien de particulier ni dans les personnes ni dans les événements. L'anecdote est vouée à un sens précis qu'elle illustre et qui la tient en bride. Les personnages n'ont pas pouvoir d'être eux-mêmes. Ils obéissent à la raison qui les a fait naître et ils la laissent paraître sans honte d'être ainsi expliqués. Sara, dit tout de suite M. Paul Claudel, c'est l'âme humaine et Tobie l'aveugle est la foi qui, dans les ténèbres, sait unir sa supplication à celle d'un tourment analogue. Il n'y a là aucun titre caché, dans la mesure du moins où des notions comme l'âme, la foi ne sont pas un nœud enchevêtré de mystères. Le drame a été précédé d'une longue et parfaite exégèse qui, publiée dans *Les Aventures de Sophie*, en a chassé toutes les incertitudes d'interprétation et l'a rendu transparent. Tout est connu et manifeste.

Au cours de cette précédente étude sur le livre de Tobie,

Paul Claudel, ébauchant un récit, l'avait brusquement interrompu, avec cette promptitude d'obéissance au vent, au souffle qui est la logique de sa marche cohérente, en jetant cette remarque : « C'est dit. Je renonce à la forme du récit..., je n'essayerai pas d'établir un fil continu. Ce n'est pas un roman que je veux bâtir ni un drame : la technique du cinéma m'agréerait mieux. » C'est le drame, fortifié par la musique, le cinéma et la mimique, qui lui sert à reprendre son dessein abandonné. Les mêmes facilités techniques dont *Le Soulier de satin* montre l'usage au comble de la virtuosité, élargissent cette brève moralité selon des perspectives qui abolissent l'espace et le temps. Alors qu'au premier plan l'action dramatique est engagée par des personnages réels, elle est figurée sur l'écran par l'évocation d'images qui en révèlent le retentissement illimité. De même, la mimique exprime une imitation, en dehors des formes dessinées par la parole et telle qu'elle oblige tout le corps à prendre part, d'une manière non esthétique mais significative, à un drame que les mots ne peuvent livrer tout entier. Enfin, la musique continue à jouer ce rôle d'accompagnement comique, de puissance souveraine d'ironie et d'effusion qui lui est généralement dévolue dans les drames claudéliens. Elle trouble par ses burlesques contorsions ce qu'il y a de trop facile dans un chant pur, mais elle cherche le fond musical de l'âme qu'elle sollicite et attire par l'irrésistible commandement de sa douceur. « Je te tire inépuisablement, fil de l'âme, dit Azarias, salive, ligne d'or et toute la longueur de l'ange, mélodie !... Et toi, accours, âme, sur le ruisseau de la flûte, accours, âme, avec l'orteil du dièse sur le ruban de la note, comme la gamme à travers la harpe, vierge de lin vêtue ! » Musique, mimique, cinéma, ce sont là les conventions que Paul Claudel semble avoir adoptées désormais et dont la forme dramatique dispose avec une sûreté impérieuse.

Le sujet de *L'Histoire de Tobie et de Sara* est tout entier dans deux lignes de la Bible. *Ces deux supplications*, dit le texte sacré (celle du vieux Tobie devenu aveugle et celle de Sara, affligée par la jalousie d'un démon) *formulées en même temps furent exaucées en même temps*. C'est cette simultanéité, cette résonance multipliée de deux prières contemporaines qui forme le cœur de l'allégorie. Il fallait que deux souffrances se répondissent sans se connaître à

travers le désert et la diversité des malheurs pour trouver
une mutuelle consolation. Lorsque nous nous plaignons
d'un cœur désintéressé, notre plainte va chercher une autre
plainte avec laquelle elle communique mystérieusement et
elles forment une communauté malheureuse qui aide à la
libération. Il y a dans la supplication la plus personnelle
un acte de générosité qui a une valeur vocative et qui met
en cause autre chose que soi. Deux rayons nocturnes retournent à la même étoile.

Ce thème est certainement l'un des grands thèmes claudéliens, celui qui entre deux âmes séparées établit les rapports énigmatiques d'une rédemption dont les voies
passent par le plus obscur et le plus profond. Vers Sara
marche, au cours d'un voyage qui ignore son but, le jeune
Tobie, image, reflet ou prolongement du vieux Tobie,
comme, dans *Le Soulier de satin*, doña Prouhèze est
l'amorce indiscernable qui doit servir à la capture de Rodrigue. Ces voyages pendant lesquels des esprits furieux
cherchent à étreindre les continents, dans une investigation
qui ne s'épuise pas, rapprochent, autant qu'ils semblent
les écarter, les êtres que des épreuves surhumaines rejettent à jamais l'un loin de l'autre. Et il est à remarquer que
ce vagabondage d'aventuriers à travers le monde ne reste
pas stérile; il ne signifie en aucune façon la fuite pasca-
lienne devant le destin, un divertissement à l'ombre de
l'angoisse; mais il figure la prise puissante de l'univers
par l'esprit d'inquiétude et la bénédiction religieuse.
« Ami Daibutsu, dit don Rodrigue qui a conquis les deux
Amériques et ouvert le passage de Panama, ce n'est pas
pour devenir à mon tour silence et immobilité que j'ai
rompu un continent par le milieu et que j'ai passé deux
mers. C'est parce que je suis un homme catholique, c'est
pour que toutes les parties de l'humanité soient réunies et
qu'il n'y en ait aucune qui se croie le droit de vivre dans
son hérésie séparée de toutes les autres comme si elles
n'en avaient pas besoin. » Et quelle image se révèle à
Tobie, lorsque la vue lui est rendue, à Tobie l'infirme à la
place de qui le jeune Tobie vient d'accomplir la régénéra-
tion par la route et la conquête du désert ?

Je vois
Toute la terre jusqu'à la mer et au delà de la mer,

*Toute la terre jusqu'à la montagne et au delà de la
montagne,*

*Toute l'étendue de cette terre qui est habitée par les
hommes et cette haleine sans nombre qui s'élève de la terre
habitée !*

Revendication, considérée comme l'acte saint par excellence, de la totalité des choses, de l'existence dans tout ce
qu'elle suppose ensemble.

L'histoire de Tobie, telle que l'a conçue Claudel dans sa
pureté allégorique, a écarté presque entièrement l'étrange
épisode des sept maris de Sara, mis à mort les uns après
les autres par le démon jaloux, Asmodée, qui veille dans
la chambre nuptiale. Ces sept maris, dit Paul Claudel dans
son exégèse antérieure, sont les sept dons du Saint-Esprit
évincés de la possession de l'âme humaine et il ne les mêle
à son action que par des scènes allusives qui n'en retirent
qu'un intérêt indirect. Son sujet véritable, dont il ne se
laisse pas détourner, c'est le drame de la communication,
d'un appel qui répond à un autre, comme l'écho à la voix
qui l'a ému; c'est cela le livre de Tobie, ce n'est pas l'histoire de ces tristes fiançailles, chaque fois souillées par un
meurtre incompréhensible. On peut à cet égard rappeler
que Kierkegaard, imaginant dans *Crainte et Tremblement*
une pièce tirée du récit de Tobie, avait tout au contraire
fait de la jeune Sara l'héroïne principale. « Si un poète
lisait cette histoire et s'en inspirait, écrivait-il, je parie cent
contre un qu'il mettrait tout l'accent sur le jeune Tobie. »
Mais il ajoutait pour lui-même : « Non, l'héroïne de ce
drame, c'est Sara, c'est d'elle que je veux m'approcher,
comme je ne me suis approché jamais d'une jeune fille. »
Car Sara, aux yeux de Kierkegaard, représente la suprême
déception, le châtiment qui ravage une âme pourtant sans
péché, la fatalité qui ne lui permet ni de se donner ni
d'être libre. Elle est au carrefour par où passe le démoniaque, l'homme qui, condamné à un destin singulier, s'enferme dans sa singularité et plutôt que d'encourir la com-
passion d'un rédempteur, imite le démon qui le perd.
Qu'est-ce que la morale a à demander à une jeune fille
comme Sara, privée par une infortune dont elle est innocente, de toute expression sociale? Peut-elle lui dire : « Pourquoi ta vie n'est-elle pas **conforme** à la morale collective,

pourquoi ne te maries-tu pas? » Pas plus qu'à Kierkegaard lui-même dont le sort était l'exception, elle ne pouvait demander d'épouser Régine Olsen.

On ne saurait concevoir plus grande distance entre deux interprétations d'un même apologue. Même si l'on ne veut en relever que l'intervalle littéraire, on voit que Kierkegaard recherche une explication psychologique, un drame intérieur qui s'apparente au sien et que la représentation personnelle d'une âme peut seule figurer. Il s'agit de former un personnage, semblable à celui du duc de Gloucester dans *Richard III* qui a une réalité particulière bouleversante. Au contraire, pour Paul Claudel, l'histoire de l'Ancien Testament, comme toute autre histoire digne d'animer une action dramatique, ne peut se perdre dans les figurations d'une psychologie quelconque; elle dessine, comme il le dit, des attitudes essentielles et monumentales de l'être humain; elle présente des thèmes dont ce qui se passe dans nos vies privées n'est que le mémento inconsistant; elle produit à travers un événement parfait une signification métaphorique, une équivalence intelligible qui, de traduction en traduction, doit nous faire toucher toute l'étendue d'un univers religieux. C'est dans le chant, épuré de toute considération psychologique, mais lié à l'investigation de quelques mots essentiels, à l'illumination d'images fondamentales, que le drame se forme et va au delà de son intention littéraire. Il enfouit dans le sol pur et déterre tour à tour la parole authentique dont il se fait, comme Tobie, le conservateur. Il substitue à la mort de l'exégèse littéraliste l'animation qui vient du souffle et de l'esprit poétique.

*
*

L'une des plus belles scènes de *L'Histoire de Tobie*, égale aux grands moments de la poésie claudélienne, représente Azarias, l'ange Raphaël, évoquant, autour du sommeil du jeune Tobie déjà consacré au mariage, les restes du paradis terrestre pour que ces arbres spirituels fournissent un abri à la pureté du nouveau couple. La ronce, la rose, l'olivier, la vigne, le saule sont tour à tour interpellés et se proposent avec leurs qualités métaphoriques, dans la parure somptueuse que leur prête un commentaire ruisselant de figures. On saisit dans ces pages l'essence d'un art qui tient plus à l'allégorie qu'au symbole et qui s'épanouit par la floraison d'images apparentées. Le génie poétique de Paul Claudel ne tire en effet qu'en apparence ses ressources du symbole et du mythe. C'est par abus qu'on prétend le rattacher à une tradition symboliste, en France d'ailleurs très confuse, malgré l'école qui a reçu ce nom, et fondée sur des malentendus persistants. Sans entrer dans des explications théoriques, on peut rappeler, en déviant un peu le texte, ce que Kierkegaard dit du mythe dans *Le Concept de l'angoisse :* le mythe est un scandale pour la raison. Le mythe ne peut jamais se reposer sur un sens défini ni même s'échanger contre une série déterminée de sens possibles. Comme le symbole, il repousse toute traduction. On ne peut ni le résumer ni l'interpréter ni le représenter par d'autres images. Il est unique et fermé sur soi. Il n'y a pas de clé d'un symbole ou d'un mythe. En est-il de même pour les images ou les métaphores claudéliennes? Non, tout au contraire. On a le droit de les traduire, d'y chercher l'empreinte intelligible, de les immobiliser dans une signification appauvrissante mais approximative, comme lui-même a traduit et interprété les figures et les paraboles de la Bible. La profusion d'images dont il enrichit sa traduction par un jaillissement extraordinaire ne change rien à son dessein qui est de traiter les scènes de l'Ecriture comme des énigmes compréhensibles sur lesquelles l'investigation lyrique poursuit justement un travail d'explication et d'extraction. Comme toute l'œuvre de Paul Claudel est elle-même un commentaire inspiré de cet autre écrit qu'est l'univers, on voit que l'équivalence qu'elle en propose, si riche que soit son dessin, doit faire droit à son tour à la demande d'une exégèse qui veut en rejoindre le sens véritable et qui y retrouve les métamorphoses complémentaires d'images issues de l'unité.

M. Jacques Madaule, dans son livre *Reconnaissances*, a montré comment cette conception poétique était liée à une conception du monde. Le sentiment de Paul Claudel devant l'univers, avant même toute révélation religieuse, a toujours été un mouvement de foi dans son unité, un élan pour saisir la complète solidarité des choses entre elles, une affirmation de leur aptitude à être ensemble, et l'homme avec elles, dans une même existence conjointe et simultanée. Dans le temps et dans l'espace, successivement et à cha-

que instant, les choses s'équilibrent. « A toute heure de la
terre, il est toutes les heures à la fois, à chaque saison
toutes les saisons ensemble », et de même que le monde
ne subsiste que par l'échange toujours possible des choses
les unes contre les autres, de même il n'a une figure que par
l'intersection déterminée de tous les objets qui représentent
et leur propre place et la place de tous par rapport à chacun. « Je comprends que chaque chose ne subsiste que sur
elle seule, mais dans un rapport infini avec toutes les
autres. » A ce sentiment du monde comme d'une infinité
solidaire s'est ajoutée, après la conversion, la vision du
monde comme d'une unité intelligible, image et reflet de
l'unité divine. Il en résulte que chaque chose n'est pas
seulement unie à l'ensemble, mais qu'elle a aussi une réalité supérieure à sa réalité et est elle-même une image dont
il faut comprendre le sens. C'est justement la vocation du
poète d'être le témoin du monde dans sa présence significative, de l'accueillir dans le langage qui en découvre la vérité et de le restituer, par une offrande véritable au Père
qui en a formé la création. Le poète, par l'exaltation inspiratrice, monte sur un lieu de plus en plus élevé, jusqu'à ce
qu'il voie toutes les choses ensemble, les associe selon les
rapports nouveaux de la métaphore et ainsi les délivre de
la solitude dans laquelle elles échappaient à l'unité fondamentale.

Je connais toutes choses et toutes choses se connaissent
                                              [en moi.
J'apporte à toute chose sa délivrance.
Par moi.
Aucune chose n'est plus seule, mais je l'associe à une autre
                                              [dans mon cœur.

La richesse des images, leur jaillissement capricieux, le
désordre de leur succession sont, chez Paul Claudel, liés
à la puissance de son génie métaphorique. Et ce cheminement par bonds est la démarche conquérante qui lui permet
de prendre possession de la cohérence véritable du monde.
C'est par la rapidité des comparaisons et la nouveauté des
analogies qu'il peut le mieux surprendre la consistance
universelle, toujours indubitable, même quand elle est au
plus loin de l'ordre commun. Ce qu'il y a d'obscur et,

d'ailleurs, de plus profond dans l'œuvre claudélienne témoigne de la plénitude de l'univers où les images les plus dissemblables révèlent une liaison authentique. Cette obscurité et cette irrégularité des images ne doivent donc pas nous tromper sur leur valeur qui est d'être intelligibles et de s'unir à une signification à la fois précise et rayonnante, qui se circonscrit et qui se diffuse, signification dont l'esprit et la sensibilité doivent poursuivre sur les plans hiérarchisés de l'univers la fécondité analogique. La différence entre le symbole et cette expression, c'est que celle-ci finit toujours par livrer un sens dont l'exégèse peut à bon droit s'emparer, tandis qu'à la suite du symbole l'esprit s'engage dans un labyrinthe où il ne trouve jamais de repos et où il s'accouple en vain à l'énigme qu'il désire stérilement. On comprend que, dans une certaine mesure, le symbole soit exclu de la vue chrétienne du monde, puisqu'il suppose un tout autre mouvement que le salut intellectuel et spirituel. Pourtant, il y a dans le christianisme une tradition, la tradition augustinienne ou plus généralement la tradition mystique, qui appelle l'expression symbolique pour traduire la communication directe de Dieu et de l'homme. Le symbole apparaît alors comme le témoin de quelque chose d'incompréhensible, le saut vers la transcendance, l'union avec l'impossible. Mais justement, comme l'a fait remarquer le P. Bruckberger, Claudel se sépare nettement de cette tradition, « il n'est pas mystique, il se méfie même des mystiques ». Alors que le mystique se détourne autant qu'il peut du monde pour jouir de Dieu, c'est le monde que le poète a mission d'exprimer, de transformer en un univers conscient de son origine et soustrait au non-sens de la solitude. Il est par excellence le témoin des choses qu'il s'approprie afin de les préparer à la sanctification.

Moi qui aimais tellement les choses visibles, oh! j'aurais
            [voulu tout voir, avoir avec appropriation,
Non point avec les yeux seulement, ou avec les sens seule-
            [ment mais avec l'intelligence de l'esprit,
Et tout connaître afin d'être tout connu.

L'allégorie métaphorique tend donc bien à traiter la nature visible comme l'image d'une autre réalité invisible, mais cette nature a sa propre réalité qu'il n'est pas moins important d'affirmer et de célébrer, elle est à elle-même son image qui devient visible dans la parole du poète.

L'univers claudélien connaît sa profondeur et ne cède pas à l'ivresse de l'obscurité. Il prétend à une unité essentielle qui ne lui permet pas de se perdre et il désigne à chaque instant l'ordre rigoureux dont les figures les plus capricieuses, les plus désordonnées, ne peuvent trahir la cohérence. De toutes choses lui vient la possibilité d'infinies combinaisons qui n'expriment pourtant qu'un réseau créateur parfaitement inventorié et précis. Même sa chute dans l'inintelligible répond à un dessein sans équivoque qui assure son salut. Il ne demande rien à l'absurde. *L'Esprit Saint, hors des chemins de la rhétorique et de la logique, procède toujours par une succession d'images apparentées, quand la véhémence abrupte de l'inspiration ne vient tout interrompre et chavirer.* Si l'on se souvient que l'art de Paul Claudel, rebelle à tout vrai naufrage, instinctivement étranger aux abîmes d'où l'on ne revient pas, ne saurait vraiment chavirer, on s'empressera de lui dérober ce jugement pour l'appliquer à ce qu'il y a de divin dans son propre esprit.

VIII

AU SUJET DES « NOURRITURES TERRESTRES »

L'édition nouvelle qui a réuni en un même volume *Les Nourritures terrestres* et *Les Nouvelles nourritures* nous permet d'imaginer l'espèce d'émotion qui nous frapperait si cet ouvrage paraissait aujourd'hui pour la première fois. Mais, en vérité, un tel livre n'est plus possible maintenant. On ne saurait imaginer que M. André Gide pût l'écrire en défi aux circonstances et comme écho d'un état d'âme inactuel. C'est un ouvrage définitivement soustrait à ses conditions d'existence que nous sommes appelés à lire avec mélancolie.

Le temps ne l'a guère marqué. Parfois, les grâces de la forme réveillent les souvenirs du symbolisme. Les rondes, les ballades, les refrains qui rendent la prose consciente de la poésie qu'elle devient, les images scandées de l'impressionnisme, les phrases réduites à des mots nus que rien n'enchaîne, se lèvent dans la mémoire comme les moyens d'une rhétorique historique. Mais l'effet visé est toujours atteint. Derrière les métaphores, ce n'est plus un Orient, depuis longtemps déchargé de ses prestiges, qui nous impose ses signes, c'est une forme tout intérieure, un paysage sensible de l'esprit que nous contemplons à travers des mots qui n'existent pas et que l'harmonieuse netteté d'un langage abstrait nous donne à concevoir dans leur absence.

Il faut peut-être noter que *Les Nourritures* supposent un genre dont le roman français de la littérature dite d'après-guerre a assez mal tiré parti. De ce livre célèbre, tardivement célèbre, sont nés plusieurs romans de confidence, de ces romans où le Je évoque un personnage inconsistant, qui se raconte vaguement dans un journal et qui mêle à des analyses lyriques les ressources d'une histoire. Mais justement *Les Nourritures* ne sont pas un journal, même spirituel, mais une absence de journal, le vide d'une existence, le récit, rasé d'événements, d'une vie que nous connaissons par des commentaires qui ne s'appliquent souvent qu'indirectement à elle. Tout nous est devenu un peu plus clair, par la suite, grâce à d'autres œuvres moins réticentes. Mais ce n'est qu'un accident par rapport à cet ouvrage et, ce qui compte pour lui, c'est cette impression de présence sensuelle superposée à une absence sensible, la prolifération d'images, de représentations, de sentiments, qui témoignent puissamment d'une histoire cachée.

On a pu rattacher *Les Nourritures* au genre des *Essais*, et c'est d'autant plus séduisant qu'André Gide nous renvoie par un rapprochement classique à la tradition de Montaigne. Mais s'il y a dans les *Essais* un Moi qui se déclare, si, à travers les réflexions générales qui s'y développent, c'est l'histoire singulière d'un esprit qu'on retrouve, dans *Les Nourritures* on devine en plus une histoire qui ne s'avoue pas, une biographie romanesque dont l'ombre nous atteint et nous interroge. Dans la mesure où l'on fait du roman le récit de circonstances vraisemblables, le petit livre de M. André Gide est comme une greffe sur un roman qui n'a pas été écrit, un édifice élevé librement sur des fondations romanesques imaginaires. Quelques indications : « Je tombai malade; je voyageai... et ma convalescence merveilleuse fut une palingénésie », ou bien : « La naissance d'Abel, mes fiançailles, la mort d'Eric, le bouleversement de ma vie », donnent une consistance à des rêveries symboliques, maintiennent dans la réalité des vibrations de sons et de sentiments qui, autrement, s'évanouiraient dans l'ineffable. Et, réciproquement, cette existence n'agit sur nous que voilée; elle nous est désignée comme la structure d'un mystère dont des sensations très nues et des réflexions très abstraites peuvent nous figurer la présence.

Le héros lui-même, ce Je fiévreux, consumé par les désirs dont il est l'artisan, refuse d'être une personne. De même que Nathanaël ou Ménalque, ces êtres de raison, ou de désir, que les évocations ne cessent tour à tour d'appeler et de nier, le personnage central qui aurait voulu s'appeler André Gide renonce à cette vie propre qu'il réclame et n'est qu'acte pur, perception sans durée, instant irremplaçable et éphémère; il est tout entier dans cette présence dont il fait son éthique; il est invisible comme ce qu'on ne voit que dans une lumière immédiate et instantanée; il n'est que *là*, et c'est pourquoi il donne l'impression de n'être nulle part, à peine détaché de son regard, chaleur diffuse autour d'un corps en mouvement. On comprend ce qui est dit à propos d'une ballade : « Dans cette ballade, je parlais surtout des hommes et des femmes et si je ne te la dis pas maintenant, c'est que, dans ce livre, je ne veux pas faire de personnalités. Car, as-tu remarqué que dans ce livre il n'y avait *personne*. Et même moi, je n'y suis rien que Vision. » Il est, après tout, naturel que ce livre où brûle la sensation, soit soustrait à la domination du Moi. Mais il n'en reste pas moins remarquable que *Les Nourritures* figurent dans la littérature romanesque une sorte de roman invisible, un essai enté sur un roman, avec comme héros un antipersonnage, un Je qui se dissout dès qu'il s'est affirmé, pour échapper à la banalisation de la vie du On.

Les Nourritures représentent une forme dont la littérature moderne a été obsédée sans en prendre très clairement conscience. On pourrait lui donner le nom de littérature d'expérience; expérience, d'abord au sens où elle exprime une expérience toute personnelle et en dépend, et puis expérience, parce qu'elle est elle-même un moyen de métamorphoses, un instrument dont l'usage laisse l'auteur autre qu'il n'était et peut-être qu'il ne croyait devoir être. Il y a là un phénomène qui a trouvé ses modèles et ses théoriciens chez les romantiques allemands, en particulier chez Novalis, et dont *La Saison en enfer* est en France l'exemple le moins contestable. La littérature vise à un effet qui doit retentir sur l'être tout entier. Non seulement, comme la poésie primitive, elle tend à modifier magiquement l'univers, mais elle modifie celui qui la produit. Entre les mains d'un auteur très conscient, elle est un exercice qui met en cause ce qu'il est et le propose à une condition nouvelle. Elle représente une aventure ou, plus exactement, une véritable expérience dont les résultats, si élaborées qu'en aient été les données, si réfléchie l'opération, ne peuvent être mesurés à l'avance, qu'il faut pousser jusqu'au bout pour savoir où elle conduit son auteur, à quelles transformations de soi elle aboutit. Ce n'est pas nécessairement dans les œuvres issues d'un instinct sans contrôle (s'il y en a) que se montre un tel usage de la littérature. Mais il faut au contraire admettre que l'art, le plus obéissant à l'artiste, celui qui rompt le moins avec les règles et les disciplines, dont l'emploi exige une constante attention, justement l'art qui se fait sous la parfaite dépendance de celui qui le fait est aussi le plus propre à transformer profondément le créateur, à le porter ailleurs qu'il n'avait supposé se rendre. La littérature, par ses conventions bizarres, par ses rigueurs en apparence arbitraires, a une existence absolue. Elle a beau être l'effet exact de l'esprit qui la crée, elle affranchit de lui-même cet esprit auquel elle est strictement soumise, elle le rend libre de soi par les chaînes spéciales qu'elle lui impose.

C'est avec cette nuance nouvelle que *Les Nourritures* inaugurent la vocation originale de moraliste dont André Gide, à travers beaucoup de malentendus, maintient la grandeur authentique. Cet ouvrage n'est pas seulement un essai dans un sens impersonnel, un essai sur quelque chose, à propos de quelque chose, mais un essai de l'auteur sur lui-même, où il s'essaie par l'intermédiaire de pensées et d'images, où, en se donnant dans une complète adhésion à une certaine vue du monde, il entreprend une expérience dont il est le sujet, dont il accepte aventureusement le risque et qui ne peut pas ne pas le modifier d'une certaine manière. Il y a là une des raisons qui expliquent la fameuse inconstance gidienne. D'un livre à l'autre le lecteur s'étonne de ne point retrouver le même Gide. C'est que chacun de ses livres est une expérience qui le transforme ou du moins rend à la lumière l'un de ses visages jusque-là dérobés. Ne reste le même que l'auteur pour qui écrire n'est pas un moyen de se mettre en question. Mais celui qui ne peut accepter définitivement ce qu'il est, qui ne peut non plus renoncer à soi sans avoir été complètement ce qu'il veut être et qui, de plus, a à sa disposition les moyens tout-puissants d'un art, est toujours menacé de se trouver et de se perdre dans chaque œuvre, puisque précisément ce qu'il lui demande, c'est de le modifier d'une manière nécessaire. « Oui, écrit André Gide dans la préface d'une de ses éditions, j'ai tout aussitôt quitté celui que j'étais quand j'écrivais *Les Nourritures*. » Mais c'est qu'il ne pouvait demeurer celui qu'il était en les écrivant précisément parce qu'il avait fini de les écrire. Etre fidèle aux *Nourritures*, c'était être fidèle à l'homme qu'il n'aurait pu devenir sans elles, qu'il est devenu à partir d'elles. La constance d'un écrivain est moins dans l'expression d'une pensée durable que dans le sérieux avec lequel il l'éprouve en la soumettant à la règle d'expressions successives. Il devient autre pour avoir été profondément ce qu'il n'est plus.

« Un mot encore, écrit André Gide dans la même préface : certains ne savent voir dans ce livre, ou ne consentent à y voir, qu'une glorification du désir et des instincts. Il me semble que c'est une vue un peu courte. Pour moi, lorsque je le rouvre, c'est plus encore une apologie du *dénuement* que j'y vois. C'est là ce que j'en ai retenu, quittant le reste... » Les thèmes qui constituent l'éthique des *Nourritures terrestres* gardent probablement leur valeur si on ne les tient pas pour les formes d'une pensée abstraite, mais pour les éléments d'un paysage de naïveté et de jeunesse. L'appel à la vie, le refus de la culture livresque, le chant du désir qui s'allume à tout ce qui le renouvelle, l'attente de l'âme qui est tout, qui embrasse tout, qui ne choisit pas, ces voix qui cherchent à éveiller tous les échos d'une terre sans au-delà, sont entendues moins pour le message qu'elles apportent que pour le chant précis qu'elles conservent à notre mémoire. Auprès de la grande cascade de Nietzsche coule ici une source peu profonde, mais vivace, qui, aux dépens des ombres et des énigmes, appelle, rafraîchit, accroît n'importe quelle jeune fièvre. Le mot vie y est donné comme un secret qu'il est possible d'ouvrir et le bonheur est promis à la faim comme sa récompense. (*Je sais que je n'ai pas un désir — qui n'ait déjà sa réponse apprêtée.*)

Quant à l'apologie du dénuement qu'André Gide reconnaissait en 1927 dans l'hymne de la vie disponible et immédiate, il se peut qu'il ait été trompé lui-même, voyant dans *Les Nourritures* les *Nouvelles Nourritures* qui se formaient en lui. Du moins faut-il voir dans ce dénuement, non pas l'ascèse qui chasse l'instinct parce qu'il est mauvais, mais une nouvelle forme de la réalisation de soi. Où est l'existence, où est cet être que je ne veux cesser d'embrasser? Il n'est pas en moi, disent *Les Nouvelles Nourritures,* il est dans le passage de moi aux autres. Et *Les Nourritures terrestres* elles-mêmes font du moi une passivité voluptueuse qui renonce à toute détermination pour goûter davantage ce qui s'offre à lui. *Attends tout ce qui vient à toi; mais ne désire que ce qui vient à toi. Ne désire que ce que tu as.* Mais peut-être n'est-il pas inutile que les équivoques, en rendant plus naïve l'inspiration abstraite de ce petit livre, la restituent aux images simples, aux sensations toutes pleines où elle retrouve sa profondeur. On se laisse alors tenter une fois de plus par le chant des rêves uni à celui des mots désirables et l'on écoute avec innocence cet éloge de la vie que les choses nous communiquent comme si elles n'avaient pas pour interprète une pensée.

IX

LA PENSÉE D'ALAIN

Il arrive qu'Alain publie un nouveau livre, et ce livre nouveau est un de ses anciens ouvrages remanié, complété, éclairé sans cesse par lui-même. C'est là une méthode qui lui est habituelle. Quelquefois il ne reprend pas un ancien livre, il le change en en écrivant un autre où il ne va pas toujours plus loin sur le même sujet, mais il est satisfait s'il l'a agité à nouveau et lui a donné une sorte de survie; il y a dans ces retours, dans ces reprises, la manifestation d'un mouvement implacable qui est la loi de son esprit. Comme il le dit, les preuves ne sont rien sans le consentement qu'on leur donne et plus encore sans la force qu'elles trouvent dans une approbation efficace. Autrement, elles ne sont qu'un corps mort et il faut un grand travail pour les ressusciter. Il semble que ses livres soient pour Alain comme les preuves. Il a besoin de les avoir sans cesse en lui, les prenant, les reprenant, pour les empêcher de mourir. Et chaque fois qu'il touche à la même œuvre, il la voit renaître aussi neuve et naïve que la première fois.

Son ouvrage, *Eléments de philosophie,* est fait d'un de ses livres les plus réputés, publié justement pendant la précédente guerre sous le titre : *Quatre-vingt-un chapitres sur l'esprit et les passions.* Comme il s'agit d'un ouvrage où sont traitées d'une manière simple beaucoup de questions et qui permet un contact avec presque toute la philosophie, on est tenté en le lisant de dire quelle est la pensée d'Alain, du moins de s'en approcher et de l'exposer pour elle-même. C'est un prétexte qu'on ne voudrait pas laisser

perdre. Mais, malgré ce désir qu'on a de le traiter comme
un autre philosophe, on est bientôt détourné de ce souci
en regardant sa démarche, la manière dont il va et vient,
l'espèce d'énigme qu'il représente même pour ceux qui
croient le saisir assez clairement. Et l'on n'a plus que le
dessein de trouver ce qu'il est sans trop mesurer l'importance de ce qu'il écrit, cherchant beaucoup plus le mouvement que le sens de sa pensée.

Il est toujours facile de retenir, d'après ses premières
apparences, un esprit dans quelques contradictions. Chez
Alain, ces contradictions font une partie de sa force et
expliquent l'étendue de son influence. La première, c'est-
à-dire la plus immédiatement saisissable, est la rigueur de
son rationalisme, son goût des pensées claires, et en même
temps le souci d'une certaine obscurité, qui ne le quitte
point. On n'a pas à redire qu'Alain, disciple de Descartes,
non seulement en accepte toutes les principales pensées,
mais repousse, comme lui, les problèmes à objections et solutions. Une de ses formules habituelles est celle-ci : « Je
ne donnerai pas une minute à un problème qui n'intéres-
serait que les disputeurs. » Il y a sans doute beaucoup de
raisons à ce mépris qui le fait d'ailleurs se détourner trop
facilement des questions; l'une est qu'il n'y a de pensée
que d'objet, que si l'objet manque, la pensée n'a plus d'appui; mais une autre est que ces vaines discussions brouil-
lent le langage, le faussent et éloignent à jamais l'esprit
de la clarté sans laquelle il se perd. Or, la clarté n'est pas
du tout la première vertu d'Alain. Il s'en faut de beaucoup.
Si l'on suit les seuls mouvements de son style qui est fameux par ses coupures, ses chutes, ses élans interrompus,
on est frappé par le peu de goût qu'il révèle pour l'ordre,
la simplicité ou une explication formelle. Il procède par
voie indirecte, par approches, par éclairs. Il montre, puis il
dérobe. Il affirme, puis il conteste. Il semble surveiller le
lecteur, le faisant venir, l'attirant par quelque complaisance, puis celui-ci une fois entraîné, le laissant là, réduit à ses seules forces, perdu en face d'un brillant secret.

On voit très bien à quels soucis pédagogiques peut répondre une telle démarche. Il faut que chacun se trouve, se
sauve par lui-même, engagé dans une voie qui ne le con-
duira quelque part que s'il l'a découverte après s'être cru
égaré. Mais ces mouvements du langage signifient aussi

autre chose. D'abord, naturellement, on peut y retrouver les mouvements mêmes de la pensée d'Alain : sa manière de s'approcher d'un objet, de le saisir, superficiellement, profondément, de ne point s'y attarder, de faire un bond, puis après un long détour, de revenir à l'idée comme pour s'assurer qu'elle est toujours là où il l'a laissée, ce qui n'est point certain. Tous ces pas, ces enchevêtrements, ces rapides assauts composent un style qui n'est pas simple et où il n'y a que chemins de traverse et raccourcis. Mais ce n'est pas tout; ce langage est souvent volontairement obscur par les allusions qu'il contient et qui semblent réservées à un chœur privilégié de disciples. Alain s'adresse à tous et souvent aux plus humbles dont il a beaucoup souci, mais aussi à quelques-uns qui, seuls, peuvent comprendre le sens d'une apparente confusion, se tirer du mélange des problèmes et saisir au vol la rapide image qui dit tout. Il y a dans ce rationalisme classique un ésotérisme qui tient au cercle étroit et fermé que les élèves ont tracé autour du maître. Il n'y a pas une doctrine secrète destinée à quelque sacré collège mais il y a une manière secrète d'avoir accès à cette pensée destinée à tous, et de temps en temps apparaît le regard ironique de complicité que le docteur échange avec ses disciples, ou, ce qui revient au même, avec son propre esprit.

Il faut ajouter que cette obscurité est un des aspects les plus attirants de la pensée d'Alain parce qu'on y découvre le goût qu'il a toujours eu pour les vraies énigmes, celles qui ne viennent pas des combinaisons instables d'idées mais de la solidité de l'homme. Il apparaît, par ce voile tendu sur les choses et sur lui-même, qu'Alain se plaît à trouver dans l'homme quelque chose d'opaque, expression de sa force et de sa vérité sur quoi il revient sans cesse, ne réussissant pas à aller au delà et n'éprouvant cet échec que comme le signe d'une profonde et tranquille victoire. « Je ne me plais qu'à un genre d'obscurité que je connais bien, qui n'est point vide ni creuse, mais pleine au contraire et à laquelle je viens buter et encore buter, nullement impatient de la percer et au contraire tranquille et assuré de ne point la percer. » Tel est l'un de ses secrets. Et c'est aussi par ce point qu'il se rapproche de Descartes ou qu'il l'imite, se souvenant que Descartes est presque partout impénétrable et donne à penser que l'homme ne l'est pas moins; seulement, alors que Descartes, comme il le dit lui-même, est souvent clair d'apparence, et que son langage, qui est selon la coutume, n'avertit point, Alain est défendu par sa forme qui fait savoir, parfois avec excès, que la prise la plus simple des choses est difficile, doit être recommencée sans cesse et échappe souvent à celui qui croit le mieux la tenir.

L'écart entre le rationalisme d'Alain, fait de quelques idées claires, et son contact heureux avec l'obscurité, aide peut-être à mieux comprendre comment il peut être si fortement dogmatique et si étranger à tout esprit de système. C'est aussi là une de ses singularités. Peu d'esprits paraissent aussi péremptoires, aussi assurés d'eux-mêmes, affirmant avec un véritable orgueil, sans le moindre égard pour les contradicteurs, la vérité qui a été découverte. Il semble, lorsqu'il parle ou qu'il écrit, qu'il n'y a pas d'autre pensée que la sienne, acceptant d'elle seule la contradiction et oubliant toutes les autres qui pourraient la contrarier. Il dit quelque part, d'un homme très haut, très poli, dont il imitait les manières : « C'est de lui que j'ai pris l'habitude de ne jamais donner les raisons d'un refus : j'ai compris depuis que refuser en donnant des raisons ce n'est point refuser. » L'orgueil du rationaliste est ainsi. La dignité du « je pense » le couvre. Une loi magnifique l'habite et le fonde. Mais ce ton péremptoire dont il s'est fait une manière pour repousser l'engeance exécrable des réfutateurs, de ceux qu'il appelle les marchands de pensée, cette hauteur, cette promptitude, ce mépris qui semble être un dédain des personnes mais qui est surtout un parfait mépris des objections, cet art puissant de dogmatique va de pair avec un cheminement des pensées tout à fait éloigné de la certitude théorique du savoir. La préoccupation d'une doctrine, on pourrait, si on le voulait bien, la suivre dans tous ses ouvrages, même dans les plus courts propos, même dans ses *Souvenirs de guerre,* ouvrage si remarquable où il est si peu apprêté, et l'on pourrait sur tous les sujets retrouver le recoupement des mêmes pensées, l'affleurement des mêmes principes, et, disons pour l'irriter, des mêmes thèses. De telle sorte qu'il y a aussi dans ce monde d'Alain, outre une absence de profondeur et d'abîme, une monotonie d'intention parfois insupportable. Cependant, en dépit de ce dogmatisme d'une part, de cette unité de doctrine d'autre part, on est frappé, sollicité par l'effort d'une pensée qui ne se repose jamais, qui ne vit pas sur un corps d'idées, comme sur un trésor qu'elle tiendrait en lieu sûr, qui, ayant découvert une vérité, puis une autre, et en étant tout à fait certaine, a cependant besoin de les découvrir sans cesse, de les attaquer, de leur rendre la vie et la flamme par un travail interminable. De là, cette double impression que donne le monde où il habite : une impression d'étroitesse, sans rêve, sans passion, sans gouffre, et une impression d'activité que rien n'épuise, de force dont rien ne vient à bout, un domaine dont les limites n'admettent aucun égarement et où, pourtant, l'on ne peut jamais s'arrêter de marcher, comme s'il fallait renoncer à en voir les bornes. De là aussi l'allure ambiguë de l'écrivain qui inspire un sentiment de sécurité par son assurance et sa foi en la vérité et qui inquiète et trouble le jugement par le danger auquel il expose ses propres idées, courant toujours après elles, les fuyant pour les retrouver et les renonçant par goût d'une adhésion vraie. Dogmatique en ce sens qu'il croit avoir les vérités et même toutes, et tout à fait éloigné du dogmatisme, car il ne croit pas moins que toutes les vérités périraient dans le système des vérités et que l'essentiel de la philosophie, comme il l'a dit, c'est de comprendre qu'une idée ne se met pas en garde.

Il va de soi que ce monde est ce qu'il est, non pas objet de réfutation, mais formé par une pensée qui ne cesse de le dépasser et qui est bien trop éveillée pour n'être pas tentée de lui substituer un autre univers. Ainsi est-il admis que ses vrais disciples lui sont finalement infidèles. Mais ce qu'il faut considérer chez Alain, c'est la liberté de l'esprit, le goût de la dignité du jugement, l'indifférence hautaine pour tout ce qui est faiblesse de passion et menace de l'intelligence. D'une certaine manière, le seul contenu de sa philosophie, c'est sa pensée en exercice. Il lui faut penser et toujours repenser, au contact de l'expérience de chaque jour, les principes qu'il distingue; comme principes déposés, une fois pour toutes, dans le langage, ils ne signifient que la mort de l'esprit qu'ils voudraient faire vivre; ils entretiennent une fausse sécurité; ils apportent des étais là où un appui est un poids lourd; ils sont le contraire de ce qu'ils sont. Aussi ne doivent-ils être saisis que dans la pensée où ils ont sens et valeur. Il faut qu'Alain les

pense pour qu'ils soient principes valant pour tous. Dès
que le livre les éternise, ils méritent méfiance et soupçon.
Et si la parole leur convient mieux, ils demandent un discours murmuré pour soi et non pas récité; de là le caractère de la philosophie d'Alain inséparable de l'enseignement, de là aussi ses livres toujours en quête des mêmes
vérités, et dont on croit qu'ils se répètent, alors qu'ils se
recommencent et se refont, parce que le vrai ne se répète
pas.

X

DE L'INSOLENCE
CONSIDÉRÉE COMME L'UN DES BEAUX-ARTS

Dès qu'on a lu quelques pages de *Solstice de juin,* on voit que M. de Montherlant se prête à une dépendance presque complète par goût de l'indépendance et par tentation des choses difficiles. Il se jette dans le courant pour montrer qu'entraîné par lui, n'ayant pas les moyens de le remonter, il reste libre dans ce mouvement qu'il subit. Alors que les uns se perdent misérablement dans ce gouffre où ils ont été précipités par un instinct de vulgaire abandon, alors que les autres demeurent loin du bord pour résister au vertige qu'ils redoutent, lui, prétend entrer dans l'abîme et rester intact, se laisser aller et prouver qu'il est lui-même, suivre et ne pas renoncer à son propre mouvement. Il est non pas repoussé mais attiré par le péril, et plus encore que par le péril, séduit par la quasi-certitude que s'y exposer, c'est y succomber. Une pureté trop aisée ne lui dit rien. Mais le difficile le tente et l'impossible le fascine.

La discipline dont *Solstice de juin* exprime les divers mouvements est celle de l'insolence. L'insolence n'est pas un art sans valeur. C'est un moyen d'être égal à soi et supérieur aux autres dans toutes les circonstances où les autres semblent l'emporter sur vous. C'est aussi la volonté de repousser le convenu, le coutumier, l'habituel. Il y a dans l'insolence une promptitude d'action, une spontanéité orgueilleuse qui met en défaut les vieux mécanismes et triomphe, par la rapidité, d'un ennemi puissant mais lourd. L'insolence suppose une étincelle de vive conscience et elle découvre le défaut secret qui ne manque jamais au plus fort. Elle refuse de se défendre et elle attaque quand tout est perdu. Elle se sacrifie, mais elle se venge. Elle périt en accablant. Elle succombe dans un étincelant scandale. La loi qui la dénonce est sans pouvoir contre cet éclair qui brille une dernière fois.

Le premier essai de *Solstice de juin* raconte comment en 1919 M. de Montherlant fonda avec quatre autres jeunes gens une sorte d'Ordre de chevalerie pour se séparer d'un monde vil. Ce sont des pages simples et belles. On retrouve dans cette tentative quelques-uns des caractères qui sont au fond de toute éthique de l'insolence. « Nous étions juvéniles, dit M. de Montherlant, mais je crois que jamais nous ne fûmes niais. » Cette juvénilité ou, si l'on veut, cette aptitude à ne pas s'appesantir, à être mobile et vivant, est un des traits de l'insolence. Supporter avec légèreté ce qui vous écrase, voilà le jeu de mots qu'il y a dans le défi de l'homme insolent. Il atteint sa suprême victoire quand il s'exerce aussi bien à l'égard des choses qu'à l'égard des hommes. Il est désinvolte, non pas parce qu'il méconnaît ce qui l'accable, ni même parce qu'il joue un rôle, mais parce qu'il défend sa souveraineté, en dissimulant ce qui est pour lui le sérieux de la vie. « Il y a légèreté et légèreté, dit M. de Montherlant. Etre superficiel est un vice dégoûtant, mais il existe un esprit de légèreté, de légèreté consciente et réfléchie, qui est vertu. » De même, s'il reste libre dans l'oppression, en se jetant violemment contre ce qui devrait le perdre, c'est par un mouvement juvénile, par le sentiment de sa souplesse, de sa subtile vigueur, par les prestiges d'une nature à qui tout est aisé.

Au principe de « l'Ordre », il y avait, dit M. de Montherlant, un besoin de séparation d'avec le milieu, pour pouvoir vivre une vie respirable, un repliement, non sur soi-même, mais sur une poignée d'êtres choisis. Traits communs à toutes les chevaleries, mais communs aussi aux chevaliers de l'insolence. L'insolence est une manière de rejeter le monde qu'on méprise, d'affirmer une aristocratie, de se référer à des règles plus ou moins secrètes — maniement prompt des mots, aisance, connaissance des moyens qui créent une supériorité parfois illusoire, mais dans l'instant incontestable. L'insolence déchire l'ordre conventionnel et se plaît dans le non-conformisme. Elle est minorité,

minorité qui n'accepte aucune justification extérieure, qui
réclame au contraire l'honneur d'être étrangère au vrai, à
la morale, à toutes les normes dont la société commune
a besoin. M. de Montherlant a écrit quelques lignes fort
belles sur ces minorités qui disent héroïquement : non.
« Ces minorités qui m'obsèdent aujourd'hui sont peut-être
sans valeur. Ou peut-être ont-elles tort, selon le vrai. Ou
peut-être sont-elles nuisibles à l'intérêt général. Il est peut-
être nécessaire de les réduire à l'impuissance. Mais qu'on
leur donne les honneurs de la guerre. Non en tant que ceci
et cela. Seulement parce qu'elles ont résisté à l'obscène
attraction du nombre. » « Ici est la cime, lit-on sur le tombeau de Ieyasu, situé sur une éminence boisée où l'on
monte par deux cents marches. Ici est la cime. La multi-
tude qui est au-dessous vit comme elle peut. »

L'Ordre des jeunes chevaliers de 1919, acte de séparation, fut aussi un pacte de solidarité et impliquait certaines exigences qu'on peut bien appeler morales. Avons-nous
cette fois dépassé l'éthique de l'insolence? Ce n'est pas sûr.
Il y a dans le comportement de l'homme insolent un égoïs-
me qui est assez prompt à se renier. C'est par rapport aux
autres, dans un mouvement qui tient compte étroitement
d'autrui, que l'insolence se manifeste. Elle est l'expression
d'un Moi rebelle, scandaleux, impérissable, qui s'impose en
se montrant. Ce Moi, il ne s'agit pas de l'ébranler ou de
l'abattre. Il reste prodigieusement fidèle à soi. Il est même
plus Moi que nature. Il joue avec une spontanéité parfaite
son rôle de Moi. (« On prend une attitude, dit Montherlant,
mais on prend l'attitude de ce qu'on est réellement. ») On
est soi par une exigence profonde, mais aussi pour les autres, à la fois contre ceux qui voudraient vous contraindre
et en considération de quelques-uns dont on partage l'attitude. Le « pour les autres », qui est au cœur de l'homme
insolent, suppose un sentiment équivoque et troublant par
lequel il reconnaît une certaine loi de solidarité et, à l'égard
de l'adversaire, quelque chose de plus que l'indifférence, un
mépris dont le contraire est la sympathie, cette sympathie
qui fait dire à M. de Montherlant : « La sympathie, tiens,
oui, de cela au moins je me sens capable. »

On peut même aller plus loin et penser que l'éthique de
l'insolence exige un contenu qui n'est pas tout à fait la morale, qui la bafoue même assez souvent, mais qui est en

revanche tout proche de la « qualité humaine », symbole de valeurs dont *Solstice de juin* montre à toutes les occasions l'importance. Qu'est-ce que la qualité ? Une exigence, indépendante de l'intelligence, de la moralité, du caractère, quelque chose de rare qui suffit à transfigurer un être, même quand manquent les autres vertus. C'est dans l'ordre de l'action ce qu'est le goût dans l'ordre esthétique. « Il en est de la vie, remarque Kierkegaard dans son *Journal*, comme des notes de musique, la note juste est une oscillation entre le juste et le faux, et c'est là sa beauté; la justesse de ton, dans un sens plus étroit comme la logique, l'ontologie, la morale abstraite — ici la justesse mathématique, serait fausse pour le musicien. » La justesse de ton, oscillation entre le juste et le faux, telle est bien la qualité, et c'est au nom de cette qualité que l'insolence, exaltation spectaculaire de l'instant et effort violent pour dominer celui qui domine, néglige toutes les autres formes de la vie morale.

Solstice de juin, bréviaire de l'insolence où M. de Montherlant, ayant fait le pari de se jeter au cœur d'une actualité terriblement accablante et commune, comptait se sauver par son souverain mépris de se perdre et un sens éveillé de la qualité, ne doit pas être tenu pour un livre exemplaire. Il arrive que l'écrivain soit pris par le gouffre : il ne réussit plus à survoler, il sermonne, il tire des leçons, il fait de la morale, signes que l'événement l'a fasciné et l'entraîne. Ou bien, il bâcle avec quelques réflexions dont le caractère hautain ne protège pas l'insignifiance, une idéologie qui semble à peine supérieure aux méditations habituelles des écrivains perdus dans la politique, et l'on songe alors à l'avertissement qu'il leur jette : « Aux écrivains qui ont trop donné depuis quelques mois à l'actualité, je prédis, pour cette partie de leur œuvre, l'oubli le plus total. Les journaux, les revues d'aujourd'hui, quand je les ouvre, j'entends rouler sur eux l'indifférence de l'avenir, comme on entend le bruit de la mer quand on porte à l'oreille certains coquillages. »

FIN

Imprimé en France

TABLE

—

De l'Angoisse au Langage

Digressions sur la Poésie

DIGRESSIONS SUR LE ROMAN

DIGRESSIONS SANS SUITE

ACHEVÉ D'IMPRIMER LE QUINZE NOVEM-
BRE MIL NEUF CENT QUARANTE-TROIS,
SUR LES PRESSES DE L'IMPRIMERIE MODERNE
177, ROUTE DE CHATILLON, A MONTROUGE.
(C. O. : 31.2348)

N° d'autorisation : 18.159
Dépôt légal : 4e trimestre 1943.
N° d'édition : 45. — N° d'impression : 3.